니클의 소년들

* 이 도서의 국립중앙도서관 출판예정도서목록(CIP)은 서지정보유통지원시스템 홈페이지(http://seoji.nl.go.kr)와 국가자료공동목록시스템(http://www.nl.go.kr/kolisnet)에서 이용하실 수 있습니다.(CIP 제어번호: 2020048737)

니클의 소년들

콜슨 화이트헤드 장편소설 | 김승욱 옮김

THE NICKEL BOYS

은행나무

리처드 내시에게

일러두기
본문의 주는 모두 옮긴이의 것으로, 괄호 안에 글씨 크기를 줄여 표기했습니다.

차례

프롤로그

그 녀석들은 죽어서도 골칫덩이였다.

비밀 묘지는 니클 캠퍼스 북쪽, 낡은 작업장과 학교 쓰레기장 사이에 있었다. 여기저기 아무렇게나 풀이 자란 그곳은 옛날 이 학교가 동네 사람들에게 우유를 파는 낙농장을 운영할 때 소가 풀을 뜯던 곳이었다. 낙농장은 플로리다주(州)가 이 학교의 관리 비용으로 들어가는 세금을 절약하기 위해 생각해낸 방편 중 하나였는데, 이곳을 복합상업지구로 개발하는 일을 맡은 업자들은 이 풀밭을 점심시간용 야외 푸드코트 자리로 찜해두었다. 가끔은 이벤트를 열 수 있게 콘크리트로 무대도 만들고, 분수나 연못 등도 네 군데쯤 만들 예정이었다. 환경영향 연구에서 문제 없다는 결정이 떨어지기를 기다리던 부동산 개발 회사에게는 시체가 발견된 것이 비용을 잡아먹는 골칫덩이가 되었다. 이곳에서 학대가 자행되었다는 이야기들에 대한 조사를 얼마 전 종결한 플로리다주 법무장관에게도 마찬가지였다. 이제 그들은 새로운 조사를 시작해서 시신들의 신원과 사인을 밝혀야 했다. 이 망할 놈의 풀밭을 다 파서 깨끗이 정리하고 역사에서 지워버리는 일이 언제쯤 끝날지는 아무도 알 수 없었다. 그러나 사실 이런 조사가 이미 오래전에 이루어졌어야 한다는 점에 대해서는 누구도 반대하지 않았다.

그 학교 아이들은 모두 이 고약한 곳에 대해 알고 있었다. 처음 어떤 소년이 감자 자루에 묶인 채 이곳에 버려진 때로부터 수십 년이 흐른 뒤 온 세상이 진실을 알게 된 것은 사우스플로리다 대학의 어느 학생 덕분이었다. 어떻게 그 무덤들을 찾아냈느냐는 질문에 그 학생 조디는 이렇게 말했다. "흙이 이상해 보였어요." 그 자리만 땅이 푹 꺼지고 풀이 잘 자라지 않는 것이 이상했다는 것이다. 사우스플로리다 대학 고고학과에 다니던 조디는 같은 과 학생들과 함께 몇 달 전부터 니클 아카데미의 공식 묘지를 발굴하던 중이었다. 주 정부는 그곳에 묻힌 유해를 제대로 정리해야만 그 땅을 처분할 수 있었고, 고고학과 학생들에게는 현장 수업 학점이 필요했다. 그들은 말뚝과 철사를 이용해서 땅을 격자 모양으로 나눈 뒤, 작은 삽과 중장비로 발굴을 시작했다. 체로 흙을 거르면 뼈와 허리띠 쇠와 음료수병이 체 위에 남았다. 정체를 알 수 없는 증거품 같았다.

니클 아카데미의 소년들은 이 공식적인 묘지를 부트 힐이라고 불렀다. 오락을 즐길 수 없는 이 학교로 유배당하기 전에 재미있게 보았던 토요일 낮의 영화에서 따온 이름이었다. 그리고 몇 세대가 흐른 뒤 평생 서부영화라고는 본 적이 없는 사우스플로리다 대학교 학생들도 역시 이 이름을 사용했다. 부트 힐은 북쪽 캠퍼스에 있는 커다란 능선을 넘어가면 바로 있었다. 무덤이 있는 자리를 표시하기 위해 박아놓은 하얀 콘크리트 십자가들에 화창한 오후의 햇빛이 떨어졌다. 이 십자가의 3분의 2 지점까지 이름이 새겨져 있고, 나머지 부분은 공백이었다. 신원확인은 쉽지 않았지만, 젊은 고고학과 학생들이 서로 경쟁을 벌인 덕분에 작업이 꾸준히 진전되었다. 학교 기록이 비록 불완전하고 엉망이긴 해도, '윌리 1954'가 누구인지 범위를 좁히는 데에는 도움이 되었다. 불에 탄 유해들은 1921년 기숙사 화재로 숨진 소년들로 판명되었다. 살아 있는 가족들(대학생들이 찾아낼 수 있었던 사람들만)과 DNA를 맞춰본 덕분에 망자들은 자기들이 떠난 뒤에도 계속 이어져온 산 자들의 세상과 다시 연결되었다. 마흔세 구의 시신 중 끝내 신원이 밝혀지지 않은 시신은 일곱 구였다.

학생들은 하얀 콘크리트 십자가를 발굴 현장 옆에 소복하게 쌓아두었다. 그런데 어느 날 아침에 일을 하러 현장에 나와 보니, 누가 부쉈는지 십자가들이 산산이 부서져 있었다.

부트 힐은 품고 있던 소년들을 한 사람씩 풀어주었다. 조디는 발굴을 위해 파놓은 구덩이 중 한 곳에서 몇 가지 유물을 찾아낸 뒤 처음으로 유해를 발견했을 때 짜릿한 흥분을 느꼈다. 카마인 교수는 조디가 쥐고 있는 작은 플루트 모양의 뼈가 너구리 같은 작은 동물의 것일 가능성이 크다고 말했지만 비밀 묘지가 조디를 구해주었다. 세포 신호를 찾아 이리저리 돌아다니던 조디가 비밀 묘지를 발견하자, 담당 교수는 안 그래도 부트 힐 현장에 이상한 점이 있다면서 그녀의 육감을 지지해주었다. 금이 가거나 구멍이 뚫린 두개골, 대형 산탄이 잔뜩 박힌 갈비뼈 등이 부트 힐에서 발견되었기 때문이다. 공식적인 묘지에서 발견된 유해들도 수상쩍은데, 이렇게 아무 표시도 없는 묘지에 묻힌 사람들은 과연 어떤 일을 겪었을까? 이틀 뒤 시신의 냄새를 맡을 수 있는 개들과 레이더 영상 장치가 상황을 확인해주었다. 하얀 십자가도 이름도 없는 곳에서 뼈들만 누군가에게 발견되기를 기다리고 있었다.

"이런 곳에 학교라는 이름을 붙이다니." 카마인 교수가 말했다. 1에이커의 흙 속에 사람들은 많은 것을 숨길 수 있다.

이 학교에 다녔던 소년들 중 한 명인지 아니면 그들의 친척 중 한 명인지, 하여튼 누군가가 언론에 정보를 흘렸다. 고고학과 학생들은 이미 이 학교 출신들과 많은 면담을 하면서 그들 중 일부와 유대를 쌓은 뒤였다. 학생들은 그들을 보면서 어렸을 때 동네에서 본 변덕쟁이 아저씨나 완고한 어른을 떠올렸다. 일단 친해지면 조금 부드러워지기는 해도, 그 딱딱한 속내는 결코 사라지지 않는 사람들. 고고학과 학생들은 그들에게, 그리고 자기들이 발굴한 죽은 소년들의 가족에게 새로 발견된 묘지에 대해 이야기해주었다. 그러자 탤러해시의 한 방송국이 기자를 파견했다. 예전에도 많은 이 학교 출신들이 비밀 묘지에 대해 말했지만, 니클의 일이 언제나 그랬듯이 다른 누군가가 같은 이야기를 하기 전에는 아무도 그들의 말을 믿지 않았다.

전국 매체들이 이 이야기를 보도하기 시작하자 사람들도 이 감화원의 실상을 처음으로 알게 되었다. 니클은 3년 전에 문을 닫았다. 학교 부지가 황량해지고, 십대들이 들어와 멋대로 어지럽힌 흔적이 있는 것은 그 때문이었다. 구내식당이나 축구장처럼 전혀 수상하지 않은 장소들조차 음산해 보였다. 굳이 사진으로 장난을 칠 필요가 없을 정도였다. 뉴스에 보도된 화면들은 불길했다. 구석진 곳에서는 그림자가 섬뜩하게 흔들렸고, 모든 얼룩은 말라붙은 핏자국처럼 보였다. 영상에 잡힌 모든 곳에 이 학교의 어두운 본질이 폭로되어 있는 것 같았다. 들어갈 수는 있어도 나올 수는 없는 니클.

전혀 수상하지 않은 장소들이 그 지경이었다면, 원래부터 음산한 장소들은 어땠을까?

니클의 소년들은 10센트짜리 댄스 걸보다 싸서 같은 돈으로 더 즐길 수 있다. 옛날 사람들은 이런 말을 하곤 했다. 최근에는 이곳 출신들 중 일부가 인터넷을 통해 다시 연락이 닿아서 간이식당이나 맥도날드에서 함께 만나 지원 단체를 만들었다. 한 시간씩 차를 몰고 와서 누군가의 집 부엌에 함께 둘러앉을 때도 있었다. 그들은 그들 나름의 방식으로 수십 년의 세월을 파헤쳐, 그 시절의 파편과 유물을 사람들 눈앞에 복원해놓았다. 각자 자기만의 조각들을 갖고 있었다. 그놈은 이런 말을 하곤 했어. '내가 나중에 찾아가마.' 학교 지하실로 내려가는 계단이 흔들거렸어. 테니스 신발 속의 내 발가락 사이에서 핏물이 철벅거렸어. 이런 조각들을 모아서 모두가 함께 겪은 어두운 시절을 확인하는 작업이었다. 네가 겪은 일이라면 다른 사람도 겪었을 거야. 이제 넌 혼자가 아니야.

오마하 출신으로 카펫 영업 사원을 하다가 은퇴한 빅 존 하디는 니클의 소년들을 위한 웹사이트를 운영하면서 최신 소식을 전해주었다. 조사를 촉구하는 청원에 대한 소식, 정부가 곧 사과할 것 같다는 소식 등이었다. 기념관을 짓기 위한 기금 모금 현황을 알려주는 디지털 위젯도 있었다. 니클 시절 당신의 이야기를 빅 존에게 이메일로 보내면, 그가 당신의 사진과 함께 웹사이트에 올릴 겁니다. 가족들에게 이곳의 링크를 알려주세요. 그것이 가족들을 위한 설명이자 사과가 될 겁니다. '나를 이렇게 만든 곳이 여기예요'라고.

이제 5년째를 맞는 연례 동창회는 기묘하지만 필요한 것이었다. 나이를 먹어 노인이 된 과거의 소년들에게는 아내와 전처와 자식들이 있었고, 가족들과 잘 지내는 사람도 아예 말도 하지 않는 사람도 있었다. 경계심 강한 손주들을 가끔 모임에 데려오는 사람도 있고, 아예 손주들을 만나지 못하는 사람도 있었다. 니클을 떠난 뒤 어떻게든 살아온 사람이 있는가 하면, 평범한 사람들과 어울려 사는 데에 완전히 실패한 사람도 있었다. 우리는 본 적도 없는 이상한 상표의 담배를 끈질기게 피우는 사람, 늦게나마 자기개발 방법들을 실천하려는 사람, 항상 금방이라도 사라질 것처럼 보이는 사람, 감옥에서 죽은 사람, 일주일 단위로 빌린 방에서 썩어가는 사람, 테레빈유를 마신 뒤 숲에 들어갔다가 얼어 죽은 사람. 그들은 엘리너 가든 인의 회의실에서 만나 그동안의 이야기를 나누다가 줄지어 니클로 가서 엄숙하게 그곳을 한 바퀴 돌아보았다. 나쁜 기억이 있는 장소가 나올 줄 알면서도 콘크리트로 포장된 길을 당당히 걸어갈 만큼 기운이 나는 해가 있는가 하면 그렇지 않은 해도 있었다. 그들은 그날그날 상태에 따라 문제의 장소를 피하기도 하고 정면으로 똑바로 바라보기도 했다. 이렇게 동창회를 한번 할 때마다 빅 존은 참석하지 못한 사람들을 위해 웹사이트에 보고서를 올렸다.

뉴욕 시에 엘우드 커티스라는 이름으로 통하는 니클의 소년 한 명이 살았다. 그는 가끔 그 옛날의 감화원 이름을 인터넷으로 검색해보곤 했다. 그동안 바뀐 것이 있는지 확인하기 위해서였다. 그러나 동창회 명부에 자신의 이름을 올리지도 않고, 동창회에 나가지도 않았다. 여기에는 여러 가지 이유가 있었다. 그런 자리에 나가는 것에 무슨 의미가 있는가? 이제 다들 자라서 어른이 되었는데. 뭐? 서로 번갈아가며 휴지를 건네준다고? 누군가가 자신의 이야기를 인터넷에 올렸다. 어느 날 밤, 자신이 스펜서의 집 앞에 차를 세우고 몇 시간 동안이나 창문을 바라보았다는 이야기였다. 창문에 비친 그림자들을 그렇게 바라보다가 그는 복수를 하지 말자고 스스로를 설득했다. 스펜서 학생주임에게 쓸 가죽 채찍을 직접 만들어 왔는데도. 엘우드는 이해가 가지 않았다. 그냥 끝까지 가. 계획대로 해치우지 그랬어.

비밀 묘지가 발견되자 그는 이제 돌아갈 때가 되었음을 깨달았다. 텔레비전 화면 속 기자의 어깨 위로 솟은 삼나무들을 보니 살갗이 다시 뜨거워지고, 말라붙은 파리들의 시끄러운 소리가 다시 들렸다. 그것은 결코 멀리 있지 않았다. 앞으로도 영원히 그럴 것이다.

1부

1장

 엘우드는 1962년 크리스마스에 평생 최고의 선물을 받았다. 비록 그로 인해 그가 하게 된 생각이 그를 나락에 빠뜨렸지만. 그날 받은 선물 〈자이언 힐의 마틴 루서 킹〉은 그가 가진 유일한 앨범이었고, 단 한 번도 턴테이블을 떠난 적이 없었다. 할머니 해리엇이 복음성가 음반을 몇 개 갖고 있긴 했지만, 할머니는 세상이 자신에게 또 못되게 굴 때만 그 노래들을 틀었다. 모타운 레코드사의 음반처럼 인기 있는 가수들의 노래는 엘우드에게 금지되어 있었다. 음탕한 노래라는 것이 이유였다. 그해에 그가 받은 다른 선물은 모두 옷가지였다. 빨간색 스웨터와 양말 같은 것. 물론 그는 그것들을 닳도록 입고 신었지만, 그 음반처럼 끊임없이 훌륭하게 역할을 다한 선물은 없었다. 몇 달 동안 음반에 생긴 긁힌 자국이나 판이 튀는 부분은 그가 그만큼 계몽되었다는 표시였다. 킹 목사의 말을 그가 또 새로이 이해하게 되었다는 기록이 그런 식으로 일일이 남은 셈이었다. 그것은 진실의 잡음이었다.

집에 텔레비전은 없었지만, 킹 목사의 연설은 무척이나 생생한 연대기라서 거의 텔레비전에 못지않았다. 검둥이들의 과거와 미래가 모두 거기에 들어 있었다. 어쩌면 텔레비전보다 훨씬 더 훌륭하고 대단한 것 같기도 했다. 엘우드가 두 번 가본 적이 있는 데이비스 드라이브인 극장의 커다란 스크린만큼. 엘우드는 모든 것을 생생히 볼 수 있었다. 백인들의 죄악인 노예제도로 박해받는 아프리카인들, 인종분리정책으로 비천한 취급과 굴욕을 당하는 검둥이들. 그의 동족들에게 닫혀 있던 모든 장소의 문이 열리는, 밝은 미래의 이미지도 있었다.

음반에는 디트로이트, 샬럿, 몽고메리 등 도처에서 킹 목사가 했던 연설이 담겨 있었다. 그 덕분에 엘우드는 전국에서 벌어지는 권리투쟁에 유대감을 느낄 수 있었다. 심지어 그가 마치 킹 목사의 가족이 된 것 같은 기분을 느끼게 해준 연설도 있었다. 아이들 중에 펀타운을 모르는 사람은 없었다. 그곳에 직접 다녀온 아이도 있고, 그런 아이를 부러워하는 아이도 있었다. 음반의 A면 세 번째 트랙에서 킹 목사는 자신의 딸 욜란다가 애틀랜타주 스튜어트 애비뉴에 있는 펀타운 놀이공원에 무척 가고 싶어 했다고 말했다. 욜란다는 고속도로에서 이 놀이공원의 광고판을 보거나 텔레비전에서 광고를 볼 때마다 부모에게 졸랐다. 킹 목사는 나지막하고 슬프게 울리는 목소리로 딸에게 인종분리정책 때문에 유색인종의 아이들은 그 울타리 안으로 들어갈 수 없다고 말해주는 수밖에 없었다. 그는 일부 백인들, 그러니까 전부는 아니지만 충분히 많은 수의 백인들이 잘못된 생각을 하고 있어서 그 정책에 힘과 의미가 생겼다고 설명해주었다. 그리고 증오와 앙심이라는 유혹에 빠지지 말라고 조언하면서 딸을 달래주었다. "비록 네가 펀타운에

갈 수 없다 해도, 너 역시 펀타운에 가는 사람들 못지않게 착하고 훌륭한 사람이야."

바로 엘우드가 그랬다. 누구 못지않게 착하고 훌륭한 사람. 애틀랜타에서 남쪽으로 230마일(약 370km) 떨어진 탤러해시에 사는 엘우드. 그는 조지아에 사는 사촌들을 만나러 갔다가 펀타운 광고를 본 적이 있었다. 과격하게 움직이는 놀이 기구와 즐거운 음악, 와일드마우스 롤러코스터를 타려고 줄을 선 쾌활한 백인 아이들, 딕의 미니 골프장. 원자 로켓에 올라 안전띠를 매면 달까지 다녀올 수 있었다. 광고에서는 훌륭한 성적표가 있으면 무료입장이 가능하다고 말했다. 선생님이 성적표에 빨간 도장을 찍어주면 된다고. 엘우드는 모든 과목의 성적이 A였고, 킹 목사의 약속처럼 펀타운이 하느님의 모든 아이들에게 문을 여는 날을 위해 모든 성적표를 증거로 가지고 있었다. "나는 한 달 동안 매일 공짜로 거기 들어갈 거예요. 쉬워요." 엘우드는 거실 카펫 위에 누워 올이 해진 부분을 엄지로 더듬으면서 할머니에게 이렇게 말했다.

이 카펫은 지난번 리치먼드 호텔이 내부 수리를 했을 때 할머니 해리엇이 그 호텔 뒷골목에서 가져온 것이었다. 할머니의 방에 있는 옷장, 엘우드의 침대 옆에 있는 작은 탁자, 스탠드 세 개도 리치먼드 호텔에서 버린 물건이었다. 해리엇은 열네 살 때부터 그 호텔에서 일했다. 그곳에서 이미 청소부로 일하던 해리엇의 어머니와 함께였다. 엘우드가 고등학교에 입학한 뒤에는 호텔 지배인이자 백인인 파커 씨가 언제든 엘우드처럼 영리한 아이가 원하기만 한다면 포터로 취직시켜주겠다고 분명하게 말했다. 그래서 엘우드가 마르코니 씨의 담배 가게에서 일하기 시작했을 때 파커 씨는 실망하고 말았다. 그는 항상 엘우드의 가족들에게 친절했다. 물건을 훔친 혐의로 엘우드의 어머니를 어쩔 수 없이 해고한 뒤에도 파커 씨의 태도는 변하지 않았다.

엘우드는 리치먼드도 좋아하고 파커 씨도 좋아했지만, 그 호텔 직원 명부에 4대째 이름을 올릴 생각을 하니 뭐라고 콕 집어 말할 수는 없어도 하여튼 마음이 불편했다. 백과사전 일이 있기 전에도 그랬다. 어렸을 때 엘우드는 방과 후에 호텔 주방의 상자 위에 앉아 만화책이나 《하디 보이즈》(미국의 아동, 청소년용 추리소설 시리즈)를 읽었다. 그동안 할머니는 위층에서 객실들을 청소했다. 엘우드의 부모가 모두 없었기 때문에 할머니는 아홉 살짜리 손자를 집에 혼자 두기보다는 옆에 데리고 있고 싶어 했다. 할머니는 엘우드가 주방의 남자 직원들과 함께 있는 것을 보면서 여기도 아이에게는 일종의 학교와 같다는 생각을 하게 되었다. 아이가 남자 어른들과 함께 있는 편이 좋을 것 같다는 생각도 들었다. 호텔 요리사들과 웨이터들은 아이를 마스코트처럼 귀여워하면서 함께 숨바꼭질을 하거나 다양한 주제에 대한 엉터리 지혜를 나눠주었다. 백인들의 방식, 매춘부를 대하는 법, 집 안에 돈을 숨길 때의 전략 등에 대한 조언이었다. 엘우드는 그 아저씨들의 말을 대부분 이해하지 못했지만, 그래도 과감하게 고개를 끄덕여주고는 다시 책으로 눈을 돌렸다.

손님이 한꺼번에 몰리는 시간이 끝나고 나면, 엘우드는 가끔 설거지 담당들에게 누가 더 빨리 그릇의 물기를 닦는지 내기하자고 도전하곤 했다. 그러면 설거지 담당자들은 엘우드의 뛰어난 실력에 졌다는 듯 일부러 과장된 반응을 보여주었다. 그들은 엘우드가 내기에서 이길 때마다 묘하게 기뻐하며 웃는 모습을 즐거이 지켜보았다. 그러다 직원들이 대거 바뀌었다. 시내에 새로 생긴 호텔들이 인력을 빼가면서 요리사들이 자주 바뀌었고, 어떤 웨이터들은 홍수 때문에 문을 닫았던 주방이 다시 열렸을 때 일터로 돌아오지 않았다. 이렇게 직원들이 바뀌자 엘우드의 내기도 이제는 사랑스럽고 신선한 일이 아니라 비열한 경쟁으로 바뀌었다. 새로 설거지를 담당하게 된 사람들은 청소부의 손자인 엘우드에게 게임을 하자고 말하면 대신 설거지를 해준다는 이야기를 누군가에게서 들었다. 이 어린 녀석이 뭐라고 다른 사람들은 전부 쌔빠지게 일하고 있는데 혼자 심각한 표정으로 빈둥거리면서 만화책에 코를 박고 있단 말인가? 게다가 파커 씨는 가끔 무슨 강아지를 대하듯이 녀석의 머리를 쓰다듬어주기까지 한다니. 주방의 새 직원들은 어린 녀석에게 새로운 교훈을 가르쳐주어야겠다고 생각했다. 자기들이 세상에서 터득한 일들을. 엘우드는 이렇게 내기의 조건이 바뀐 것을 알지 못했다. 그래서 그가 내기를 하자고 나섰을 때, 주방 사람들은 모두 능글맞게 웃는 것처럼 보이지 않으려고 표정을 관리했다.

백과사전이 등장했을 때 엘우드는 열두 살이었다. 웨이터 조수 한 명이 층층이 쌓인 상자를 주방으로 끌고 들어와서 사람들을 불러 모았다. 엘우드도 사람들 틈을 비집고 들어가 보니, 외판원이 위층 객실에 놓아두고 간 백과사전 한 질이었다. 돈 많은 백인 손님들이 가끔 깜박 잊고 귀한 물건을 방에 두고 갈 때가 있다는 전설 같은 이야기가 있었지만, 이런 보물이 주방까지 내려오는 것은 아주 드문 일이었다. 요리사 바니가 맨 위의 상자를 열고, 가죽으로 제본된《피셔의 만물 백과사전, A-B》를 꺼냈다. 그에게서 책을 건네받은 엘우드는 책의 무게에 깜짝 놀랐다. 가장자리를 붉게 칠한 종이로 만든 벽돌 같았다. 그는 책장을 휘리릭 넘기며 깨알 같은 글자를 보려고 눈을 가늘게 떴다. 에게해, 아르키메데스, 아르고호 원정……. 그러면서 거실 소파에 앉아 마음에 드는 단어들, 그러니까 종이에 인쇄된 모양이 재미있어 보이거나 혼자 상상으로 발음해보았을 때 소리가 마음에 드는 단어들을 베껴 쓰는 자신의 모습을 상상했다.

이 백과사전을 가져온 웨이터 조수 코리는 이것을 팔겠다고 했다. 자신은 글을 읽을 줄도 모르고, 당장 글을 배울 생각도 없다는 것이었다. 엘우드가 입찰자로 나섰다. 주방 사람들의 성격을 생각해보면, 달리 이 백과사전을 원하는 사람이 있을 것 같지 않았다. 그런데 새로운 설거지 담당 중 한 명인 피트가 그와 대결하겠다고 했다.

피트는 두 달 전부터 여기서 일하기 시작한 멍청한 텍사스인이었다. 원래는 손님들이 떠난 뒤 테이블을 치우는 일을 맡았지만, 몇 번 사고를 일으키는 바람에 주방으로 재배치되었다. 그는 일을 할 때 감시당할까 봐 걱정하는 사람처럼 어깨 너머를 힐끔거렸으며, 말을 별로 하지 않았다. 그러나 시간이 흐르면서 주방 사람들은 그의 거친 웃음소리를 듣고 싶어서 그에게 직접 농담을 건네게 되었다. 피트가 바지에 손을 닦으며 말했다. "저녁 식사 시간까지는 아직 시간이 있어. 한번 해볼 테냐?"

주방 사람들은 제대로 대결을 벌일 준비를 했다. 사상 최대 규모의 행사였다. 누군가가 스톱워치를 가져와 렌에게 주었다. 렌은 20년 넘게 이 호텔에서 일하고 있는 은발의 웨이터였다. 그는 검은색 유니폼을 꼼꼼하게 관리했으며, 자신이 식당에서 백인 손님들조차 부끄럽게 만드는 최고의 맵시를 자랑한다고 주장했다. 워낙 성격이 꼼꼼하니 그는 헌신적인 심판이 되어줄 것 같았다. 엘우드와 피트의 감독하에 제대로 물에 적신 접시들이 50개씩 두 줄로 쌓였다. 웨이터 조수 두 명이 이 결투의 입회인을 맡아, 마른 행주를 필요한 순간에 건네줄 준비를 했다. 주방 출입문에는 혹시 높은 사람들이 지나갈 경우를 대비한 파수꾼이 한 명 서 있었다.

비록 허세를 부리는 성격은 아니었지만, 엘우드는 지난 4년 동안 접시의 물기 닦기 내기에서 한 번도 져본 적이 없었으므로 자신만만한 표정이었다. 피트는 집중하고 있었다. 엘우드는 예전에도 이런 내기에서 피트를 이긴 적이 있기 때문에 그를 경계하지 않았다. 피트는 대체로 패한 뒤에도 뒤끝이 없는 사람이었다.

렌이 10에서부터 숫자를 거꾸로 세기 시작했다. 마침내 경기가 시작되자 엘우드는 지난 몇 년 동안 갈고 닦은 자신만의 방법, 자동적으로 부드럽게 손을 움직이는 방법을 고수했다. 아직 물기가 다 마르지 않은 접시를 성급하게 내려놓는 바람에 접시가 미끄러지거나 살짝 깨진 적은 지금까지 한 번도 없었다. 그러나 주방 사람들의 응원 속에서 피트가 물기를 닦은 접시들이 점점 높이 쌓이는 것을 보니 엘우드는 불안해졌다. 피트가 지금껏 보여준 적이 없는 솜씨로 그를 이기고 있었다. 구경하던 사람들도 놀란 소리를 냈다. 엘우드는 자기 집 거실에 백과사전이 꽂힌 모습을 상상하며 손을 서둘러 움직였다.

렌이 말했다. "그만!"

엘우드가 접시 한 개 차이로 이겼다. 사람들이 환성을 지르고 웃어대며 서로 시선을 교환했다. 엘우드는 그 시선의 의미를 나중에야 알았다.

웨이터 조수 중 한 명인 해럴드가 엘우드의 등을 찰싹 쳤다. "넌 설거지를 위해 태어났나 보다, 녀석." 주방 사람들이 웃음을 터뜨렸다.

엘우드는 A에서 B로 시작하는 항목들이 들어 있는 백과사전을 다시 상자에 넣었다. 정말 끝내주는 상품이었다.

"네가 정당하게 얻은 거야." 피트가 말했다. "그걸 한번 제대로 써먹어봐라."

엘우드는 자신이 먼저 집에 간다는 말을 할머니에게 전해달라고 객실 담당 매니저에게 부탁했다. 할머니가 책꽂이에 근사하게 꽂힌 백과사전을 보고 어떤 표정을 지을지 빨리 보고 싶어서 견딜 수가 없었다. 그는 테네시 거리의 버스 정류장까지 구부정한 자세로 상자들을 끌고 갔다. 거리 맞은편에서 누가 그를 봤다면, 세상의 지식이 담긴 짐을 힘들게 끌고 가는 진지한 아이의 모습이 노먼 록웰의 그림 속 한 장면처럼 보였을 것이다. 엘우드의 피부가 하얀색이기만 했다면.

집에 도착한 그는 거실의 초록색 책꽂이에서 《하디 보이즈》 시리즈와 《톰 스위프트》 시리즈(미국의 청소년용 과학소설과 모험소설 시리즈)를 치우고 상자를 풀었다. 그리고 백과사전을 정리하다가 G 항목이 실린 책에서 잠시 멈칫했다. 피셔 출판사의 똑똑한 사람들이 은하(galaxy)를 어떻게 처리했는지 궁금했다. 그런데 모든 페이지가 백지였다. 전부. 그가 주방에서 보았던 단 한 권만 빼고 첫 번째 상자의 모든 책이 마찬가지였다. 다른 상자 두 개를 열어본 그의 얼굴이 뜨겁게 달아올랐다. 모든 책이 백지였다.

집에 돌아온 할머니는 고개를 절레절레 저으며 아마 원래부터 문제가 있는 책이었을 것이라고 말했다. 아니면 외판원이 손님들에게 백과사전 한 질 전체를 집에 꽂아두면 어떤 모습이 될지 견본으로 보여주는 가짜 책이거나. 그날 밤 잠자리에 누운 그의 머리가 새로 나온 기계라도 되는 것처럼 찰칵찰칵, 윙윙 돌아갔다. 웨이터 조수와 주방 사람들 모두가 백과사전이 백지라는 사실을 알고 있었던 것 같다는 생각이 들었다. 아무래도 그들이 한바탕 연극을 한 것 같았다.

그래도 그는 백과사전을 계속 책꽂이에 꽂아두었다. 나중에는 습기 때문에 표지가 과일 껍질처럼 벗겨졌지만, 여전히 위풍당당하게 보였다. 결국 가죽 표지도 가짜라는 얘기였다.

그다음 날이 그가 주방에서 보낸 마지막 날이었다. 모두들 그의 표정에 지나치게 관심이 많았다. 코리가 시험하듯 "그 책들은 마음에 들었니?"라고 묻고는 그의 반응을 기다렸다. 저쪽 개수대에서는 피트가 누가 칼로 그의 얼굴에 새겨놓은 것 같은 미소를 짓고 있었다. 모두 한통속이었다. 할머니는 이제 엘우드가 집에 혼자 있어도 될 만큼 컸다고 인정했다. 고등학교 시절 내내 그는 주방의 설거지 담당들이 처음부터 일부러 자신에게 져준 건지 혼자 머릿속으로 옥신각신했다. 그는 접시의 물기를 제거하는 자신의 솜씨를 무척 자랑스러워했다. 멍청한 짓인 줄도 모르고. 그는 니클에 발을 들여놓은 뒤에야 이 고민의 결론을 내릴 수 있었다. 니클에서 그는 주방에서 자주 벌어졌던 내기의 진실을 더 이상 외면할 수 없었다.

2장

주방에 작별을 고하는 것은 그가 남몰래 혼자서 하던 게임에도 작별을 고해야 한다는 뜻이었다. 식당 홀로 통하는 문이 벌컥 열릴 때마다 그는 검둥이 손님이 있을지를 두고 혼자 내기를 걸었다. '브라운 대 교육위원회' 재판의 판결에 따르면, 학교에서는 인종분리를 중단해야 했다. 이제 보이지 않는 장벽이 모두 무너지는 것은 시간문제였다. 라디오로 대법원의 판결을 들은 날 할머니는 무릎에 뜨거운 수프가 쏟아지기라도 한 것처럼 소리를 질러댔다. 그러다 문득 정신을 차리고 옷매무새를 다듬었다. "짐 크로(인종차별정책을 지칭하던 말)가 이대로 슬그머니 사라지지는 않을걸. 워낙 못된 녀석이라야지." 할머니는 이렇게 말했다.

그다음 날 아침 해가 떠올랐지만, 달라진 것은 전혀 없는 듯했다. 엘우드는 검둥이들이 언제부터 리치먼드에 숙박할 수 있게 되는 거냐고 할머니에게 물었다. 할머니는 사람들에게 옳은 일을 일러주는 것과 그 사람들이 그 일을 행동으로 옮기는 것은 완전히 다른 문제라고 말했다. 그리고 엘우드의 행동 몇 가지를 증거로 꼽아주었기 때문에 그도 그런 것 같다고 고개를 끄덕였다. 하지만 조만간 식당 홀로 통하는 문이 활짝 열렸을 때 갈색 얼굴이 보이는 날이 올 것이다. 탤러해시로 출장 온 말쑥한 회사원이나 관광을 하러 온 화려한 부인이 좋은 냄새가 나는 요리를 즐기게 되겠지. 엘우드는 확신했다. 그가 이 게임을 시작한 것은 아홉 살 때였는데, 3년이 흐른 뒤에도 홀에서 보이는 유색인종은 접시와 술잔을 들고 가는 사람이나 대걸레질을 하는 사람뿐이었다. 그래도 그는 결코 게임을 그만두지 않았다. 리치먼드에서 오후를 보내는 나날이 끝날 때까지. 이 게임에서 그가 이기려고 했던 상대가 자신의 어리석음이었는지 아니면 고집스럽고 한결같은 세상이었는지는 알 수 없었다.

엘우드가 일을 잘할 것 같다고 생각한 사람은 파커 씨만이 아니었다. 백인들은 그의 근면함과 침착한 성격을 알아보고 항상 그에게 일자리를 제의했다. 그들은 적어도 그가 같은 또래의 유색인종 청년들과는 몸가짐이 다르다는 점을 알아보고 그것을 근면함으로 받아들이는 것 같았다. 머콤 거리의 담배 가게 주인인 마르코니 씨도 엘우드가 반쯤 녹이 슨 유모차 안에서 빽빽거리던 시절부터 그를 지켜본 사람이었다. 엘우드의 어머니는 지친 눈빛의 호리호리한 여자였는데, 우는 아이를 달래려고 움직이는 법이 없었다. 그녀가 영화잡지를 한 아름 사서 거리로 나가 사라지는 동안 엘우드는 내내 악을 쓰며 울어댔다.

마르코니 씨는 계산대의 자기 자리를 가능한 한 비우지 않았다. 머리를 뒤로 넘겨 살짝 두둑하게 다듬고, 가느다란 검은색 콧수염을 기른 그가 땀을 뻘뻘 흘리며 웅크리고 앉아 있다 보면 저녁때쯤에는 필연적으로 추레해졌다. 가게 앞쪽의 공기에는 그가 머리에 바른 헤어토닉 냄새가 자욱하게 배어 있고, 더운 날 오후에는 그가 움직일 때마다 향기가 뒤에 남았다. 마르코니 씨는 의자에 앉아서 엘우드가 점점 자라면서 동네 아이들과는 달리 자신만의 태양을 향해 기울어지는 모습을 지켜보았다. 동네 아이들은 진열대 사이에서 야단법석을 피우다가 마르코니 씨의 눈길이 미치지 않는다 싶으면 사탕을 바지 주머니에 슬쩍 집어넣곤 했다. 마르코니 씨는 이 모든 것을 보았지만 아무 말도 하지 않았다.

엘우드는 그가 이 프렌치타운에서 처음 만난 손님들의 자식 세대에 속했다. 마르코니 씨가 이 가게에 간판을 내건 것은 1942년에 군 기지가 문을 연 지 몇 달 뒤였다. 검둥이 병사들은 캠프 고든 존스턴이나 데일 마브리 군 공항에서 버스를 타고 와서 주말 내내 프렌치타운을 난장판으로 만들고는 축 늘어진 모습으로 기차에 올라타 전장으로 향했다. 마르코니 씨의 친척들 몇 명이 시내에 가게를 열어 돈을 잘 벌고 있었지만, 인종분리의 경제적인 측면을 잘 아는 백인이라면 정말로 돈을 좀 만질 수 있었다. 마르코니의 가게는 블루벨 호텔과 건물 몇 개를 사이에 두고 있었다. 모퉁이만 돌면 팁톱 바와 메리벨 당구장이었다. 마르코니는 다양한 담배와 콘돔을 든든하게 갖추고 있었다.

전쟁이 끝나자 그는 시가가 진열된 위치를 가게 뒤편으로 옮기고, 벽을 하얀색으로 칠하고, 잡지와 사탕 진열대를 새로 들여놓고, 탄산음료 아이스박스도 장만했다. 그 덕분에 이 가게의 평판이 크게 향상되었다. 일을 도와줄 직원도 고용했다. 사실 직원이 필요하지는 않았지만, 그의 아내가 남편의 가게에 직원이 있다는 말을 다른 사람들에게 하면서 좋아했다. 또한 프렌치타운의 점잖은 흑인 주민들이 이 가게를 더 쉽게 드나들 수 있게 만드는 이점도 있는 것 같았다.

이 담배 가게에서 오랫동안 일하던 빈센트가 군대에 지원했을 때 엘우드의 나이는 열세 살이었다. 빈센트는 몹시 성실한 종업원이라고 할 수는 없어도, 빠릿빠릿하고 제 몸을 잘 치장할 줄 알았다. 이 두 가지 특징은 마르코니 씨가 자신은 아닐지라도 다른 사람들을 평가할 때는 중요하게 치는 항목이었다. 빈센트가 마지막으로 근무하던 날 엘우드는 오후에 대개 그렇듯이 만화책 진열대 앞에서 빈둥거렸다. 그는 만화책을 사기 전에 항상 처음부터 끝까지 읽어보는 묘한 버릇이 있었다. 또한 자기가 손댄 책은 전부 사는 버릇도 있었다. 마르코니 씨는 마음에 들든 안 들든 무조건 책을 살 거라면 왜 미리 다 읽어보느냐고 물었다. 그러자 엘우드는 이렇게 대답했다. "그냥 확실히 하려고요." 마르코니 씨는 혹시 일자리가 필요하냐고 물었다. 엘우드는 읽고 있던 《신비세계 여행》을 덮고, 할머니에게 물어보겠다고 말했다.

해리엇은 해도 되는 일과 하면 안 되는 일을 일일이 정해놓은 사람이라서, 엘우드는 때로 잘못을 저지른 뒤에야 그것이 할머니의 규칙에서 어떤 위치에 있는지 알 수 있었다. 그는 저녁 식사로 나온 메기 튀김과 채소를 다 먹고 할머니가 상을 치우려고 일어설 때까지 기다렸다. 엘우드가 이번에 꺼낸 이야기에 대해 할머니는 숨은 규칙 같은 것을 갖고 있지 않았다. 자신의 삼촌 에이브가 시가를 피우다가 안 좋은 결말을 맞았고, 머콤 거리가 예전부터 악덕의 실험실 역할을 했고, 할머니 자신은 수십 년 전 이탈리아인 판매원에게서 형편없는 대우를 받왔던 일에 대해 지금도 앙심을 품고 있는데도 별로 꺼리는 기색이 없었다. "그 둘은 아마 친척이 아닐 거다." 해리엇이 손의 물기를 닦으며 말했다. "설사 친척이라도 아주 먼 친척일걸."

할머니는 방과 후와 주말에 그 가게에서 일해도 좋다고 허락해주었다. 그리고 주말이면 엘우드가 받아 온 돈 중 절반은 생활비로 쓰고 나머지 절반은 대학 학비로 모아두겠다며 가져갔다. 엘우드는 지난여름에 아무 생각 없이 대학 이야기를 꺼낸 적이 있었다. 그 말에 얼마나 대단한 의미가 있는지는 짐작조차 하지 못했다. '브라운 대 교육위원회' 판결이 뜻밖의 결과이기는 해도, 해리엇의 식구 중에 고등교육을 원하는 사람이 나온 것은 사실상 기적 같은 일이었다. 이런 생각을 하면 담배 가게에 대한 꺼림칙한 기분 같은 것은 모두 사라져버렸다.

엘우드는 철제 진열대에 걸어놓은 신문과 만화책을 깔끔하게 정리하고, 손님들에게 별로 인기가 없는 과자의 먼지를 털고, 담배 상자들을 포장에 대한 마르코니 씨의 이론에 맞게 진열했다. 마르코니 씨는 포장이 "인간의 두뇌에서 행복한 부분"을 흥분시킨다고 말했다. 엘우드는 지금도 만화책 진열대 주위를 어른거리며 마치 다이너마이트를 다루듯이 조심스레 만화책을 읽었지만, 시사 잡지들이 그를 자꾸 끌어당겼다. 결국 그는 〈라이프〉지의 호화로운 매력에 무릎을 꿇었다. 목요일만 되면 커다란 흰색 트럭이 〈라이프〉지를 한 묶음 내려놓고 갔기 때문에, 엘우드는 그 트럭의 브레이크 소리를 구분할 수 있게 되었다. 그는 반품할 물건을 골라내고 새로 도착한 물건을 진열하는 일을 마치고 나면, 사다리에 쭈그리고 앉아 아직 가보지 못한 미국의 여러 지역들을 최신 호 〈라이프〉지와 함께 돌아보았다.

프렌치타운에서 벌어지는 검둥이들의 투쟁, 흑인 동네가 끝나고 백인의 법이 적용되기 시작하는 지점에 대해 그는 잘 알고 있었다. 〈라이프〉의 사진 에세이는 그를 전선으로, 배턴루지의 버스 보이콧 현장으로, 그린즈버러의 연좌 농성장으로 데려다주었다. 엘우드와 나이 차이가 얼마 나지 않는 청년들이 그곳에서 운동을 이끌고 있었다. 그들은 철봉으로 얻어맞기도 하고, 소방 호스에서 나오는 물줄기를 맞기도 하고, 성난 얼굴의 백인 가정주부들이 뱉은 침을 맞기도 했다. 그리고 그 숭고한 저항 중에 카메라에 잡힌 모습 그대로 정지화면이 되어 있었다. 그 사진들에 관한 세세한 이야기도 놀랍기 그지없었다. 폭력이 소용돌이치는 와중에도 그 청년들의 넥타이가 여전히 곧게 뻗은 검은 화살 같았다는 이야기, 완벽하게 다듬은 젊은 여자들의 머리모양이 저항의 팻말들 위에 떠 있는 모습. 얼굴에 피가 흐르는데도 왠지 매력적이었다. 용과 맞서는 젊은 기사들. 엘우드는 비둘기처럼 비쩍 마른 가냘픈 체구인 데다가, 값비싼 안경이 부서지지 않을까 걱정스러웠다. 야경봉, 쇠 지렛대, 야구방망이 등에 맞아 안경이 부러지는 꿈을 꿀 정도였다. 그래도 그는 참여하고 싶었다. 선택의 여지가 없었다.

한가한 시간에 그는 책장을 뒤적였다. 마르코니의 가게에서 일을 하면서 엘우드는 자신이 커서 되고 싶은 모습을 보여주는 모범 사례들을 보고 프렌치타운의 다른 소년들과 자신은 다르다는 생각을 굳혔다. 할머니는 오래전부터 동네 아이들과 웬만하면 놀지 말라고 했다. 난장판이나 피워댈 줄 아는 변변치 못한 녀석들이라고 생각했기 때문이다. 그런 의미에서 담배 가게는 호텔 주방과 마찬가지로 안전한 곳이었다. 해리엇이 손자를 엄격하게 키운다는 사실을 모르는 사람이 없었기 때문에, 브레바드 거리의 사람들이 엘우드를 모범적인 아이로 추켜세운 것 역시 그와 다른 아이들을 따로 떼어놓는 데 도움이 되었다. 어렸을 때 카우보이 놀이나 인디언 놀이를 함께 하며 놀던 아이들은 짓궂은 장난이라기보다 엘우드에게 화가 난 마음에 가끔 거리에서 엘우드를 쫓아오거나 돌팔매질을 하곤 했다.

그러나 그가 사는 동네의 사람들이 마르코니의 가게에 노상 드나들었기 때문에 그가 속한 두 세계가 이곳에서 겹쳐졌다. 어느 날 오후 문 위에 달린 종이 딸랑딸랑 울리더니 토머스 부인이 가게 안으로 들어왔다.

"안녕하세요, 토머스 부인." 엘우드가 말했다. "저쪽에 차가운 오렌지 음료수가 좀 있어요."

"그래, 그거 괜찮구나, 엘." 항상 최신 유행에 통달한 토머스 부인은 잡지에 실린 오드리 헵번의 사진을 보고 자신이 집에서 직접 만든 노란색 물방울무늬 원피스를 입고 있었다. 이 동네에 이런 옷을 이렇게 자신 있게 입을 수 있는 여자가 거의 없다는 사실을 본인이 상당히 의식하고 있는지, 토머스 부인이 가만히 서 있을 때면 어디선가 플래시가 터지기를 기다리며 포즈를 취하고 있는 것 같다는 의심을 떨치기 힘들었다.

토머스 부인은 어렸을 때부터 에벌린 커티스와 가장 절친한 친구였다. 엘우드는 아주 어렸을 적 어느 더운 날 토머스 부인과 카드 게임을 하는 어머니의 무릎에 앉아 있었던 장면을 지금도 기억했다. 그가 어머니의 카드를 보려고 꼼지락거리자 어머니는 말썽 피우지 말라면서 바깥 날씨가 너무 덥다고 말했다. 어머니가 변소에 가려고 일어섰을 때, 토머스 부인은 그에게 오렌지 맛 탄산음료를 몇 모금 몰래 먹여주었다. 그러나 오렌지색으로 물든 엘우드의 혓바닥 때문에 사실을 알아차린 에벌린은 키득거리는 두 사람을 건성으로 나무랐다. 엘우드에게는 소중한 기억이었다.

토머스 부인은 음료수 두 개와 〈제트〉 최신 호 값을 치르기 위해 지갑을 열었다. "학교 공부는 잘하고 있는 거니?"

"네."

"나도 이 아이한테는 일을 많이 안 시켜요." 마르코니 씨가 말했다.

"음." 토머스 부인은 의심스럽다는 표정이었다. 프렌치타운의 부인들은 옛날 이 담배 가게의 평판이 좋지 않던 시절을 기억하고 있기 때문에, 여러 가정을 불행하게 만드는 데 이 이탈리아인 주인도 한몫을 했다고 보았다. "네가 할 일을 게을리하면 안 된다, 엘." 부인이 거스름돈을 받고 가게를 나갈 때까지 엘우드는 그녀를 지켜보았다. 어머니는 엘우드뿐만 아니라 토머스 부인도 버리고 가버린 셈이었다. 그래도 어머니가 친구에게는 여기저기서 엽서를 보낼 가능성이 있었다. 설사 아들에게 편지를 보내는 일은 깜박 잊어버렸을지라도. 그러니 어쩌면 어느 날 토머스 부인에게서 어머니의 소식을 좀 듣게 될지도 몰랐다.

마르코니 씨의 가게에는 〈제트〉는 물론이고 〈에보니〉도 갖춰져 있었다. 엘우드는 그밖에 〈크라이시스〉〈시카고 디펜더〉 등 흑인 신문도 들여놓으라고 마르코니 씨를 설득했다. 엘우드의 할머니와 할머니의 친구들이 보는 신문인데, 이 가게에서 팔지 않는 것이 이상했다.

"네 말이 맞다." 마르코니 씨는 이렇게 말하고 나서 자신의 입술을 살짝 꼬집었다. "옛날에는 팔았던 것 같은데, 어찌 된 영문인지 모르겠구나."

"잘됐네요." 엘우드가 말했다.

마르코니 씨가 단골손님들의 구매습관에 신경을 쓰지 않게 되고 한참 시간이 흐른 뒤, 엘우드는 각각의 손님들이 이 가게를 찾게 된 이유를 떠올렸다. 엘우드의 전임자인 빈센트가 가끔 음담패설로 가게의 분위기를 돋우곤 했지만, 그가 먼저 그런 농담을 시작하는 편은 아니었다. 엘우드는 그런 농담을 하는 대신, 마르코니 씨에게 이번에 물건을 가져올 때 속임수를 쓴 담배 상인이 누구인지, 이제 들여놓지 말아야 할 사탕이 무엇인지 일깨워주었다. 프렌치타운에 사는 유색인종 부인들의 얼굴을 구분해보려고 애쓰는 마르코니 씨(부인들은 모두 그를 보면 험상궂은 표정을 지었다)에게 엘우드가 유능한 사절단 역할을 하기도 했다. 마르코니 씨는 잡지에 푹 빠져 있는 엘우드를 빤히 바라보며 무엇이 저 아이를 움직이는지 고민하곤 했다. 아이의 할머니가 엄격한 것은 분명했다. 게다가 아이가 똑똑하고 부지런해서 흑인의 자랑이 될 만했다. 그러나 엘우드는 가끔 아주 단순한 상황에서 둔하게 굴었다. 뒤로 물러나서 상황을 지켜보아야 할 때를 몰랐다는 뜻이다. 그가 다른 아이들에게 두들겨 맞게 된 일이 바로 그랬다.

아이들이 사탕을 훔칠 때, 피부색은 중요하지 않았다. 마르코니 씨도 거칠 것 없던 젊은 시절에는 온갖 멍청한 짓을 저지른 적이 있었다. 여기저기서 물건이 조금씩 사라진다 해도 모두 총비용에 포함되어 있었다. 오늘 초코바를 하나 훔친 아이가 앞으로 몇 년 동안 친구들과 함께 이 가게에서 돈을 쓸 수 있는 것이다. 그뿐만 아니라 그 아이들의 부모들도 이 가게를 찾을 것이다. 사소한 일로 아이들을 내쫓으면 동네에 소문이 돌았다. 동네 사람들이 서로의 일을 시시콜콜 알고 있는 이런 동네에서는 특히 더했다. 그러다 보면 아이의 부모들이 창피하고 민망해서 가게에 발걸음을 끊을 것이다. 그러니 아이들이 물건을 훔치게 그냥 놔두는 것은 거의 투자와 비슷하다는 것이 마르코니 씨의 생각이었다.

엘우드는 가게에서 일하는 동안 그와는 다른 생각을 갖게 되었다. 그가 여기서 일하기 전에 그의 친구들은 훔친 사탕을 들고 흡족한 표정으로 나와 어느 정도 거리가 멀어지면 거만하게 키득거리면서 분홍색 풍선껌을 불어댔다. 엘우드는 그들과 어울리지 않았지만, 그렇다고 거기에 대해 뭔가 감정을 느낀 적은 없었다. 그러다 이 가게에서 일하게 되었을 때, 마르코니 씨는 대걸레를 보관해둔 장소와 물건이 대량으로 배달 오는 요일을 일러주면서 도벽이 있는 아이들을 자신이 어떻게 생각하는지도 설명해주었다. 엘우드는 몇 달 동안 사탕과 과자가 아이들의 주머니 속으로 사라지는 것을 보았다. 모두 그가 아는 아이들이었다. 개중에는 엘우드와 눈이 마주치면 윙크를 하는 녀석도 있었다. 엘우드는 1년 동안 아무 말도 하지 않았다. 하지만 마르코니 씨가 카운터 뒤에서 허리를 굽혔을 때 래리와 윌리가 레몬 사탕을 슬쩍한 날, 그는 참을 수가 없었다.

"다시 내려놔."

아이들의 몸이 뻣뻣하게 굳었다. 래리와 윌리는 엘우드와 아기 때부터 아는 사이였다. 어렸을 때는 구슬치기나 술래잡기를 함께 하며 놀았지만, 래리가 데이드 거리의 공터에 불을 지르고 그 자리에 윌리만 남겨지는 일이 두 번 있은 뒤 그런 관계는 끝났다. 해리엇이 엘우드에게 허락할 수 있는 친구 명단에서 그 둘을 지워버렸기 때문이다. 그 둘의 집안과 엘우드의 집안은 프렌치타운에서 이미 몇 대째 살고 있었다. 래리의 할머니는 교회에서 해리엇과 같은 모임에 속해 있었고, 윌리의 아버지는 엘우드의 아버지 퍼시와 어렸을 때부터 친구였다. 군대에도 함께 갔다. 윌리의 아버지는 매일 자기 집 포치에서 휠체어에 앉아 파이프 담배를 피우며 시간을 보내다가 엘우드가 지나가면 손을 흔들어주었다.

"다시 내려놔." 엘우드가 말했다.

마르코니 씨는 고개를 한쪽으로 살짝 기울였다. 그만하면 됐다는 뜻이었다. 아이들은 사탕을 내려놓고 열을 내며 밖으로 나갔다.

그들은 엘우드가 다니는 길을 알고 있었다. 그가 자전거를 타고 집으로 돌아가는 길에 래리의 창문 앞을 지나갈 때면 착한 척하는 녀석이라고 놀려댈 때도 있었다. 그날 밤 그들은 엘우드를 덮쳤다. 날은 이제 막 어두워지기 시작했고, 목련 냄새와 돼지고기 튀김의 강한 냄새가 한데 섞였다. 그들은 그해 겨울에 카운티에서 새로 깔아준 아스팔트 위로 엘우드와 자전거를 한꺼번에 내동댕이쳤다. 그의 스웨터를 찢고, 안경을 길바닥에 던졌다. 그를 두들겨 패면서 래리는 엘우드에게 생각이 있느냐고 물었다. 윌리는 버르장머리를 고쳐주겠다고 선언하고는 행동에 나섰다. 엘우드는 여기저기 몇 대 얻어맞았다. 딱히 남한테 이야기할 수준도 아니었다. 그는 울지 않았다. 엘우드는 동네에서 어린아이들이 싸우는 것을 보았을 때 사이에 끼어들어 아이들을 진정시키는 성격이었다. 그런데 지금은 그가 주먹다짐을 벌이고 있었다. 길을 건너온 어떤 할아버지가 아이들을 떼어놓고는 엘우드에게 몸을 썻고 싶은지 물을 마시고 싶은지 물었다. 엘우드는 사양했다.

자전거 체인이 끊어져서 그는 집까지 걸어갔다. 해리엇은 눈이 왜 그렇게 됐느냐고 물었지만 너무 꼬치꼬치 캐묻지는 않았다. 그는 고개만 저었다. 아침이 되자 눈 밑의 검푸른 혹에서 피가 부글부글 끓는 것 같았다.

래리의 말에 일리가 있음을 엘우드도 인정할 수밖에 없었다. 가끔 보면 그는 정말 생각이 없는 것 같았다. 엘우드 본인도 어떻게 설명해야 할지 알 수 없었지만, 〈자이언 힐의 마틴 루서 킹〉이 그에게 답을 알려주었다. "반드시 우리의 영혼을 믿어야 합니다. 우리는 중요한 사람입니다. 의미 있고 가치 있는 존재이므로, 매일 삶의 여로를 걸을 때 이런 품위와 자부심을 잃지 말아야 합니다." 레코드판이 계속 돌고 돌았다. 항상 난공불락의 전제로 되돌아오는 논리 같았다. 킹 목사의 말이 좁은 직사각형 모양의 집 앞쪽에 있는 거실을 가득 채웠다. 엘우드는 하나의 원칙에 마음이 기울었다. 킹 목사가 그 원칙에 형태와 소리와 의미를 주었다. 짐 크로처럼 검둥이들을 계속 누르려고 하는 거대한 힘이 있고, 엘우드 너를 계속 누르려고 하는 작은 힘이 있다. 이를테면 주위의 다른 사람들. 이런 크고 작은 힘 앞에서 너는 꼿꼿이 일어서 너 자신을 잃지 말아야 한다. 백과사전은 안이 비어 있었다. 미소를 지으며 너를 속여 텅 빈 것을 넘기는 사람이 있는가 하면, 네게서 너의 자존감을 빼앗아가는 사람도 있다. 너는 자신이 누구인지 반드시 기억해야 한다.

'이런 품위.' 지직거리는 잡음 속에서 들려오는 킹 목사의 말에는 누구에게도 넘겨줄 수 없는 힘이 있었다. 집으로 돌아오는 길 어두운 어느 구석에 누군가가 숨어 그 품위의 대가를 요구한다 하더라도. 그들은 그를 두들겨 패고, 옷을 찢었다. 그가 왜 백인을 보호하려 하는지 이해하지 못했다. 그들이 마르코니 씨를 상대로 저지른 짓이 엘우드 자신에 대한 모욕이었음을 어떻게 설명하면 될까? 그들이 훔친 물건이 막대 사탕이든 만화책이든 상관없었다. 교회에서 하는 말처럼 형제에 대한 공격이 곧 자신에 대한 공격이라서가 아니라, 그런 경우 그가 아무것도 하지 않고 가만히 있는 것이 그의 품위를 갉아먹기 때문이었다. 마르코니 씨가 상관없다고 말한 것도, 엘우드가 마르코니 씨 앞에서 물건을 훔치는 친구들에게 전에는 한 마디도 하지 않은 것도 지금은 문제가 되지 않았다. 지금 그가 할 수 있는 의미 있는 행동은 하나밖에 없었다.

그것이 엘우드였다. 누구 못지않게 착한 엘우드. 그가 체포된 날, 부보안관이 나타나기 직전에 펀타운 광고가 라디오에 나왔다. 그는 광고 음악을 콧노래로 따라 불렀다. 욜란다 킹의 아버지가 백인들이 정한 질서 때문에 그녀는 그 놀이공원의 울타리 밖에서 안을 들여다보는 수밖에 없다는 진실을 말해주었을 때 그녀의 나이가 고작 여섯 살이었음을 그는 기억했다. 그녀는 항상 자신의 세상과는 다른 그 세상을 밖에서 바라보기만 했다. 엘우드도 부모가 떠났을 때 여섯 살이었다. 그래서 그는 그것 역시 욜란다와 자신의 접점이라고 생각했다. 그도 그때 세상을 향해 눈을 떴으니까.

3장

    새 학년 새 학기 첫날, 링컨 고등학교 학생들은 길 건너편의 백인 고등학교에서 온 헌책 교과서를 받았다. 자신이 쓰던 교과서가 어디로 갈지 알고 있던 백인 학생들은 다음 주인을 위한 글귀를 책에 남겨두었다. '죽어라, 검둥이!' '너 냄새나' '똥이나 먹어라'. 9월은 탤러해시의 백인 청소년들 사이에서 가장 최근에 유행하는 모욕적인 말들을 배우는 시기였다. 치마 길이나 머리모양처럼 이런 유행도 해마다 바뀌었다. 생물학 책을 열어 소화기를 다룬 페이지를 펼치는 것은 굴욕적인 경험이었다. '콱 죽어라 검둥이'라는 글귀가 거기 적혀 있기 때문이었다. 그러나 시간이 흐르면서 링컨 고등학교 학생들은 그 무례한 욕설과 저주에 더 이상 신경을 쓰지 않게 되었다. 모욕을 당할 때마다 도랑에 빠진 기분이 든다면 어떻게 하루를 살아낼 수 있겠는가? 살다 보면 필요한 곳에만 주의를 기울이는 법을 터득하기 마련이었다.

    힐 선생님은 엘우드가 2학년에 올라갔을 때 이 고등학교에 부임했다. 그는 역사 시간에 엘우드를 비롯한 학생들에게 인사를 건넨 뒤 칠판에 자신의 이름을 썼다. 그러고 나서 검은 마커를 나눠주며, 교과서에 적힌 나쁜 말들을 모두 지우는 것이 가장 먼저 할 일이라고 학생들에게 말했다. "그런 걸 보면 나는 항상 열이 오르거든. 너희는 교육을 받으려고 여기 와 있는 것이니, 그 멍청이들이 하는 말에 휘둘릴 필요가 없어." 엘우드는 다른 학생들과 마찬가지로 처음에는 굼뜨게 움직였다. 그들은 교과서를 한 번 보고 선생님을 한 번 보았다. 그러고는 마커로 작업을 시작했다. 엘우드는 기분이 붕붕 들떴다. 심장이 마구 뛰었다. 이런 엉뚱한 짓을 하다니. 왜 지금껏 아무도 이런 말을 해주지 않은 거지?

"하나도 빼놓지 말고 다 지워." 힐 선생님이 말했다. "백인 애들이 얼마나 교활한지 알잖아." 학생들이 욕설과 악담을 지우는 동안 선생님은 자신의 이야기를 들려주었다. 그는 몽고메리의 사범대를 막 졸업했으며, 탤러해시에는 익숙하지 않다고 말했다. 지난해 여름에 워싱턴에서 버스를 타고 처음 플로리다까지 와서 탤러해시에서 내린 적은 있었다. 그때는 프리덤 라이드(1960년대 초 미국 남부의 인종차별정책 철폐를 위해 버스나 기차를 타고 남부로 가던 시민운동) 참가자로 온 것이기 때문에 행진을 한 뒤, 자신에게는 금지된 간이식당에 들어가 종업원의 응대를 기다렸다. "거기 앉아서 커피 한 잔을 기다리는 동안 과제를 엄청 많이 했지." 선생님이 말했다. 보안관들은 평화를 깨뜨렸다는 이유로 그를 감옥에 가뒀다. 이런 이야기를 들려주는 선생님의 얼굴은 거의 지루해하는 것 같았다. 마치 그때 자신은 세상에서 가장 자연스러운 일을 했다는 듯이. 엘우드는 자신이 혹시 〈라이프〉나 〈디펜더〉에서 선생님을 본 적이 있을지 궁금해졌다. 위대한 시민운동 지도자들과 손에 손을 잡고 있거나, 배경에 자리한 익명의 군중 속에서 자랑스럽고 꼿꼿하게 서 있는 모습을 보지 않았을까.

힐 선생님은 아주 다양한 나비넥타이를 갖고 있었다. 물방울무늬, 밝은 빨간색, 바나나의 노란색. 넓적하고 상냥한 얼굴은 오른쪽 눈 위의 초승달 모양 흉터 때문에 왠지 더 상냥해 보였다. 어떤 백인이 쇠지렛대로 때린 흔적이었다. 어느 날 오후 누군가가 그 흉터에 대해 묻자 선생님은 내슈빌에서 있었던 일이라고 말하고는 서양배를 한 입 베어 물었다. 수업의 주제는 남북전쟁 이후 미국 역사였지만, 힐 선생님은 기회가 있을 때마다 학생들을 현재로 이끌어 100년 전에 있었던 일과 지금의 삶을 연결시켰다. 처음 수업을 시작할 때는 분명히 저쪽 길로 내려갔는데, 언제나 끝에는 그들의 집 현관이 있었다.

힐 선생님은 엘우드가 권리투쟁에 홀린 듯이 관심이 많다는 것을 알아차리고, 그가 자기 말에 맞장구를 치면 쓴웃음을 지었다. 링컨 고등학교의 다른 선생님들은 모두 엘우드의 차분한 성격을 기꺼워하며 오래전부터 그를 높이 평가하고 있었다. 옛날 엘우드의 부모를 가르쳤던 선생님들은 처음에 그를 어떻게 이해해야 할지 몰라서 애를 먹었다. 그가 비록 아버지의 성을 이어받았지만, 아버지 퍼시처럼 야성적인 매력은 조금도 없었기 때문이다. 어머니 에벌린처럼 보기에도 불안할 만큼 어두운 분위기도 없었다. 오후의 더위 때문에 아이들이 꾸벅꾸벅 졸 때 엘우드가 나서서 '아르키메데스'나 '암스테르담'의 이야기를 꺼내 수업을 구원해주면 선생님들은 고마워했다. 엘우드는 《피셔의 만물백과사전》전집 중 쓸 만한 책을 한 권 갖고 있었으므로 그것을 이용했다. 달리 할 수 있는 일이 없지 않은가? 비록 한 권뿐이라 해도 아무것도 없는 것보다는 나았다. 그는 책장이 닳도록 이 페이지 저 페이지를 옮겨 다니며, 마치 모험소설을 읽듯이 자신이 가장 좋아하는 부분들을 찾았다. 백과사전은 하나의 이야기라고 보기에는 내용이 전혀 서로 연결되지 않은 불완전한 글이었지만, 그래도 나름대로 짜릿한 재미를 안겨주었다. 엘우드는 자기가 좋아하는 부분, 단어의 뜻풀이와 어원 등을 공책에 가득 베껴 적었다. 비록 나중에는 이런 허접한 것들을 샅샅이 찾아내 적어놓은 것을 한심하다고 여기게 되었지만.

1학년 말에 매년 노예해방의 날에 하는 연극의 주연으로 그가 뽑힌 것은 자연스러운 일이었다. 탤러해시의 노예들에게 그들이 자유의 몸이라는 사실을 알려주는 토머스 잭슨 역할은 미래의 자신을 위한 훈련이었다. 엘우드는 자신이 책임진 일을 할 때 항상 그렇듯이 이 인물을 연기하는 데에도 열과 성을 다했다. 연극에서 토머스 잭슨은 사탕수수 농장에서 사탕수수 베는 일을 하다가 남북전쟁이 처음 시작될 무렵 도망쳐서 북군에 들어간다. 그리고 나중에는 정치가가 되어 고향으로 돌아온다. 엘우드는 매년 새로운 어조와 몸짓을 만들어냈다. 그의 신념이 강해지면서 그가 연기하는 인물 또한 더욱 생기를 얻어 연설 장면도 처음과 달리 뻣뻣하게 들리지 않았다. "훌륭한 신사 숙녀 여러분에게 노예의 굴레를 벗어던지고 진정한 미국인으로서 자리를 잡을 때가 왔음을 알려드리게 되어 기쁩니다. 드디어!" 이 연극의 대본을 쓴 생물 선생님은 오래전 딱 한 번 브로드웨이에 갔을 때 느낀 마법 같은 분위기를 여기에 재현하려고 애썼다.

엘우드가 이 역을 연기한 3년 동안 딱 하나 변하지 않은 것은 극이

절정에 달했을 때 그가 떨려서 어쩔 줄을 모른다는 점이었다. 잭슨이 여자 친구의 뺨에 입을 맞추는 장면이었다. 그들이 앞으로 새로워진 탤러해시에서 부부가 되어 자식도 많이 낳고 행복하게 사는 미래가 극중에 암시되어 있었다. 여자 친구 마리 진의 역할을 하는 사람이 예쁜 달처럼 동그란 얼굴에 주근깨가 있는 앤이든 아니면 뻐드렁니가 아랫입술을 찔러대는 비어트리스든, 아니면 그보다 키가 1피트쯤 커서 그가 까치발로 서야 했던 마지막 공연 때의 글로리아 테일러든 상관없이, 불안감에 가슴이 답답해지고 현기증이 났다. 마르코니의 서재에서 오랜 시간을 보내며 묵직한 연설 장면을 연습했어도, 링컨 고등학교의 갈색 미녀들과 함께 하는 장면에는 도무지 마음의 준비가 되지 않았다. 무대 위에서도 무대 밖에서도.

그가 글로 읽으며 공상한 시민권 운동은 멀고 먼 곳의 일이었지만, 점차 조금씩 가까워졌다. 프렌치타운에서도 나름대로 시위가 벌어졌으나 엘우드는 너무 어려서 참가하지 못했다. 플로리다 A&M 대학(FAMU. 플로리다주 탤러해시에 있는 플로리다 농업 및 기계 대학. 1887년에 설립되었으며, 역사적으로 흑인들이 다닌 공립대학이다)의 두 여학생이 버스 승차 거부 운동을 제안했을 때 그는 열 살이었다. 할머니는 사람들이 왜 이 도시까지 그 소란스러운 일을 끌고 들어오려고 하는지 처음에는 이해하지 못했지만, 며칠 뒤에는 다른 사람들과 마찬가지로 버스를 거부하고 누군가의 승용차에 합승해 호텔로 출근했다. "리온 카운티 사람들이 전부 난리가 났어. 나도 마찬가지고!" 할머니는 이렇게 말했다. 그해 겨울 시 정부가 마침내 버스 인종차별정책을 철폐하자 할머니는 버스에 올랐다. 흑인 운전기사가 운전대를 잡고 있었다. 할머니는 아무 데나 원하는 자리에 앉았다.

4년 뒤 학생들이 울워스의 간이식당에서 농성을 벌이자는 생각을 해냈을 때, 엘우드는 할머니가 잘했다는 듯이 깔깔 웃어대던 것을 기억했다. 할머니는 심지어 학생들이 보안관에게 잡혀 투옥된 뒤 변호 비용에 보태라고 50센트를 내놓기까지 했다. 시위가 잦아든 뒤에도 할머니는 계속 시내 상점들을 보이콧했다. 비록 운동에 대한 연대와 그 상점들의 높은 가격에 대한 할머니의 반감이 각각 얼마나 작용했는지는 분명하지 않았지만. 1963년 여름에 대학생들이 플로리다 극장 앞에서 흑인들에게 좌석을 허락하라고 요구하는 피켓 시위를 벌일 예정이라는 소문이 퍼졌다. 엘우드는 자신이 함께 나선다면 틀림없이 할머니 해리엇이 대견하게 생각할 것이라고 믿었다.

하지만 그렇지 않았다. 해리엇 존슨은 무슨 일을 하든 정신없이 단호하게 움직이는 벌새 같은 여자였다. 일이든 식사든 다른 사람과의 대화든 가치가 있다고 생각하면 아주 진지하게 임했다. 그렇지 않은 일은 아예 손을 대지 않았다. 할머니는 혹시 강도가 들 때에 대비해서, 사탕수수를 벨 때 쓰는 큰 칼을 베개 밑에 두었다. 엘우드가 보기에 할머니는 세상에 무서운 일이 없는 것 같았다. 하지만 할머니를 움직이는 것은 바로 두려움이었다.

해리엇이 버스 승차 거부 운동에 참여한 것은 사실이었다. 어쩔 수 없었다. 프렌치타운에서 자기 혼자만 대중교통을 이용할 수는 없는 노릇이었으니까. 그래도 그녀는 슬림 해리슨이 57년 식 캐딜락을 몰고 와서 집 앞에 설 때마다 바들바들 떨면서 시내로 향하는 다른 여자들이 타고 있는 뒷좌석에 억지로 끼어 앉았다. 간이식당 농성이 시작됐을 때는, 자신이 남들 앞에서 뭔가 할 필요가 없어서 다행이라고 생각했다. 식당 농성은 젊은이들의 일이었고, 해리엇은 그만한 열의가 없었다. 분수에 맞지 않는 일을 하면 반드시 대가를 치르기 마련이었다. 자신의 몫 이상을 가져간 그녀에게 하느님의 분노가 내릴 수도 있고, 백인이 자신이 내어주는 것 외에 더 많은 것을 요구하면 안 된다고 가르침을 내릴 수도 있었다. 해리엇의 아버지도 테네시 애비뉴에서 백인 부인에게 길을 비켜주지 않은 대가를 치렀다. 그녀의 남편 몬티도 앞에 나섰다가 대가를 치렀다. 엘우드의 아버지 퍼시는 군대에 들어갔을 때 머릿속에 생각이 너무 많았기 때문에 제대해 돌아온 뒤에는 탤러해시가 그에게 부족했다. 그런데 이번에는 엘우드였다. 해리엇은 그 마틴 루서 킹 레코드를 리치먼드 앞에서 어느 판매원에게 10센트를 주고 샀다. 그녀가 지출한 돈 중에 가장 저주스러운 10센트였다. 그 레코드에는 온통 그럴 듯한 말뿐이었다.

근면은 기본적인 미덕이었다. 열심히 일하다 보면 행진을 하거나 농성을 할 시간이 없기 때문이었다. 엘우드가 그 극장 어쩌고 하는 헛소리에 어울리며 소란을 피우는 것은 안 될 일이었다. 해리엇은 이렇게 말했다. "너는 방과 후에 마르코니 씨의 가게에서 일하겠다고 마르코니 씨와 약속했다. 사장이 널 믿을 수 없게 된다면 넌 계속 일할 수 없을 거야." 예전 그녀의 경우처럼, 일을 해야 한다는 의무감이 엘우드를 지켜주기를.

집의 담장 아래에서 귀뚜라미 한 마리가 시끄럽게 울어댔다. 저럴 거면 집세라도 낼 일이지. 녀석이 저렇게 귀찮게 굴기 시작한 것이 벌써 한참 전이었다. 엘우드는 과학책을 읽다가 시선을 들고 이렇게 말했다. "알았어요." 다음 날 오후 그는 마르코니 씨에게 하루 휴가를 요청했다. 전에 아파서 이틀 동안 일을 쉰 것과 몇 번 친척들을 만나러 가느라 휴가를 얻은 것을 빼면 이 가게에서 일한 3년 동안 쉰 적이 없었다.

마르코니 씨는 흔쾌히 허락해주었다. 경마 신문에서 눈을 들지도 않았다.

엘우드는 지난해 노예해방의 날 연극에서 입었던 짙은 색 바지를 입었다. 그 뒤로 키가 몇 인치 자랐지만 바지 길이를 늘여서 하얀 양말이 아주 살짝 보일 뿐이었다. 검은 넥타이는 새로 장만한 에메랄드 넥타이핀으로 고정했다. 넥타이 매듭을 매는 데는 고작 여섯 번 시도 만에 성공했다. 구두도 반짝반짝 광이 났다. 역할에 잘 어울리는 모습이었지만, 혹시 경찰이 야경봉을 꺼내는 경우 안경이 어떻게 될지 걱정스러웠다. 백인들이 쇠 파이프와 야구방망이를 휘두르면 어떡하나. 그는 신문과 잡지에서 본 피투성이 사진들을 손사래로 흩어버리고 셔츠를 바지 허리춤에 집어넣었다.

먼로 거리의 에소 역에 도착하니 구호가 들려왔다. "우리가 원하는 것은? 자유! 자유가 필요한 건 언제? 지금!" A&M 대학의 학생들은 플로리다 극장 앞에서 뱀처럼 구불구불 줄지어 행진하며 여러 구호를 적은 팻말들을 차양 아래에서 돌아가며 들어 올렸다. 극장에서는 〈추한 미국인〉이 상영 중이었다. 돈 75센트와 하얀 피부색만 있으면 극장에 들어가 말런 브랜도를 볼 수 있었다. 보안관은 부하들과 함께 검은 선글라스를 쓰고 팔짱을 낀 모습으로 길가에 자리를 잡았다. 백인들 한 무리가 그 경찰관들 뒤에서 조롱과 야유를 퍼부었고, 더 많은 흑인들이 그들과 합류하기 위해 뛰어왔다. 엘우드는 시선을 내리깔고 시위 군중 옆을 걷다가 슬쩍 군중 안으로 들어가 줄무늬 스웨터를 입은 어떤 여자 뒤에 자리 잡았다. 그 여자는 마치 그를 기다리고 있었다는 듯이 활짝 웃으며 고개를 끄덕였다.

이렇게 인간 사슬에 합류한 뒤 그는 차분히 마음을 가라앉히고 다른 사람들과 함께 구호를 외쳤다. '법 앞의 평등.' 그는 왜 팻말이 없었을까? 이 역할에 맞는 모습을 연출하는 데 신경을 쏟은 나머지 소도구인 팻말을 깜빡한 탓이었다. 그는 자신보다 나이가 많은 청년들이 완벽하게 갈고 닦은 스텐실 솜씨를 흉내 낼 수 없었다. '우리는 비폭력을 지킨다.' '우리는 사랑으로 이긴다.' 머리를 박박 민 자그마한 청년이 휘두르는 팻말에는 만화처럼 그려진 수많은 물음표의 바다 속에 '당신은 추한 미국인인가'라는 말이 적혀 있었다. 누군가가 엘우드의 어깨를 잡았다. 엘우드는 곧 멍키렌치가 자신을 후려칠 것이라고 생각했지만, 그를 붙잡은 사람은 역사를 가르치는 힐 선생님이었다. 선생님은 링컨 고등학교 3학년생들이 모인 곳으로 엘우드를 이끌었다. 학교 농구팀 소속인 빌 터디와 앨빈 테이트가 그와 악수했다. 전에는 그를 본척만척하던 사람들이었는데. 엘우드는 인권운동에 대한 꿈을 혼자서만 간직했기 때문에 학교 안에 자신처럼 떨쳐 일어나고 싶어 하는 사람들이 더 있을 것이라고는 미처 생각하지 못했다.

그다음 달에 경찰은 최루탄을 터뜨리고 시위 참가자들의 옷깃을 잡아채 200명 넘는 사람들을 체포해서 모욕죄로 고발했다. 그러나 엘우드가 처음 시위에 참여한 그날은 아무 일도 없었다. 그다음 달 행렬에는 FAMU 학생들뿐만 아니라 멜빈 그리그스 기술대학 학생들도 참여

했다. 플로리다 대학과 플로리다주립대학의 백인 학생들도, 인종평등
회의의 경험 많은 사람들도 함께였다. 그러나 엘우드가 참가한 날은
나이를 막론하고 백인 남자들이 시위 행렬을 향해 소리를 질러댔다.
물론 엘우드는 자전거로 거리를 달리다가 자동차를 타고 지나가는 백
인들에게서 그런 소리를 이미 들어본 적이 있었다. 얼굴이 빨갛게 달
아오른 백인 청년 중 한 명은 리치먼드 호텔 지배인의 아들인 캐머런
파커와 비슷하게 보였다. 거리를 다시 한 바퀴 돌면서 그를 보니 확실
했다. 그는 몇 년 전 호텔 뒤의 골목에서 엘우드와 만화책을 교환해 보
던 사이였다. 그러나 그날 캐머런은 엘우드를 알아보지 못했다. 얼굴
앞에서 플래시가 터지는 바람에 엘우드는 깜짝 놀랐다. 그의 사진을
찍은 기자는 할머니가 인종문제에 대해 편향적인 기사를 쓴다는 이유
로 읽지 않는 〈레지스터〉 소속이었다. 꼭 끼는 파란색 스웨터 차림의
여대생이 엘우드에게 '나는 인간이다'라고 적힌 팻말을 하나 주었다.
행렬이 스테이트 극장으로 이동할 때 그는 그 팻말을 머리 위로 들고,
자랑스러운 합창에 자신의 목소리를 보탰다. 극장에서는 〈화성이 지구
를 침공한 날〉이 상영 중이었다. 그날 밤 그는 하루 만에 10만 마일쯤
여행하고 온 것 같다는 생각이 들었다.

　사흘 뒤 해리엇이 엘우드를 다그쳤다. 그녀의 친구 한 명이 엘우드
를 시위 행렬 속에서 보았기 때문이다. 그 이야기가 해리엇의 귀에 들
어오는 데 걸린 시간이 사흘이었다. 할머니가 엘우드의 엉덩이를 허리
띠로 때린 것은 벌써 몇 년 전의 일이었고 이제는 엘우드가 그런 벌을
받기에 너무 커버렸기 때문에 할머니는 옛날 존슨 집안의 방법을 따랐
다. 남북전쟁 이후 재통합 시기까지 거슬러 올라가는 이 방법은 벌을

받는 대상을 완전히 없는 사람으로 만들어버리는 것이었다. 할머니는 먼저 레코드 트는 것을 금지했지만, 신세대 흑인 아이들은 충격에서 금방 회복한다는 사실을 깨닫고 전축을 자기 방으로 가져가 벽돌로 뚜껑을 눌러놓았다. 그리고 두 사람 모두 침묵 속에서 고통스러워했다.

일주일 뒤 집안 분위기는 평소처럼 돌아왔지만 엘우드는 달라져 있었다. 시위 때 자신에게 더 가까워진 듯한 느낌을 받은 탓이었다. 길에서 햇빛을 받으며 순간적으로. 그것만으로도 그의 꿈에 충분히 양분이 될 수 있었다. 이 집을 벗어나 일단 대학에 들어가기만 하면 그는 자신의 인생을 시작할 생각이었다. 여자들과 영화도 보러 가고(그는 이 부분에서 스스로 억제하는 생활이 이제 지긋지긋했다), 어떤 공부를 할지 고민해볼 것이다. 흑인의 지위 향상에 헌신하며 바삐 움직이는 젊은 몽상가들 사이에서 자신의 자리를 찾을 것이다.

탤러해시에서 보낸 그 마지막 여름은 금방 지나갔다. 학기 마지막 날 힐 선생님에게서 제임스 볼드윈의 《토박이 아들의 수기》를 한 권 받았을 때는 마음이 요동쳤다. '흑인들은 미국인이고, 그들의 운명이 곧 이 나라의 운명이다.' 그가 플로리다 극장까지 행진한 것은 자신이 포함된 흑인들의 권리나 자신의 권리를 위해서가 아니었다. 자신에게 고함을 지른 사람들까지 포함해서 모든 사람의 권리를 위한 것이었다. 나의 투쟁은 너의 투쟁, 너의 짐은 나의 짐. 하지만 이런 뜻을 사람들에게 어떻게 전달할까? 엘우드는 밤늦게까지 자지 않고 인종문제에 관한 편지를 여러 통 써서 〈탤러해시 레지스터〉에 보냈으나 신문은 하나도 실어주지 않았다. 〈시카고 디펜더〉는 한 번 실어주었다. "우리 윗세대에게 묻는다. 우리의 도전에 합류하겠는가?" 엘우드는 부끄러워서 아무에게도 이런 사실을 말하지 않고, 편지를 신문사에 보낼 때도 아처 몽고메리라는 가명을 썼다. 딱딱하고 멋있는 이름 같았는데, 그는 신문에 이 이름이 인쇄된 것을 본 뒤에야 자신이 할아버지의 이름을 사용했음을 깨달았다.

6월에 마르코니 씨가 할아버지가 되었다. 그에게서 지금까지 보지 못한 새로운 면모를 이끌어낸 기념비적인 사건이었다. 마르코니 씨는 가게를 할아버지의 열정을 보여주는 진열장으로 바꿔놓았다. 또한 별로 말이 없던 옛날과 달리 미국에 이민 와서 고생한 이야기와 상점 경영에 관한 괴상한 조언들을 늘어놓았다. 저녁에는 손녀를 보러 가려고 가게 문을 평소보다 한 시간 일찍 닫으면서도 엘우드에게는 아르바이트비를 예전과 똑같이 주었다. 시간이 생긴 엘우드는 야구장까지 천천히 걸어가서 혹시 누가 경기를 하고 있는지 확인해보았다. 그는 언제나 경기를 구경하기만 했지만, 시위에 다녀온 뒤로 숫기 없는 성격이 좀 바뀌어서 함께 구경하던 사람들 몇 명과 친구가 되었다. 오래전부터 오며 가며 얼굴을 보면서도 이야기는 한 번도 나눠보지 못한 동네 녀석들이었다. 해리엇이 인정한 동네 친구 피터 쿰스와 함께 시내에 나갈 때도 있었다. 해리엇은 피터가 바이올린을 연주한다는 점과 자기 손자처럼 책을 좋아한다는 점 때문에 그를 좋게 보았다. 피터가 바이올린 연습을 하지 않는 날에는 함께 레코드 가게들을 돌아다니며 LP의 재킷들을 몰래 구경했다. LP를 구입하는 것이 그들에게는 금지된 일이었다.

"다이나사운드가 뭐야?" 피터가 물었다.

새로운 스타일의 음악? 새로운 감상 방식? 그들은 혼란스러웠다.

더운 날 오후에는 FAMU의 여학생들이 가끔 음료수를 사러 가게에 들어왔다. 플로리다 극장 앞의 시위에 참가한 사람들이었다. 엘우드가 시위에 관한 새로운 소식이 있는지 물으면, 그들은 함께 시위에 참가한 동지를 만났다며 얼굴이 환해져서 그의 얼굴을 본 적이 있는 것처럼 굴었다. 그가 대학생인 줄 알았다고 말한 사람이 한둘이 아니었다. 엘우드는 이 말을 칭찬으로 받아들이고, 집을 떠나는 백일몽에 장식으로 사용했다. 낙관적인 희망 덕분에 엘우드는 계산대 아래의 싸구려 사탕처럼 흐물흐물해졌다. 그해 7월 힐 선생님이 가게에 나타나 제안을 내놓았을 때 그는 이미 준비가 되어 있었다.

처음에 엘우드는 선생님을 알아보지 못했다. 화려한 나비넥타이를 매지 않았고, 오렌지색 격자무늬 남방은 속에 받쳐 입은 셔츠가 드러나게 위쪽 단추를 몇 개 풀었으며, 선글라스를 낀 차림이었기 때문이다. 몇 주 정도가 아니라 몇 달 동안 일할 생각은 해본 적도 없는 사람 같았다. 옛 제자에게 인사를 건넬 때도 그는 여름 내내 휴가를 즐기는 사람처럼 게으르고 태평한 분위기였다. 그는 몇 년 만에 처음으로 여행하지 않는 여름을 보내고 있다고 엘우드에게 말했다. "여기서 바쁘게 할 일이 아주 많거든." 그는 길가를 고갯짓으로 가리켰다. 낭창낭창한 밀짚모자를 쓴 젊은 여자가 가냘픈 손으로 눈 위에 그늘을 만들어 햇빛을 가리며 그를 기다리고 있었다.

엘우드는 힐 선생님에게 무슨 물건을 사러 오셨느냐고 물었다.

"널 보러 온 거야, 엘우드." 선생님이 말했다. "내 친구한테서 어떤 기회가 있다는 말을 듣고 곧바로 네가 생각났거든."

힐 선생님에게는 탤러해시 바로 남쪽의 흑인 대학인 멜빈 그리그스 기술대학에서 교수로 일하는 프리덤 라이드 시절의 동료가 있었다. 영미 문학을 가르치는 그는 교수로 부임한 지 3년째였다. 멜빈 그리그스 기술대학은 한동안 경영 상태가 엉망이었으나, 새로운 학장이 새로운 바람을 일으키는 중이었다. 그래서 얼마 전부터 성적이 좋은 고등학생들에게 강의를 개방하는 정책이 실시되고 있었지만, 인근 주민들에게는 그 사실이 전혀 알려지지 않았다는 점이 문제였다. 학장의 지시로 이 일을 맡은 힐 선생님의 친구는 선생님에게 도움을 청했다. 링컨 고등학교에 혹시 이 강의에 관심을 보일 만한 뛰어난 학생이 있나?

엘우드는 빗자루를 잡은 손에 힘을 주었다. "좋은 말씀이긴 한데, 그런 수업을 들을 돈이 있을지 잘 모르겠습니다." 시간이 좀 흐르고 나면 자신이 고개를 절레절레 저을 것 같다는 생각이 들었다. 지금 돈을 모으는 것도 대학에 진학해 수업을 듣기 위해서인데, 아직 고등학생일 때 그런 강의를 듣는 게 무슨 잘못이라고.

"바로 그거다, 엘우드. 수업은 공짜야. 적어도 이번 가을 학기는. 그래야 이 일대에 소문이 퍼질 테니까."

"할머니께 여쭤볼게요."

"그래, 엘우드. 내가 너희 할머님과 직접 애기해도 되고." 힐 선생님은 엘우드의 어깨에 손을 얹었다. "중요한 건, 너 같은 아이에게 완벽한 기회라는 거다. 너야말로 그 대학이 그런 프로그램을 마련하면서 생각한, 바로 그런 학생이야."

그날 오후 늦게 엘우드는 붕붕 날아다니는 통통한 파리 한 마리를 쫓아 가게 안을 돌아다니면서 탤러해시의 백인 학생 중에도 대학 수준의 공부를 하는 애들은 아마 그리 많지 않을 것이라는 생각을 했다.

'경주에서 뒤처진 아이는 그대로 영원히 뒤처져 있든지, 아니면 앞사람보다 빨리 뛰는 수밖에 없어.'

해리엇은 힐 선생님의 제안에 전혀 반대하지 않았다. '공짜'라는 단어가 만사형통의 스위치였다. 그 뒤로 엘우드의 여름은 진흙거북처럼 느릿느릿 흘러갔다. 힐 선생님의 친구가 영문학 교수이니만큼, 그는 문학 강의에 등록해야 하는 줄 알았다. 비록 나중에는 아무 강의나 마음대로 들을 수 있다는 사실을 알게 되었지만, 그래도 문학 강의를 고수했다. 영국 작가들을 개관하는 강의가 할머니의 지적처럼 실용적이지는 않아도 생각하면 할수록 그 점이 바로 매력이었다. 엘우드는 자신이 너무 오래전부터 지나치게 실용적으로 살아왔다는 생각이 들었다.

대학에서는 어쩌면 새 교과서를 쓸 수 있을지 모른다는 생각도 들었다. 구겨진 곳도 없고, 지워야 할 글귀들도 없는 교과서.

엘우드가 처음으로 대학에 강의를 들으러 가기 전날, 마르코니 씨가 계산대로 그를 불렀다. 엘우드는 대학 수업 때문에 목요일 근무를 쉬어야 한다고 미리 말해두었기 때문에, 마르코니 씨가 그에 대비해서 정리를 잘 해두었는지 확인하려고 자신을 부른 줄 알았다. 마르코니 씨는 헛기침을 한 번 하더니 벨벳 상자를 그에게 밀어주었다. "너 공부 열심히 하라고." 그가 말했다.

황동 장식이 들어간 검푸른색 만년필이었다. 좋은 선물이었다. 마르코니 씨가 단골인 문구점 주인에게서 싸게 할인받아 산 물건이라 해도. 엘우드는 어른스럽게 마르코니 씨와 악수했다.

해리엇도 행운을 빌어주었다. 원래 할머니는 아침마다 엘우드가 옷을 제대로 차려입었는지 확인하곤 했다. 하지만 가끔 실보무라지 몇 개를 떼어내기만 했을 뿐, 달리 옷차림에 손을 댄 적은 없었다. 그날도 다르지 않았다. "말쑥하구나, 엘." 할머니는 이렇게 말하면서 엘우드의 뺨에 입을 맞추고는 버스 정류장으로 향했다. 손자 앞에서 울음을 참으려고 할 때 항상 그렇듯이 어깨를 웅크린 모습이었다.

엘우드는 방과 후 대학에 갈 때까지 시간이 넉넉했지만, 멜빈 그리그스 대학을 빨리 보고 싶어서 일찍 출발했다. 그가 두 아이에게 얻어맞아 눈에 멍이 든 그날 부러진 자전거 체인의 리벳 두 개가 그 뒤로 줄곧 잘 망가졌다. 특히 그가 자전거를 한참 타다 보면 그런 일이 벌어지곤 했다. 그래서 그는 길에서 엄지를 내밀어 남의 차를 얻어 타거나 7마일(약 11km)쯤 되는 거리를 걸어갈 생각이었다. 대학에 도착하면 캠퍼스를 돌아보며 건물들을 홀린 듯이 바라보거나, 안뜰의 벤치에 앉아 분위기에 흠뻑 젖을 것이다.

엘우드는 올드 베인브리지 모퉁이에서 흑인이 모는 차가 나타나기를 기다렸다. 픽업트럭 두 대가 지나간 뒤, 눈부신 초록색의 61년 식 플리머스 퓨리가 속도를 늦췄다. 거대한 메기처럼 양쪽에 지느러미가 있고 차체가 낮은 차였다. 운전자가 몸을 기울여 조수석 문을 열어주었다. "남쪽으로 간다." 그가 말했다. 엘우드가 초록색과 하얀색이 섞인 비닐 좌석에 앉자 뽀득뽀득 소리가 났다.

"로드니다." 운전석의 남자가 말했다. 몸이 옆으로 퍼지기는 했지만 탄탄해서 에드워드 G. 로빈슨(주로 갱스터 영화에 출연하던 루마니아 출신의 미국 배우)의 흑인 버전 같았다. 회색과 자주색의 가는 줄무늬가 있는 양복까지 완벽했다. 악수를 할 때 로드니가 여러 손가락에 낀 반지들이 살갗을 꼬집어대는 바람에 엘우드는 움찔했다.

"엘우드입니다." 그는 가방을 다리 사이에 놓고, 우주선 내부처럼 근사한 플리머스의 계기판을 바라보았다. 은색 장식 속에서 손으로 누르게 되어 있는 단추들이 튀어나와 있었다.

차는 636번 카운티 도로를 향해 남쪽으로 달렸다. 로드니가 라디오 버튼을 두드렸지만 아무 소리도 나오지 않았다. "항상 이렇게 말썽이라니까. 네가 한번 해봐라." 엘우드가 버튼을 누르다 보니 R&B 방송이 나왔다. 그는 그대로 주파수를 바꾸려다가 여기에는 가사의 이중적인 의미에 대해 잔소리를 늘어놓을 할머니가 없다는 사실을 떠올렸다. 가사에 대한 할머니의 설명은 항상 미덥지가 않아서 엘우드는 얼떨떨해지곤 했다. R&B 방송에서 두왑 코러스가 나오는 음악이 흘렀다. 로드니는 마르코니 씨와 같은 헤어토닉을 쓰는 모양이었다. 알싸한 그 헤어토닉 냄새가 차 안에 진하게 배어 있었다. 모처럼 쉬는 날인데도 이렇게 일터의 분위기가 그를 따라다녔다.

로드니는 발도스타에 사는 어머니를 만나고 돌아가는 길이었다. 그러나 멜빈 그리그스 대학이라는 이름을 한 번도 들어본 적이 없다고 말해서, 이날을 기다리며 엄청난 기대를 품고 있던 엘우드의 자존심에 상처를 입혔다. "대학이라." 로드니는 이 사이로 휘파람 소리를 냈다. "난 열네 살 때부터 의자 공장에서 일했어." 그가 말했다.

"저는 담배 가게에서 일해요." 엘우드가 말했다.

"물론 그렇겠지."

DJ가 일요일의 중고품 물물교환 시장에 대해 촬촬 정보를 늘어놓았다. 곧이어 펀타운 광고가 나오자 엘우드는 흥얼흥얼 노래를 따라 불렀다.

"이거 뭐야?" 로드니는 이렇게 말하고 나서 크게 숨을 내쉬더니 욕설을 내뱉었다. 그리고 손으로 머리를 한 번 쓸었다.

순찰차의 빨간 경광등 불빛이 백미러 속에서 뱅글뱅글 돌았다.

여기는 시골길이라 다른 차는 한 대도 없었다. 로드니는 투덜거리며 길가에 차를 세웠다. 엘우드가 가방을 무릎 위로 올리자 로드니가 그에게 침착하라고 말했다.

백인 경찰관이 뒤로 몇 야드 떨어진 곳에 차를 세우고, 총집에 왼손을 올린 채 다가왔다. 그리고 선글라스를 벗어 가슴 주머니에 넣었다.

로드니가 말했다. "넌 나랑 모르는 사이야, 그렇지?"

"네." 엘우드가 말했다.

"경찰한테 내가 그렇게 말할게."

경찰관은 이제 총을 빼들고 있었다. "플리머스가 지나가는지 잘 보라는 말을 듣자마자 내가 생각한 것이 있지." 그가 말했다. "그런 걸 훔치는 사람은 검둥이뿐이라고."

2부

4장

　재판관이 그에게 니클로 가라는 판결을 내린 뒤, 엘우드는 집에서 마지막으로 사흘 밤을 보냈다. 주 정부에서 보낸 차가 도착한 것은 화요일 아침 일곱 시였다. 법원에서 나온 경찰관은 무성한 삼림 같은 턱수염을 기른 인심 좋은 아저씨로, 숙취 때문에 걸음이 휘청거렸다. 살찐 몸에 꼭 끼는 셔츠, 단추 부분이 팽팽하게 늘어난 모습은 마치 속을 채운 쿠션 같았다. 그러나 그는 권총을 찬 백인이었으므로, 아무리 후줄근한 모습이라 해도 상대를 불안하게 만들었다. 거리를 따라 늘어선 주택들의 포치에서 남자들이 담배를 피우며 그 광경을 구경했다. 포치 난간을 꽉 움켜쥔 모습이 마치 밖으로 떨어질까 봐 무서워하는 것 같았다. 집 안에서 창문으로 밖을 내다보는 이웃들도 있었다. 그들은 몇년 전 소년인지 남자인지 하여튼 누군가가 끌려가던 모습을 지금의 광경과 연결시켜 떠올렸다. 그때 끌려간 사람은 이 동네 이웃이 아니라 이웃의 가족이었다. 형제 또는 아들.

경찰관은 말할 때 입에 문 이쑤시개를 이리저리 돌려댔다. 하지만 말이 많은 편은 아니었다. 그는 자동차 앞좌석 뒤에 붙어 있는 금속 막대기에 엘우드의 수갑을 연결해 채우고는 275마일(약 442km)을 가는 동안 한 마디도 하지 않았다.

탬파에 도착하고 나서 5분 뒤 경찰관은 교도소 직원과 싸움을 벌였다. 도중에 착오가 있었기 때문이었다. 소년 세 명이 니클 아카데미에 가기로 예정되어 있었는데, 이 흑인 소년을 태우는 순서는 첫 번째가 아니라 가장 마지막이었다. 탤러해시와 니클은 겨우 한 시간 거리였기 때문이다. 이 아이를 태우고 요요처럼 남북으로 왕복하는 동선이 이상하다고 생각하지 않았느냐고 교도소 직원이 물었다. 이 지점에서 경찰관의 얼굴이 벌겋게 달아올랐다.

"난 서류를 읽었을 뿐이야." 경찰관이 말했다.

"그건 알파벳 순서로 쓴 겁니다." 직원이 말했다.

엘우드는 수갑 때문에 상처가 난 손목을 문질렀다. 여기 대기실의 벤치는 교회 신도석을 그대로 떼어 온 것임이 분명했다. 그만큼 모양이 똑같았다.

30분 뒤 그들은 다시 도로를 달리고 있었다. 서류에 적힌 프랭클린 T와 빌 Y는 알파벳 순서로도 멀리 떨어져 있었지만, 기질적으로는 그보다 훨씬 더 동떨어진 녀석들이었다. 엘우드는 옆에 앉은 이 두 백인 소년이 처음 험상궂은 표정을 짓는 것을 보고 그들의 거친 성격을 알아차렸다. 프랭클린 T는 지금까지 엘우드가 본 사람 중에 가장 주근깨가 많았다. 피부는 햇볕에 짙게 그을렸고, 빨간 머리는 군인처럼 짧았다. 고개를 푹 수그리고 자기 발가락만 보는 것 같았지만, 다른 사람을 향해 시선을 들 때면 언제나 눈에 격렬한 분노가 가득했다. 한편 빌 Y의 눈은 시커멓고 시퍼렇게 멍이 들어 있었으며, 눈빛이 무시무시했다. 입술도 부어올라서 딱지가 앉아 있었다. 오른쪽 뺨에 서양배 모양의 갈색 모반까지 있어서 그렇지 않아도 얼룩덜룩 멍든 얼굴에 색조를 더해주었다. 그는 엘우드를 한 번 본 뒤 코웃음을 치더니, 차를 타고 가는 동안 다리가 부딪칠 때마다 마치 불에 덴 사람처럼 후다닥 다리를 뒤로 물렸다.

그들 각자가 어떤 삶을 살아왔는지, 무슨 잘못으로 니클에 가게 되었는지는 몰라도 하여튼 그들은 지금 똑같이 수갑에 묶여서 똑같은 목적지를 향해 가고 있었다. 얼마 뒤 프랭클린과 빌은 서로 정보를 교환했다. 프랭클린은 이미 한 번 니클에 간 적이 있었다. 그때는 반항이 심하다는 이유였는데, 이번에는 무단결석이 문제였다. 그는 니클에서 사감 선생의 부인을 길게 바라본 죄로 호되게 얻어맞았지만, 그것만 빼면 괜찮은 곳이었던 것 같다고 말했다. 적어도 계부와 떨어져 있을 수 있으니까. 빌은 누나의 손에 자라고 있었는데, 판사의 표현을 빌리자면 그만 썩은 사과 무리와 어울리게 되었다. 그들은 함께 어느 약국 진열창을 깨뜨렸으나, 빌은 무거운 벌을 면했다. 그의 일당은 모두 피드몬트 교도소행이었지만, 그는 고작 열네 살이라는 이유로 니클에 가게 되었다.

경찰관이 두 백인 소년에게 함께 가는 아이가 자동차 도둑이라고 말해주자 빌은 웃음을 터뜨렸다. "나도 남의 차를 훔쳐 타고 달리는 거 옛날에 항상 했는데. 날 잡으려면 그걸로 잡았어야지. 그깟 창문이 뭐라고."

게인즈빌 외곽에서 차는 고속도로를 벗어났다. 경찰관은 차를 세우고 모두에게 소변을 보게 한 뒤, 머스터드 샌드위치를 주었다. 아이들이 다시 차에 올랐을 때 그는 수갑을 채우지 않았다. 아이들이 도망치지 않을 것이라고 확신한다면서. 그는 탤러해시 외곽의 뒷길을 따라, 그 도시가 이제는 존재하지 않기라도 하는 것처럼 빙 돌아갔다. 저 나무들이 뭔지도 모르겠네. 차가 잭슨 카운티에 도착했을 때 엘우드는 속으로 이런 생각을 했다. 우울했다.

학교를 한 번 보고 나서 그는 프랭클린의 말이 옳은 것 같기도 하다는 생각이 들었다. 니클이 그렇게 형편없는 곳은 아닌 것 같았다. 높은 담장에 철조망이 있는 모습을 상상했지만, 이곳에는 아예 담장이 없었다. 캠퍼스도 꼼꼼하게 관리되고 있는지, 무성한 초록색 나무들 사이사이에 빨간 벽돌로 지은 2층이나 3층 건물들이 점점이 박혀 있었다. 삼나무와 너도밤나무가 그늘의 상당 부분을 차지했다. 높게 솟은 것을 보니 나이가 아주 많은 모양이었다. 엘우드는 이렇게 아름다운 곳을 본 적이 없었다. 진짜 학교, 좋은 학교였다. 지난 몇 주 동안 상상했던 무서운 소년 감화원의 모습이 아니었다. 그가 상상하던 멜빈 그리그스 기술대학의 모습과도 겹치는 것이 슬프면서 우스웠다. 상상에 비해 조각상과 기둥이 몇 개 없을 뿐이었다.

차가 캠퍼스 내의 도로를 한참 달려 중앙 행정동으로 갔다. 가는 길에 보인 미식 축구장에서는 아이들 몇 명이 소리를 지르며 경기를 하고 있었다. 그는 만화에서 본 것처럼 철구가 매달린 사슬에 몸이 묶인 아이들을 상상했지만, 저 아이들은 잔디밭에서 시끄럽게 소란을 피우며 아주 즐거운 시간을 보내고 있었다.

"좋았어." 빌이 기분 좋은 얼굴로 말했다. 마음이 놓인 것은 엘우드만이 아니었다.

경찰관이 말했다. "건방지게 굴지 마라. 자칫 여기 관리인들한테 쫓기다가 늪에 빠질 수도……."

"아니면 애팔래치 주립 교도소에서 개들을 불러오겠죠." 프랭클린이 말했다.

"착하게 잘 지내면 아무 일 없을 거다." 경찰관이 말했다.

건물 안으로 들어간 뒤 경찰관은 직원을 손짓으로 불렀다. 직원은 나무로 된 서류함이 벽을 따라 늘어서 있는 노란색 방으로 그들을 데려갔다. 아이들은 교실처럼 줄을 맞춰 놓은 의자들 가운데 서로 멀리 떨어진 자리를 골라 앉았다. 엘우드는 습관대로 맨 앞줄 자리를 골랐다. 스펜서 학생주임이 문을 열고 들어왔을 때 그들은 모두 허리를 곧추세웠다.

메이너드 스펜서는 오십대 후반의 백인으로, 짧게 깎은 검은 머리에 흰머리가 희끗희끗 섞여 있었다. 해리엇이 자주 말하던 진짜 '꼭두새벽족'인 그는 마치 모든 것을 거울 앞에서 연습한 사람처럼 신중하게 움직였다. 너구리처럼 조붓한 얼굴에서 작은 코와 눈 아래 다크서클, 그리고 텁수룩한 눈썹이 엘우드의 시선을 끌었다. 검푸른 니클 제복을 아주 까다롭게 관리하는지, 옷에 잡힌 주름 하나하나가 베일 듯이 날카로워서 그 자신이 살아 있는 칼날 같았다.

스펜서가 프랭클린에게 고갯짓을 하자 프랭클린은 책상 귀퉁이를 옮겨쥐었다. 스펜서는 그 아이가 다시 올 줄 알았다는 듯이 웃음을 참는 얼굴로 칠판에 등을 기대고 팔짱을 꼈다.

"오늘은 시간이 늦었으니 너무 길게 말하지 않겠다. 너희 모두 점잖은 사람들과 함께 지내는 법을 아직 몰라서 여기에 오게 된 거다. 그건 괜찮다. 여긴 학교고, 우린 교사니까. 다른 사람들처럼 구는 법을 우리가 너희에게 가르쳐줄 것이다.

프랭클린 너는 이미 다 들은 소리겠지. 하지만 제대로 배우지 못한 모양이구나. 이번에는 다르려나. 지금은 너희 모두 유충이다. 여기서는 행실에 따라 너희를 네 단계로 나눈다. 유충부터 시작해서 탐험가, 개척자를 거쳐 마침내 에이스에 이르는 것이다. 올바른 행동으로 점수를 얻으면 이 사다리를 타고 올라갈 수 있다. 최고 단계인 에이스에 이르면 여길 졸업해서 가족이 있는 집으로 돌아가게 된다."

그는 잠시 말을 멈췄다가 다시 시작했다. "뭐, 가족이 너희를 받아준다면 그렇다는 얘기지만, 그건 너희들의 문제지." 그는 관리인과 사감 선생의 말을 잘 듣고, 게으름을 피우거나 꾀병을 부리지 않고 맡은 일을 해내며, 공부를 열심히 하는 사람이 에이스라고 말했다. 에이스는 싸움을 벌이지도 않고, 욕을 하지도 않고, 신성모독을 저지르지도 않고, 투덜거리지도 않는다. 새로운 사람으로 거듭나기 위해 해가 뜰 때부터 질 때까지 열심히 노력한다. "너희가 여기서 얼마나 지내게 될지는 너희에게 달렸다. 우리는 멍청이들에게 시간을 쏟지 않는다. 엉망으로 구는 녀석들을 보내는 곳이 따로 있으니까. 아마 너희에게는 반가운 곳이 아니겠지만, 내가 직접 그렇게 지시할 것이다."

스펜서의 표정은 엄했지만, 허리에 찬 커다란 열쇠고리에 손을 댈때는 그의 입꼬리가 즐거운 듯 움찔거렸다. 아니, 어쩌면 더 음산한 표정인 것 같기도 했다. 그는 니클에 한 번 다녀간 적이 있는 프랭클린에게 시선을 주었다. "네가 말해줘라, 프랭클린."

프랭클린의 목소리가 갈라졌다. 그도 자신의 잘못을 바로잡아야만 여기서 나갈 수 있었다. "네, 선생님. 여기서는 선을 넘으면 안 된다."

스펜서는 아이들의 얼굴을 한 명씩 차례로 바라보며 머리에 새긴 뒤 일어섰다. "루미스 선생이 너희의 수속을 마저 처리할 것이다." 그는 이렇게 말하고 나서 밖으로 걸어 나갔다. 허리띠에서 열쇠들이 짤랑거리는 소리가 서부영화에 나오는 보안관의 박차 소리 같았다.

뚱한 얼굴의 백인 남자인 루미스가 몇 분 뒤 나타나 교복이 보관된 지하의 어느 방으로 그들을 데려갔다. 데님 바지, 회색 작업복 셔츠, 투박한 단화가 크기별로 벽 앞의 선반에 가득 놓여 있었다. 루미스는 각자 맞는 사이즈를 찾아보라고 말한 뒤, 엘우드에게는 유색인종 선반을 따로 가리켰다. 거기에는 더 낡고 해어진 옷가지가 놓여 있었다. 아이들은 옷을 갈아입었다. 엘우드는 자신의 셔츠와 무명 바지를 개서 집에서 가져온 캔버스 배낭에 넣었다. 그 안에는 스웨터 두 개와 노예해방의 날 연극에서 입었던 양복이 있었다. 교회에 갈 때 입을 옷이었다. 프랭클린과 빌은 가져온 물건이 전혀 없었다.

엘우드는 옷을 갈아입는 두 소년의 몸에 새겨진 흉터들을 보지 않으려고 애썼다. 둘 다 길고 울퉁불퉁한 선처럼 생긴 흉터와 화상자국 같은 것이 있었다. 그날 이후 엘우드는 프랭클린과 빌을 다시 보지 못했다. 이 학교의 학생은 모두 600명이 넘었는데, 백인 소년들은 언덕 아래에, 흑인 소년들은 언덕 위에 각각 분리되어 있었다.

입소 수속이 이뤄지는 방으로 다시 돌아온 아이들은 사감 선생이 데리러 오기를 기다렸다. 가장 먼저 도착한 엘우드의 사감 선생은 통통

한 흰머리 남자였다. 피부는 검고, 회색 눈은 유쾌했다. 스펜서가 엄하고 위협적이었다면, 이 블레이클리 사감 선생은 부드럽고 쾌활했다. 그는 엘우드와 따뜻하게 악수한 뒤, 그가 배정된 기숙사 클리블랜드의 사감이라고 자신을 소개했다.

두 사람은 유색인종 기숙사로 걸어갔다. 엘우드의 몸에서 긴장이 조금 풀렸다. 그는 스펜서 같은 사람들이 운영하는 이곳에서 어떤 일을 겪게 될지 무서워하고 있었다. 걸핏하면 위협적인 말을 하면서 상대의 반응을 보고 즐거워하는 사람들의 감시를 받게 되다니. 하지만 지금은 여기의 흑인 직원들이 흑인 아이들을 돌봐줄지도 모른다는 생각이 들었다. 설사 그들이 백인처럼 못되게 군다 하더라도 엘우드는 이곳에 온 다른 아이들처럼 잘못된 행실로 문제를 일으키는 것을 스스로 용납한 적이 지금껏 한 번도 없는 사람이었다. 그는 지금까지 하던 대로 올바른 행동만 하면 된다고 스스로를 달랬다.

밖에 나와 돌아다니는 학생은 많지 않았다. 기숙사 창문 안에서 사람의 형체들이 움직였다. 아마 저녁 식사 시간인 것 같았다. 콘크리트 보도에서 스쳐 지나간 흑인 소년 몇 명은 공손하게 블레이클리에게 인사했지만 엘우드에게는 눈길도 주지 않았다.

블레이클리는 "힘들었던 옛날부터 지금까지" 11년 동안 이 학교에서 일했다고 말했다. 그리고 아이들이 스스로 운명을 헤쳐 나가게 만드는 것이 이 학교의 철학이라고 설명했다. "모든 일을 너희가 맡고 있어. 여기 보이는 모든 건물에 쓰인 벽돌을 굽는 일, 콘크리트를 까는 일, 풀밭을 관리하는 일. 보다시피 아이들 솜씨가 아주 좋다." 그는 이렇게 일을 하면서 아이들이 침착해지며, 학교를 졸업한 뒤 유용하게 쓸 수 있는 기술도 배우게 된다고 말을 이었다. 니클의 인쇄소에서는 세금 규정에서부터 건축 규정과 주차위반 딱지에 이르기까지 플로리다 주 정부의 모든 인쇄물을 찍어냈다. "그렇게 큰 주문을 실행하고 책임을 지는 법을 배우는 거다. 이런 지식은 앞으로 평생 동안 써먹을 수 있어."

블레이클리는 모든 아이들이 반드시 수업에 출석해야 하는 것이 규정이라고 말했다. 다른 감화원들은 교정과 교육 사이의 균형에 그리 신경을 쓰지 않기도 하지만, 니클은 학생들이 뒤처지지 않게 하기 위해서 수업과 노동을 하루걸러 한 번씩 번갈아 시키고 있다고 했다. 일요일은 휴일이었다.

블레이클리는 엘우드의 표정이 변한 것을 보고 물었다. "기대와는 다르니?"

"저는 올해 대학 수업을 들을 예정이었어요." 엘우드가 말했다. 지금은 10월이니까, 계획대로라면 지금쯤 학기가 한참 진행되었을 터였다.

"그 얘기는 구달 선생님한테 해봐라." 블레이클리가 말했다. "나이가 많은 학생들을 가르치는 분이야. 틀림없이 뭔가 조치를 취해주실 거다." 그는 빙긋 미소를 지었다. "밭에서 일해본 적 있니?" 이 학교에서는 1400에이커의 밭에 라임, 고구마, 수박 등 다양한 작물을 기르고 있었다. "나는 농촌에서 자랐다. 여기 아이들 중에는 뭔가를 보살피는 일을 처음 하는 녀석이 많아."

"네, 선생님." 엘우드가 말했다. 셔츠에 꼬리표인지 뭔지가 붙어 있었는데, 그것이 자꾸 목을 찔렀다.

블레이클리가 걸음을 멈추고 말했다. "항상 '네, 선생님'이라고 대답

해야 한다는 것만 잘 기억하면 아무 문제 없을 거다." 그는 엘우드의 '상황'에 익숙하다고 말했다. '상황'이라는 에두른 표현을 쓸 때 그의 어조는 마치 그 단어를 폭 감싸는 듯했다. "여기 아이들은 대개 감당할 수 없는 일을 벌인 녀석들이야. 여기서 잘 생각해보고 똑바로 설 기회를 잡아봐라."

클리블랜드는 캠퍼스 내의 다른 기숙사들과 똑같았다. 초록색 구리 지붕을 머리에 인 니클산(産) 벽돌 건물. 빨간 흙에서 그악스럽게 솟아나와 상자처럼 사각형으로 다듬어진 산울타리가 건물을 에워싸고 있었다. 블레이클리는 엘우드를 데리고 정문으로 들어갔다. 건물 안팎이 몹시 다르다는 사실을 금방 알 수 있었다. 뒤틀린 바닥에서는 계속 삐걱거리는 소리가 났고, 노란 벽에는 닳거나 긁힌 자국이 가득했다. 휴게실의 소파와 안락의자에서는 속이 비죽비죽 흘러나왔다. 탁자에는 수많은 장난꾸러기들이 새겨놓은 이니셜과 별명이 있었다. 엘우드는 해리엇이 보았다면 하나씩 손가락을 꼽아가며 지적했을 갖가지 문제들에서 눈을 뗄 수 없었다. 모든 서류함의 빗장과 문고리 주위가 손자국 때문에 지저분한 것, 구석에서 둥글게 뭉쳐서 굴러다니는 먼지와 머리카락.

블레이클리가 건물 구조를 설명해주었다. 각 기숙사의 1층에는 작은 주방, 행정 사무실, 커다란 회의실 두 개가 있었다. 2층에는 아이들이 자는 기숙사 방이 있는데, 두 개는 고등학생 또래의 아이들이 쓰고 한 개는 그보다 어린아이들이 썼다. "여기서는 어린 학생들을 '뺑아리'라고 부른다. 이유는 묻지 마라. 아무도 모르니까." 맨 꼭대기 층에는 블레이클리의 방과 다용도실이 있었다. 블레이클리는 이제 아이들이 자러 갈 시간이라고 말했다. 식당까지는 조금 걸어가야 하는데 지금은 저녁 식사가 거의 끝나가고 있었다. 블레이클리는 주방이 완전히 문을 닫기 전에 뭘 좀 먹겠느냐고 물었다. 엘우드는 머리가 너무 복잡해서 입맛이 없었다.

2호실에 빈 침대가 하나 있었다. 파란 리놀륨 바닥 위에 침대가 각각 열 개씩 세 줄로 늘어서 있고, 각 침대의 발치에는 소지품을 넣을 트렁크가 하나씩 있었다. 엘우드가 여기까지 걸어오는 동안 아무도 그를 거들떠보지 않았지만, 이 방에서는 아이들이 모두 나름대로 그를 가늠해보았다. 어떤 아이들은 블레이클리가 엘우드를 데리고 침대들 사이를 걸어가는 동안 머리를 모으고 조용히 뭐라고 의논하기도 했다. 그밖의 아이들은 나중을 위해 조용히 엘우드를 평가해볼 뿐이었다. 서른 살은 먹은 것처럼 보이는 학생이 한 명 보였지만, 열여덟 살이 넘은 사람은 모두 여기서 나가야 했으므로 정말로 그 나이일 리는 없었다. 탬파에서 함께 차를 타고 온 두 백인 소년처럼 거칠어 보이는 아이들도 있었지만, 엘우드는 자신이 살던 동네의 평범한 아이들처럼 보이는 녀석이 많은 것을 보고 안도했다. 다만 여기 아이들이 더 슬퍼 보일 뿐이었다. 여기 아이들이 정말로 평범하다면, 그는 잘 해낼 수 있었다.

그동안 들은 이야기와 달리 니클은 청소년들을 위한 무서운 감옥이 아니라 정말로 학교였다. 변호사는 엘우드에게 운이 좋았다고 말했다. 자동차 절도는 니클에서 엄청난 범죄였다. 이곳에 온 아이들은 대부분 그보다 훨씬 덜한 죄목(하지만 상황이 모호해서 설명할 수 없는 일들)을 갖고 있었다. 가족이 없어서 주 정부가 후견인 노릇을 하는 아이들은 달리 갈 데가 없어서 이곳에 오기도 했다.

블레이클리가 트렁크를 열어 엘우드에게 지급된 비누와 수건을 보여주고, 그의 침대 양편을 차지한 데즈먼드와 팻에게 그를 소개해주었다. 그리고 엘우드에게 이곳의 생활 요령을 가르쳐주라고 그들에게 지시했다. "내가 계속 지켜볼 거야." 두 아이는 중얼중얼 인사를 건네고는, 블레이클리가 사라지자마자 갖고 있던 야구 카드로 다시 주의를 돌렸다.

엘우드는 원래 잘 우는 편이 아니었지만, 경찰에 체포된 뒤로는 달라졌다. 니클에서 어떤 일을 겪을지 밤에 상상하다 보면 눈물이 나왔다. 할머니가 옆방에서 흐느끼며 무엇을 어찌할 줄을 몰라 물건들을 열고 닫으며 수선을 피우는 소리를 들었을 때도, 자신의 인생이 어쩌다 이렇게 형편없는 길로 빠져버렸는지 아무리 생각해도 답을 찾을 수 없었을 때도 눈물이 나왔다. 여기 다른 아이들에게 우는 모습을 보이면 안 된다는 것을 알기 때문에 그는 침대에서 돌아누워 베개로 머리를 감싸고 다른 아이들의 목소리에 귀를 기울였다. 서로 농담을 하거나 비웃는 소리, 고향과 옛 친구들에 대한 이야기, 세상에 대한 치기 어린 추측과 그 세상의 의표를 찌르겠다는 순진한 계획.

하루를 시작할 때는 원래 살던 세상에 있었는데, 지금은 여기에 와 있었다. 베갯잇에서는 식초 냄새가 났고, 밤이 되자 여치와 귀뚜라미의 시끄러운 울음소리가 파도처럼 커졌다 작아지기를 반복했다.

엘우드가 잠든 뒤 종류가 다른 시끄러운 소리가 시작되었다. 밖에서 들려오는 그 소리는 커지거나 작아지는 변화 없이 훅 몰려왔다. 무섭고 기계적인 그 소리가 어디서 나는 건지 전혀 알 수 없었다. 엘우드는 어느 책에서 읽었는지 잘 기억나지 않는 한 단어를 떠올렸다. '급류.'

방 저편에서 누군가가 말했다. "누가 아이스크림을 먹으러 가나 보네." 그러자 아이들 몇 명이 킬킬 웃었다.

5장

엘우드는 니클에 온 둘째 날 터너를 만났다. 그 둘째 날은 그가 전날 밤 소음의 섬뜩한 목적을 알게 된 날이기도 했다. "대부분의 검둥이들은 꼬박 몇 주를 견디다가 쓰러지지." 터너라는 소년이 나중에 그에게 말했다. "너도 그 빌어먹을 일벌레 시늉 그만둬, 엘."

나팔수의 기운찬 기상 신호가 아침마다 그들을 깨울 때가 대부분이었다. 블레이클리가 2호실 문을 두드리며 소리쳤다. "기상 시간이다!" 학생들은 투덜투덜 욕설을 내뱉으며 니클의 아침을 맞이했다. 두 사람씩 줄을 서서 점호를 받은 뒤에는 2분짜리 샤워를 했다. 아이들은 시간 안에 샤워를 마치려고 분필 같은 비누로 미친 듯이 거품을 냈다. 엘우드는 공동 샤워에 놀라지 않은 척 훌륭한 연기를 했지만, 얼음처럼 차가운 물에는 경악한 기색을 잘 숨길 수 없었다. 찬 기운이 온몸에 무자비하게 스며들었다. 파이프에서 나온 물에서는 썩은 달걀 냄새가 나서, 그 물로 목욕한 아이들의 몸에서도 물기가 마를 때까지 같은 냄새가 났다.

"이제 아침 식사다." 데즈먼드가 말했다. 엘우드 옆의 침대를 쓰는 데즈먼드는 전날 밤 사감 선생의 지시를 실천하려고 애쓰고 있었다. 그는 머리가 동그랗고, 뺨은 아기처럼 통통했다. 하지만 목소리는 워낙 굵고 묵직해서 누구나 그 목소리를 처음 들으면 화들짝 놀라곤 했다. 뻥아리들도 그가 슬금슬금 다가가 말을 걸면 놀라서 펄쩍 뛰었다. 그래서 그런 장난을 아주 좋아했지만, 어느 날 그보다 훨씬 더 묵직한 목소리의 감독관이 그에게 슬금슬금 다가와 버릇을 고쳐주었다.

엘우드는 그에게 자신의 이름을 다시 밝혔다. 이제부터 잘 지내보자는 신호였다.

"어젯밤에 말했잖아." 데즈먼드가 말했다. 그리고 티끌 하나 없이 반짝반짝 광을 낸 갈색 신발의 끈을 묶으면서 말을 이었다. "여기 한동안 있다 보면, 유충들을 돕게 되어 있어. 그러면 점수를 얻을 수 있으니까. 난 개척자까지 절반쯤 남았어."

그는 식당까지 4분의 1마일(약 400m)을 엘우드와 함께 걸어갔지만, 식당 앞에서 줄을 설 때 그와 갈라졌다. 엘우드가 나중에 앉을 자리를 찾으려고 식당 안을 둘러볼 때에도 그의 모습은 보이지 않았다. 떠들썩하고 소란스러운 식당에는 여느 때처럼 허튼소리를 늘어놓는 클리블랜드 아이들이 가득했다. 또 보이지 않는 존재가 되어버린 엘우드는 긴 식탁에서 빈자리를 하나 발견했다. 그러나 그가 가까이 다가가자 어떤 아이가 손으로 긴 의자를 찰싹 치며 이미 주인이 있는 자리라고 말했다. 그 옆 식탁에는 어린 학생들이 가득했다. 엘우드가 그곳에 식판을 내려놓자 다들 미친 사람을 보듯이 그를 바라보았다. "형들은 여기 앉으면 안 돼요." 아이 한 명이 말했다.

엘우드는 그다음에 빈자리가 눈에 보이자마자 재빨리 앉아서, 싫은 소리를 듣지 않기 위해 일부러 모두의 시선을 피한 채 먹기만 했다. 오트밀에는 형편없는 맛을 숨기려고 계피가 잔뜩 들어가 있었다. 엘우드는 꿀꺽꿀꺽 오트밀을 삼켰다. 그리고 오렌지 껍질을 다 벗긴 뒤에야 마침내 자신을 줄곧 노려보던 맞은편 소년을 바라보았다.

엘우드의 눈에 가장 먼저 들어온 것은 그 아이의 왼쪽 귀에 있는 흉터였다. 골목에서 힘들게 살아가는 고양이에게서 볼 수 있는 흉터 같았다. 그 아이가 말했다. "너 그 오트밀을 무슨 엄마가 만들어준 음식처럼 먹는다."

이건 누군데 엄마 얘기를 하는 거지? "뭐?"

"그런 뜻이 아니라, 여기 음식을 너처럼 먹는 사람은 처음 본다는 얘기야. 좋아서 먹는 것 같잖아."

엘우드가 두 번째로 알아차린 것은 그 아이의 섬뜩한 자신감이었다. 청소년기 아이들 때문에 식당 안이 온통 소란스럽고 정신이 없는데도 이 아이는 자기만의 공간 안에서 차분하게 움직였다. 시간이 흐르면서 엘우드는 그가 어떤 상황에서든 항상 집에 있는 것처럼 편안하면서도 동시에 여기 있으면 안 될 사람처럼 보인다는 것을 깨달았다. 그는 상황 속에 있으면서 동시에 위에서 내려다보는 듯한 분위기, 상황의 일부이면서 동시에 한 발 떨어져 있는 듯한 분위기를 풍겼다. 개울 위로 쓰러진 나무줄기 같았다. 나무는 개울에 속한 것이 아니지만, 그래도 그 자리에 존재하면서 수면에 자기만의 잔물결을 만들어낸다.

그는 자기 이름이 터너라고 말했다.

"난 엘우드야. 탤러해시 출신. 프렌치타운."

"프렌치타운." 조금 떨어진 자리에서 어떤 아이가 엘우드의 말투를 계집애처럼 바꿔서 흉내 내자 그의 친구들이 웃음을 터뜨렸다.

그 패거리는 세 명이었다. 가장 덩치가 큰 녀석은 어젯밤에 니클에 다니기에는 너무 나이가 많은 것처럼 보이던 그놈이었다. 이름이 그리프인 그 녀석은 얼굴이 조숙해 보일 뿐만 아니라 몸도 건장했다. 둥글게 몸을 웅크린 모습이 마치 커다란 갈색곰 같았다. 그리프의 아버지는 그의 어머니를 죽인 죄로 앨라배마에서 감옥살이를 하고 있다고 했다. 그렇다면 그가 아버지를 닮아 그렇게 못된 아이가 되었다는 뜻이었다. 그리프의 두 친구는 엘우드와 비슷한 체격으로 살이 별로 없었지만, 눈빛은 거칠고 잔인했다. 둘 중 하나인 로니의 불도그 같은 넓적한 얼굴은 머리털을 박박 밀어버린 위쪽으로 올라갈수록 총알처럼 유선형이 되었다. 그는 아직 제대로 나지도 않은 콧수염을 어떻게든 길러서 속으로 잔인한 생각을 할 때 엄지와 검지로 매끈하게 다듬는 버릇이 있었다. 삼인조의 마지막 멤버는 블랙 마이크라고 불렸다. 오펠루서스 출신의 강단 있는 소년인 그는 혈기를 주체하지 못해 항상 애를 먹었다. 오늘 아침에도 의자에서 불안하게 몸을 움직이면서, 양손이 함부로 날아가지 않게 아예 허벅지 밑에 깔고 앉아 있었다. 그 세 사람이 식탁의 한쪽 끝을 독차지하고 있었다. 모두 녀석들의 분위기를 알기 때문에 그들의 자리와 엘우드의 자리 사이에는 아무도 없었다.

"네가 왜 그렇게 시끄러운지 모르겠다, 그리프." 터너가 말했다. "이번 주에 놈들이 널 지켜보는 걸 알 텐데."

엘우드는 여기 관리인들을 말하는 모양이라고 짐작했다. 관리인 여덟 명이 지금 각자 다른 식탁에 흩어져 앉아 자기가 맡은 아이들과 함께 식사하고 있었다. 가장 가까이에 앉은 관리인이라 해도 여기서 오간 이야기를 듣는 것은 불가능한 일이었지만, 그가 시선을 들자 모두들 아무 일도 없는 척 딴청을 피웠다. 난폭한 놈 그리프가 터너에게 개 짖는 소리를 내자, 녀석의 일당 두 명이 웃음을 터뜨렸다. 개 짖는 소리가 녀석들 사이에서 유행하는 개그인 모양이었다. 머리를 박박 민 로니가 엘우드에게 윙크를 하더니, 다시 자기들끼리 이야기를 나누기 시작했다.

"난 휴스턴에서 왔어." 터너가 말했다. 지루한 기색이었다. "거긴 진짜 도시야. 여기 촌구석하고는 완전히 달라."

"칭찬 고맙다." 엘우드는 이렇게 말하고 나서, 불량아들을 향해 살짝 고갯짓을 했다.

터너가 식판을 들었다. "난 헛소리 안 했어."

곧 모두들 자리에서 일어섰다. 수업을 들으러 갈 시간이었다. 데즈먼드가 엘우드의 어깨를 톡톡 치더니 그를 안내해주었다. 유색인종의 교사(校舍)는 언덕 아래, 차고와 창고 옆에 있었다. "옛날에는 학교가 싫었어." 데즈먼드가 말했다. "하지만 여기서는 눈 감고 자도 돼."

"여기가 엄격한 곳인 줄 알았는데." 엘우드가 말했다.

"집에서는 내가 학교를 하루라도 빼먹으면 아빠한테 엉덩이를 맞았어. 하지만 니클은, 뭐." 데즈먼드는 여기서 졸업하는 데 공부 성적은 전혀 중요하지 않다고 설명했다. 교사들은 출석을 확인하지도 않고, 성적표를 나눠주지도 않았다. 영리한 아이들은 생활 점수를 쌓는 데에 주력했다. 점수를 많이 얻으면 품행이 방정하다며 일찍 풀려날 수 있었다. 노동, 품행, 고분고분한 태도가 점수에 도움이 되었으므로, 데즈먼드는 언제나 그런 쪽에 주의를 기울였다. 그는 반드시 집으로 돌아가야 했다. 고향인 게인즈빌에서 구두닦이 노점을 하는 그의 아버지는 데즈먼드가 너무 자주 가출해서 온갖 말썽을 부리자 니클 측에 제발 아이를 좀 받아달라고 간청했다. "내가 워낙 한뎃잠을 많이 잤거든. 그러니까 아버지는 내가 지붕 있는 곳에서 지내는 게 좋다는 걸 알게 될 줄 알았나 봐."

엘우드는 정말로 그렇더냐고 물었다.

데즈먼드는 시선을 피했다. "젠장, 난 꼭 개척자가 되어야 해." 비쩍 마른 몸에서 나오는 어른 같은 목소리 때문에 그의 소망이 더욱 절절하게 들렸다.

유색인종 교사는 기숙사보다 더 오래된 건물이었다. 이 학교가 처음 문을 열 때부터 있던 소수의 건물 중 하나이기도 했다. 2층에는 뼁아리들의 교실 두 개, 1층에는 그보다 나이 많은 아이들을 위한 교실 두 개가 있었다. 데즈먼드가 엘우드를 데려간 교실에는 50개쯤 되는 책상이 비좁게 놓여 있었다. 엘우드는 두 번째 줄 책상에 비집고 들어가 앉은 뒤 곧 놀라서 말을 잃었다. 알파벳을 하나씩 내뱉는 안경잡이 올빼미가 그려진 포스터, 집, 고양이, 헛간 같은 기본적인 단어들을 밝은색으로 표현한 그림 등이 벽에 걸려 있었다. 꼬맹이들에게나 알맞은 내용이었다. 게다가 니클의 교과서는 남에게 물려받은 링컨 고등학교의 교과서보다 더 형편없었다. 모두 그가 태어나기도 전에 만들어진 것이라, 엘우드가 초등학교 1학년 때 쓰던 교과서보다도 더 예전 판이었다.

선생님인 구달 씨가 나타났지만 아무도 그에게 신경을 쓰지 않았다.

육십대 중반인 구달은 피부가 분홍색이고, 얼굴에 두꺼운 거북딱지 안경을 썼으며, 몸에는 리넨 양복을 입었다. 사자 갈기 같은 흰머리는 배운 사람의 분위기를 풍겼다. 그러나 학자 같은 행동은 금세 사라졌다. 다른 곳에 정신이 팔린 사람처럼 흐리멍덩하게 구는 선생 때문에 당황한 사람은 엘우드뿐이었다. 다른 아이들은 오전 내내 서로를 놀리며 빈둥거렸다. 그리프 일당은 교실 뒤쪽에서 카드놀이를 했고, 엘우드와 눈이 마주친 터너는 구깃구깃한 슈퍼맨 만화책을 읽고 있었다. 터너는 엘우드를 향해 어깨를 으쓱하고는 책장을 넘겼다. 데즈먼드는 아플 것 같은 각도로 목을 꺾은 채 쿨쿨 자고 있었다.

마르코니 씨의 가게에서 계산을 모두 암산으로 해냈던 엘우드에게 기초 산수 수업은 일종의 모욕이었다. 이래 봬도 대학 강의를 들으려던 사람인데. 애당초 그 차를 탄 이유가 그것 아닌가. 그는 옆에 앉은 아이와 책을 나눠 보았다. 몸이 뚱뚱한 그 아이는 아침 식사 뒤끝인지 거하게 트림을 해댔다. 결국 엘우드는 그와 책을 서로 당겨대는 멍청한 짓을 시작했다. 니클의 아이들은 대부분 글을 읽지 못했다. 그날 수업에서 다룰 이야기(부지런한 토끼에 대한 말도 안 되는 이야기였다)를 아이들이 차례로 읽기 시작했지만, 구달 씨는 아이들의 발음을 고쳐주거나 올바른 발음을 알려주려 하지 않았다. 엘우드가 음절 하나하나를 완전히 정확하게 발음하자 딴짓을 하던 주위의 아이들이 놀라서 어떻게 저런 식으로 말하는 흑인 아이가 다 있나 하는 시선으로 바라보았다.

점심시간 종이 울리자 엘우드는 구달에게 다가갔다. 그러자 구달은 그를 잘 아는 척했다. "그래, 녀석아, 무슨 일이냐?" 이 녀석도 그냥 스쳐 가는 흑인 아이들 중 한 명일 뿐이었다. 가까이에서 보니 구달의 분홍색 뺨과 코가 울퉁불퉁하고 지저분했다. 어젯밤 마신 술 때문에 땀에서 달콤한 냄새가 났다.

엘우드는 분노를 감춘 목소리로 혹시 니클에 대학에 가고 싶어 하는 아이들을 위한 고급 수업이 있느냐고 물었다. 그리고 지금 수업에서 다루는 내용은 이미 몇 년 전에 배웠다고 겸손하게 설명했다.

구달은 상냥했다. "물론이지. 내가 교장선생님과 이야기해보마. 네 이름이 뭐라고?"

엘우드는 클리블랜드로 돌아가던 데즈먼드를 따라잡아, 교사와 나눈 이야기를 들려주었다. 데즈먼드가 말했다. "그런 헛소리를 믿어?"

점심 식사 뒤 미술과 공예 수업 시간에 블레이클리가 엘우드를 한쪽으로 불렀다. 그는 엘우드에게 유충 몇 명과 함께 밖에서 일하겠느냐고 물었다. 다른 아이들은 이미 한창 일하는 중이었지만, 밖에서 일하다 보면 학교의 구조를 알게 될 것이라는 얘기였다. 말하자면 그랬다. "네가 직접 가까이에서 봐." 블레이클리가 말했다.

그 첫날 오후에 엘우드는 다른 소년 다섯 명(대부분 뺑아리였다)과 함께 낫과 갈퀴를 들고 캠퍼스의 유색인종 구역을 돌아다녔다. 그들의 대장은 제이미라는 조용한 소년이었는데, 니클 학생들이 흔히 그렇듯이 영양이 부족해서 껑충하게 마른 몸을 하고 있었다. 그는 니클 안에서 몇 번을 옮겨 다녔다. 어머니가 멕시코인이라 이 아이를 어떻게 처리해야 할지 학교 측이 판단하지 못했기 때문이다. 처음 그가 여기 왔을 때에는 백인 아이들과 함께 두었지만, 라임밭에서 하루 동안 일하고 난 뒤 피부가 까맣게 변해서 스펜서는 그를 유색인종 반으로 다시 배치시켰다. 그런데 제이미가 클리블랜드에서 한 달을 보낸 뒤, 하디 교장이 시찰을 나왔다가 까만 얼굴들 속의 하얀 얼굴을 보고는 그를 다시 백인 진영으로 돌려보냈다. 스펜서는 때를 기다리며 참다가 몇 주 뒤 그를 다시 흑인 쪽으로 보냈다. "나는 오락가락하고 있어." 제이미가 솔잎을 긁어 한곳에 쌓으면서 말했다. 그가 미소를 지으면 다 망가진 이가 드러났다. "저 사람들도 언젠가는 결정을 내리겠지."

엘우드는 이 아이들과 함께 언덕을 올라가며 학교를 둘러보았다. 흑인 아이들의 기숙사가 두 개 더 있고, 빨간 흙이 깔린 농구장과 커다란 세탁장도 보였다. 아래를 내려다보니 나무들 사이로 백인 캠퍼스가 대부분 눈에 들어왔다. 기숙사 세 동, 병원, 행정동. 하디 교장은 미국 국기가 있는 커다란 붉은색 건물에서 일했다. 흑인 아이들과 백인 아이들이 각각 다른 시간에 사용하는 대형 시설로는 체육관, 예배당, 목공실이 있었다. 위에서 내려다보니 백인 캠퍼스도 흑인 캠퍼스와 모두 똑같아 보였다. 엘우드는 저쪽의 상태가 탤러해시의 학교처럼 더 나은지, 아니면 니클이 피부색과 상관없이 모든 아이들에게 이렇게 하나 마나 한 교육을 시키는 건지 궁금했다.

엘우드 일행은 언덕 꼭대기에서 돌아섰다. 언덕 반대편에는 묘지인 부트 힐이 있었다. 거친 돌로 쌓은 나지막한 담장 안에 하얀 십자가, 회색 잡초, 구부러지고 기울어진 나무가 있었다. 아이들은 묘지를 멀리 피해 다녔다.

언덕 반대편을 지나가는 도로를 따라가면 인쇄소와 농장이 나온다고 제이미가 설명했다. 그 너머에 있는 늪은 이 학교 땅의 북쪽 경계선이었다. "조만간 너도 감자를 캐게 될 거야. 걱정 마." 그가 엘우드에게 말했다. 학생들이 맡은 일을 하려고 오솔길과 도로를 따라 걷는 동안 감독관들은 멋진 자동차를 타고 캠퍼스를 종횡무진 돌아다니며 아이들을 지켜보았다. 엘우드는 열세 살이나 열네 살쯤 된 흑인 소년이 낡은 트랙터를 모는 모습을 멍하니 바라보며 서 있었다. 트랙터에 매달린 나무 트레일러에는 학생들이 가득 타고 있었다. 커다란 운전석에 앉아 학생들을 농장으로 데려가고 있는 아이는 졸린 사람처럼 아주 평화롭게 가라앉은 표정이었다.

다른 아이들이 갑자기 말을 멈추고 뻣뻣하게 긴장했다. 스펜서가 근처에 있다는 뜻이었다.

흑인 캠퍼스와 백인 캠퍼스 중간에 1층짜리 직사각형 건물이 하나 있었다. 엘우드는 낮고 홀쭉한 그 건물이 창고일 것이라고 짐작했다. 하얀 페인트가 칠해진 콘크리트 블록 벽에 적갈색 얼룩들이 덩굴처럼 걸려 있었지만, 창문과 정문 가장자리를 장식한 초록색 페인트는 새로 바른 것처럼 선명했다. 직사각형에서 긴 면에 해당하는 벽에는 커다란 창문 하나와, 그 옆에 새끼 오리처럼 붙은 작은 창문 세 개가 있었다.

폭이 1피트(약 30cm)쯤 되는 무성한 잔디밭이 건물을 에워싸고 있었다. 그 잔디밭에는 아무도 손을 대지 않은 것 같았다. "저것도 깎아야 돼?" 엘우드가 물었다.

엘우드 옆의 두 소년은 입술을 안으로 빨아들였다. "검둥아, 누가 끌고 가지 않는 한 그쪽으로 가면 안 돼." 둘 중 한 명이 말했다.

엘우드는 저녁 식사 전 자유 시간을 클리블랜드의 휴게실에서 보냈다. 서류함들을 살펴보았더니, 각종 카드와 게임이 보관되어 있고 거미들도 있었다. 학생들은 다음 차례로 탁구를 칠 사람이 누구인지를 놓고 말다툼을 벌이다가 경기가 시작되자 축 늘어진 네트를 향해 탁구채를 휘둘렀다. 공이 엉뚱한 방향으로 날아가면 욕설을 내뱉기도 했다. 통통 하얀 공을 때리는 소리가 사춘기 소년들의 들쭉날쭉한 심장 박동 소리 같았다. 엘우드는 책꽂이의 빈약한 책들을 점검해보았다. 《하디 보이즈》와 만화책이 있었다. 해저를 자세히 묘사한 그림과 우주 풍경이 있는 과학책에는 곰팡이가 슬어 있었다. 엘우드는 마분지로 만든 체스 세트를 펼쳤다. 말이 룩 하나와 폰 두 개, 딱 세 개밖에 없었다.

휴게실에는 계속 많은 학생들이 드나들었다. 그들은 작업장과 운동장을 오가거나, 위층의 침실로 가서 몰래 짓궂은 장난을 꾸몄다. 블레이클리 선생님이 지나던 길에 들어와서 엘우드를 흑인 관리인 중 한 명인 카터에게 소개해주었다. 사감인 블레이클리 선생님보다 젊은 카터는 까다로운 사람 같았다. 그는 애매한 표정으로 엘우드에게 재빨리 고개를 까딱하고는 시선을 돌려, 구석에서 엄지손가락을 빨던 녀석에게 당장 그만두라고 말했다.

클리블랜드의 관리인은 흑인과 백인이 반반이었다. "그 사람들이 눈 감아주든 널 귀찮게 하든 상관없이 모든 건 동전 던지기야." 데즈먼드가 말했다. "관리인 피부색이 뭐든." 데즈먼드는 소파에 누워, 펼친 엉터리 책을 머리 밑에 깔았다. 소파 커버의 기분 나쁜 얼룩에 머리가 직접 닿는 것을 방지하기 위해서였다. "대부분은 괜찮은데, 미친개처럼 구는 놈이 몇 명 있어." 데즈먼드가 학생장을 가리켰다. 규칙 위반과 출결 상황을 확인하는 것이 학생장의 임무였다. 이번 주 클리블랜드의 학생장은 피부색이 밝고, 금발이 풍성하게 구불거리는 버디라는 소년이었다. 안짱다리인 버디는 자신의 직책을 알려주는 장식품인 클럽보드와 연필을 들고 1층을 순찰하며 기분 좋게 콧노래를 흥얼거렸다. "저 놈은 서슴없이 고자질할 놈이야." 데즈먼드가 말했다. "하지만 좋은 학생장을 만나면 탐험가나 개척자로 올라가는 데 필요한 점수를 좀 긁어모을 수 있지."

언덕 아래 남쪽을 향해 나팔 소리가 날카롭게 울렸다. 그게 무슨 소리인지 알 수 없었다. 엘우드는 나무 상자를 뒤집은 뒤 힘없이 늘어졌다. 자신이 앞으로 걸어갈 길에서 이 학교는 무슨 역할을 할까? 천장에는 가늘게 벗긴 과일 껍질처럼 페인트 조각들이 늘어져 있고, 창문은 검댕이 묻은 것처럼 더러워서 하루 종일 구름이 잔뜩 낀 것 같은 분위기였다. 엘우드는 킹 목사가 워싱턴에서 고등학생들에게 했던 연설을 생각했다. 킹 목사는 짐 크로가 굴욕적이지만, 그 굴욕을 행동으로 옮겨야 한다고 말했다. '그로 인해 여러분의 영혼은 그 어느 때보다 풍요로워질 것입니다. 이타적으로 동료를 돕고 사랑할 때만 생겨날 수 있는 그 희귀한 숭고함을 얻을 수 있을 겁니다. 인본주의를 필생의 일로 삼으십시오. 그것을 여러분 인생의 핵심으로 만드십시오.'

난 여기 붙잡혀 있지만 그래도 최선을 다할 거야. 여기서 보내는 시간을 짧게 줄일 거야. 엘우드는 속으로 혼잣말을 했다. 고향 사람들은 모두 그를 차분하고 믿음직한 사람으로 알고 있었다. 니클도 곧 그의 그런 면을 알아줄 것이다. 유충에서 벗어나려면 점수가 얼마나 필요한지, 대부분의 학생들이 단계를 올라가 졸업하는 데 시간이 얼마나 걸리는지 저녁 식사 때 데즈먼드에게 물어보아야겠다는 생각이 들었다. 그러고 나서 다른 사람들보다 두 배나 빠른 속도로 이곳을 졸업할 것이다. 그것이 그가 할 수 있는 저항이었다.

이런 생각을 하면서 그는 체스 세트 세 개를 훑어서 완전한 세트 하나를 만들어 연달아 두 판을 이겼다.

자신이 화장실에서 벌어진 싸움에 왜 끼어들었는지, 그는 나중에도 그럴 듯한 답을 생각해낼 수 없었다. 그것은 해리엇이 들려준 이야기 속에서 할아버지가 했을 법한 행동이었다. 뭔가 문제를 발견했을 때 앞으로 나서는 것.

괴롭힘을 당하던 하급생 소년 코리와 그는 전에 만난 적이 없었다. 코리를 괴롭히던 녀석들은 아침 식사 때 만난 그 아이들이었다. 얼굴이 불도그처럼 생긴 로니와 지나치게 들뜬 그의 파트너 블랙 마이크. 엘우드가 소변을 보려고 1층 화장실에 들어갔더니, 키가 큰 소년들이 코리를 금 간 타일 벽에 몰아붙이고 있었다. 프렌치타운의 아이들 말처럼, 어쩌면 엘우드가 정말 아무 생각이 없었기 때문인지도 모른다. 아니면 괴롭히는 놈들은 덩치가 크고 당하는 녀석은 몸집이 작았기 때문일 수도 있었다. 재판에서 변호사는 엘우드가 니클로 가기 전 마지막으로 며칠 동안 집에 있게 해달라고 판사를 설득했다. 그날 그를 니클로 데려다줄 사람이 없고, 탤러해시 구치소에는 이미 사람이 너무 많다는 것이 그가 내세운 이유였다. 만약 엘우드가 구치소의 호된 분위기를 조금 더 겪었다면 어떤 상황에서든 남들의 폭력 사건에 끼어들지 않는 것이 최선임을 알았을지도 모른다.

엘우드는 "이봐"라고 말하면서 앞으로 한 걸음 다가갔다. 블랙 마이크가 획 돌아서서 그의 턱을 주먹으로 갈기는 바람에 그는 뒤쪽의 세면대로 쓰러졌다.

그때 삥아리 한 명이 화장실 문을 열었다가 소리쳤다. "아, 시팔." 백인 관리인인 필이 순찰을 돌던 중이었다. 항상 졸린 것처럼 보이는 그는 대개 바로 눈앞에서 벌어지는 일을 못 본 척했다. 어렸을 때부터 그편이 더 편하다는 결론을 내렸기 때문이었다. 데즈먼드가 말한 것처럼 니클에서 정의는 동전 던지기와 같았다. 그날 필은 이렇게 말했다. "이 깜둥이 새끼들이 뭘 하는 걸까?" 단지 그냥 궁금해서 묻는다는 듯 가벼운 말투였다. 지금 이 장면의 의미를 해석하는 것은, 그러니까 이것이 누구 잘못이고, 누가 무슨 이유로 이런 일을 시작했는지 알아내는 것은 그의 일이 아니었다. 그가 할 일은 이 흑인 소년들이 얌전히 굴게 만드는 것이었다. 오늘도 그는 자신의 책무를 잘 알고 있었다. 그는 다른 소년들의 이름을 모두 알고 있었으므로, 처음 보는 소년에게만 이름을 물었다.

"스펜서 주임님에게 알려야겠다." 필은 이렇게 말하고 나서 소년들에게 저녁 식사를 하러 갈 준비를 하라고 말했다.

6장

백인 소년들이 멍든 모습은 흑인 소년들과 달랐다. 멍이 온갖 색깔을 띠는 탓에 그들은 그곳을 '아이스크림 공장'이라고 불렀다. 하지만 흑인 소년들은 그곳을 공식 명칭인 화이트하우스라고 불렀다. 달리 꾸밀 필요가 없을 만큼 딱 맞는 이름이기 때문이었다. 화이트하우스는 법을 집행하는 곳이었고, 모두 그 법에 복종했다.

그들은 새벽 1시에 왔지만 자다가 깬 아이는 거의 없었다. 그들이 온다는 것을 알면서 잠이 드는 것은 애당초 힘든 일이었다. 그들이 잡으러 오는 사람이 자신이 아니라 해도 마찬가지였다. 자갈밭에서 자동차 타이어가 구르는 소리, 자동차 문이 열리는 소리, 계단을 쿵쿵 올라오는 소리가 들렸다. 그 소리와 함께 머릿속 캔버스에 밝은 붓질로 그림이 그려지는 듯했다. 손전등 불빛들이 춤을 추었다. 그들은 겨우 2피트 간격으로 늘어서 있는 침상들의 위치를 알고 있었다. 전에 몇 번 엉뚱한 아이를 잡아가는 실수를 한 뒤로는 미리 확인 절차를 거쳤다. 그들은 로니와 빅 마이크를 잡고, 코리도 잡고, 엘우드도 잡았다.

이 밤의 방문자는 얼이라는 관리인과 스펜서였다. 덩치가 큰 얼은 민첩하게 움직였다. 잡혀가던 아이 하나가 무서워서 쓰러졌을 때도 그가 아이를 일으켜 세워 계속 앞으로 나아갔다. 그들이 몰고 온 차는 갈색 쉐보레였다. 낮에는 온종일 간단한 일들을 수행하며 원내를 돌아다니지만, 밤이면 무서운 전조가 되는 자동차. 스펜서가 로니와 블랙 마이크를 자신의 차에 태웠고, 얼은 엘우드와 코리를 태웠다. 코리는 날이 저물었을 때부터 계속 울고 있었다.

저녁 식사 때 아이들은 엘우드에게 전혀 말을 걸지 않았다. 마치 앞으로 벌어질 일에 이미 물든 것처럼. 어떤 아이들은 지나가는 그를 보고 멍청한 녀석이라고 속삭였고, 깡패처럼 구는 녀석들은 성난 표정으로 그를 바라보았다. 하지만 그들이 와서 아이들을 잡아갈 때까지 기숙사에는 대체로 위협적이고 불편한 공기가 묵직하게 깔려 있었다. 아이들이 잡혀간 뒤 다른 아이들은 마음을 놓았고, 개중 일부는 자면서 심지어 꿈까지 꾸었다.

소등 신호 때 데즈먼드는 일단 그 일이 시작되면 꼼짝도 하지 않는 것이 최선이라고 엘우드에게 속삭였다. 채찍에 갈라진 틈이 하나 있는데, 몸을 움직이면 그것이 살을 잡아채서 베어버린다는 것이었다. 차 안에서 코리는 주문처럼 중얼거렸다. "나는 가만히 움직이지 않는다. 나는 가만히 움직이지 않는다." 데즈먼드의 말이 맞는 모양이었다. 엘우드는 데즈먼드에게 거기에 몇 번이나 가보았느냐고 묻지 않았다. 데즈먼드가 그 충고를 해준 뒤 입을 다물어버렸기 때문에.

원래 화이트하우스는 작업장이었다. 스펜서와 얼은 그 건물 뒤편에 차를 세운 뒤 뒷문을 통해 아이들을 데리고 들어갔다. 소년들은 그 문을 매질 입구라고 불렀다. 그 건물 앞 도로를 지나갈 때는 절대 뒤돌아보지 않았다. 스펜서는 거대한 열쇠고리에서 금방 열쇠를 찾아내 자물쇠 두 개를 차례로 열었다. 악취가 굉장했다. 오줌 냄새와 기타 여러 가지 냄새가 콘크리트 바닥에 흠뻑 배어 있었다. 복도에는 붕붕 소리를 내는 알전구 하나뿐이었다. 스펜서와 얼은 방 두 개를 지나 건물 앞쪽의 방으로 아이들을 데려갔다. 한 줄로 묶어서 고정해둔 의자들과 탁자 하나가 거기서 기다리고 있었다.

바로 앞에 건물 정문이 있었다. 엘우드는 도망칠까 생각해보았지만 포기했다. 이 학교에 담장이나 철조망이 없는 것은 바로 이 방이 있기 때문일 것이다. 도망치는 아이들이 거의 없는 것도 역시. 그들을 이 학교에 붙잡아두고 있는 것은 바로 이 방이었다.

스펜서와 얼이 블랙 마이크를 가장 먼저 붙잡았다. "네가 이제는 정신을 차린 줄 알았다." 스펜서가 말했다.

"또 오줌을 지리게 만들어주지요." 얼이 말했다.

굉음이 시작되었다. 심지어 강풍도 불어왔다. 엘우드의 의자가 그 서슬에 덜덜 떨렸다. 무슨 기계 소리 같은데, 정확히 무엇인지는 알 수 없었다. 어쨌든 블랙 마이크의 비명 소리와 채찍이 그의 몸을 찰싹찰싹 때리는 소리가 묻힐 만큼 큰 소리였다. 얼마쯤 지난 뒤 엘우드는 소리를 헤아리기 시작했다. 다른 아이들이 몇 대나 맞는지 알고 나면, 자신이 얼마나 맞을지도 알 수 있을 것 같아서였다. 물론 상습범, 옆에서 부추긴 녀석, 구경꾼 등을 구분해서 매질의 횟수를 결정하는 별도의 시스템이 있다면 그렇지만도 않겠지만. 아무도 당시 상황에 대한 엘우드의 이야기를 들으려 하지 않았다. 그가 화장실에서 싸움을 말리려고 했다는 이야기. 그래도 그냥 끼어들었을 뿐인 그는 어쩌면 덜 맞을지도 몰랐다. 그가 스물여덟까지 세었을 때 매질이 멈추더니, 스펜서와 얼이 블랙 마이크를 질질 끌고 나가서 차에 태웠다.

코리는 계속 울었다. 밖에서 돌아온 스펜서는 코리에게 주둥이 닥치라고 말하고는 로니를 데려갔다. 로니는 60대쯤 맞았다. 스펜서와 얼이 매질을 하면서 뭐라고 말하는지 도저히 알아들을 수 없었지만, 로니는 제 짝패보다 더 많은 가르침 또는 훈계가 필요하다는 것 같았다.

그들이 코리를 데려갔을 때 엘우드는 탁자 위에 성경책이 있는 것을 알아차렸다.

코리는 70대쯤 맞았다. 엘우드는 중간에 몇 번 어디까지 헤아렸는지 잊어버렸다. 어쨌든 말이 되지 않았다. 괴롭힌 녀석들보다 괴롭힘을 당한 사람이 왜 더 맞아야 하는가? 이제는 자신에게 어떤 일이 닥칠지 짐작도 할 수 없었다. 이해할 수가 없었다. 혹시 저 사람들도 숫자를 헤아리다 중간에 잊어버린 걸까. 아니면 이런 폭력을 휘두르는 데 정해진 규칙 같은 것이 아예 없을 수도 있었다. 여길 지키는 사람도 여기에 갇힌 사람도 모두 뭐가 어떻게 된 건지 모를 수도 있었다.

이제 엘우드의 차례였다. 두 개의 방은 복도를 사이에 두고 서로 마주 보고 있었다. 매질이 이루어지는 방에는 피투성이 매트리스 하나와 베갯잇이 없는 베갯속 하나가 있었다. 그 베개를 꽉 물었던 모든 사람의 입에서 나온 것들이 몇 겹으로 얼룩져 베갯잇을 대신했다. 그밖에 거대한 산업용 환풍기도 하나 있었다. 그것이 그 엄청난 굉음, 물리학의 원리조차 훨씬 뛰어넘어 캠퍼스 전체에 울려 퍼진 그 소리의 원천이었다. 이 환풍기의 원래 고향은 세탁실이었다. 여름이면 낡은 세탁 기계들이 세탁실을 지옥으로 만들어버리기 때문이었다. 그러나 주기적인 개혁 때 주 정부가 체벌에 대한 새로운 규칙을 만든 뒤, 누군가가 그 환풍기를 여기에 가져다 놓자는 훌륭한 아이디어를 내놓았다. 벽에는 환풍기 바람이 잡아채서 던져놓은 핏자국들이 있었다. 환풍기 소리가 소년들의 비명을 덮어버리는데도 바로 그 옆에 있으면 옆에서 들려오는 지시를 완벽하게 들을 수 있으니 참 이상한 일이었다. "거기 난간 붙잡고 놓지 마. 소리를 내면 더 맞는다. 그 주둥이 닥쳐, 깜둥이."

약 3피트 길이에 나무 손잡이가 달린 채찍을 여기 사람들은 스펜서가 오기 전부터 블랙 뷰티라고 불렀다. 그러나 지금 스펜서가 들고 있는 채찍은 처음 만들어진 그 물건이 아니었다. 채찍을 아주 자주 수리하거나 교체해야 했기 때문이다. 가죽 채찍은 벌 받는 학생의 다리를 향해 내려오기 전에 먼저 천장을 찰싹 때렸다. 마치 이제 곧 그 아래로 내려갈 것이라고 알리려는 듯이. 채찍이 한 번 휘둘러질 때마다 매트리스의 스프링이 삐걱거렸다. 엘우드는 침대에 단단히 매달려 베개를 악물었지만, 매질이 끝나기 전에 기절했다. 그래서 나중에 사람들이 그에게 몇 대나 맞았느냐고 물었을 때 대답할 수 없었다.

7장

 해리엇은 사랑하는 사람들과 제대로 작별한 적이 별로 없었다. 아버지는 시내의 백인 여자가 길을 비켜주지 않았다고 고발하는 바람에 감옥에 갇혔다가 거기서 세상을 떠났다. 짐 크로 법의 규정에 따르면, '오만불손한 접촉'이 아버지의 죄였다. 옛날에는 그랬다. 아버지는 판사를 만나기로 약속한 시간을 기다리다가 감방에서 목을 맨 시신으로 발견되었다. 그러나 경찰의 이런 설명을 믿는 사람은 하나도 없었다. "검둥이가 감옥에 갔으니 뻔하지." 해리엇의 삼촌이 말했다. "검둥이가 감옥에 갔으니." 그보다 이틀 전 해리엇은 학교를 마치고 집으로 돌아가다가 길 건너편의 아버지에게 손을 흔들어주었다. 그것이 그녀에게 마지막으로 남은 아버지의 모습이었다. 덩치 크고 유쾌한 아빠가 부업 일터를 향해 걸어가던 모습.
 해리엇의 남편 몬티는 미스 시몬의 술집에서 싸움을 말리다가 의자에 머리를 맞았다. 캠프 고든 존스턴에서 나온 흑인 병사들이 탤러해시의 백인 가난뱅이들과 당구대를 서로 먼저 쓰겠다면서 주먹다짐을 벌인 탓이었다. 그 싸움으로 두 명이 죽었다. 그중 한 명인 몬티는 백인 남자 세 명에게서 시몬의 식기세척기를 지키려고 끼어들었다가 목숨을 잃었다. 그는 매년 크리스마스에 해리엇에게 편지를 쓰는 남편이었고, 올랜도에서 택시를 몰았으며, 세 아이의 아빠였다.

해리엇은 딸 에벌린과 사위 퍼시가 떠나던 날 그들에게 작별 인사를 했다. 퍼시가 몇 년 전부터 떠나겠다고 말하기는 했지만, 에벌린까지 데리고 갈 줄은 미처 짐작하지 못했다. 퍼시는 전쟁에서 돌아온 뒤 이 작은 도시를 견디지 못했다. 그는 태평양 전선의 후방에서 보급부대에 속해 있었다.

전쟁에서 돌아온 그는 못된 사람이 되었다. 전쟁터에서 겪은 일 때문이 아니라, 이곳에 돌아와서 목격한 일 때문이었다. 그는 군대를 사랑했고, 유색인종 병사들의 불평등한 처우에 대해 지휘관에게 편지를 쓴 일로 상을 받은 적도 있었다. 만약 미국 정부가 유색인종에게 군대를 열어주었듯이 다른 분야에서도 앞으로 나아갈 수 있는 길을 열어주었다면 그의 인생은 달리 풀렸을지도 모른다. 그러나 자기를 대신해서 남을 죽이는 일을 유색인종에게 허락하는 것과 그를 바로 옆집에서 살게 해주는 것은 별개의 문제였다. 제대군인원호법 덕분에 그와 함께 복무했던 백인 청년들은 상당히 좋은 대우를 받을 수 있었지만, 제복의 의미도 그 제복을 입은 사람이 누군가에 따라 달라졌다. 백인 은행에 아예 발을 들여놓을 수조차 없는데 무이자 대출이 무슨 소용인가? 퍼시가 같은 부대에 있던 친구를 만나러 밀리지빌까지 차를 몰고 갔을 때 어떤 백인 가난뱅이들이 뭔가 수작을 부렸다. 퍼시는 그쪽의 소도시 중 한 곳에서 주유소에 차를 세운 참이었다. 백인 가난뱅이들이 남의 머리를 부수려고 드는 도시였다. 퍼시는 간신히 도망쳤다. 백인 청년들이 제복을 입은 흑인 남자를 폭행한다는 사실은 모르는 사람이 없었지만, 퍼시는 자신이 그 대상이 될 것이라는 생각을 해본 적이 없었다. 자신만은 아닐 것이라고 믿었다. 그 백인 청년 무리는 자신이 입지 못한 제복을 입은 흑인을 시기하고, 애당초 검둥이에게 그런 제복을 허락해준 세상을 두려워했다.

에벌린은 퍼시와 결혼했다. 어렸을 때부터 항상 그녀는 그와 결혼할 생각이었다. 엘우드가 태어났지만 퍼시의 괄괄한 성격은 전혀 누그러지지 않았다. 밤이면 싸구려 술집에서 옥수수 위스키를 마시고, 브레바드 거리에 있는 집으로 깡패 같은 분위기를 끌고 들어왔다. 에벌린은 처음부터 그리 강한 사람이 아니었다. 퍼시와 함께 있을 때면 에벌린은 마치 그에게 추가로 달린 팔이나 다리 한 짝처럼, 그의 부속물처럼 쪼그라들었다. 때로는 그의 입이 되기도 했다. 캘리포니아로 가서 운을 걸어보겠다는 말을 해리엇에게 전한 사람도 에벌린이었다.

"도대체 왜 한밤중에 캘리포니아로 떠나겠다는 거야?" 해리엇이 물었다.

"어떤 기회를 잡기 위해 만날 사람이 있어요." 퍼시가 말했다.

해리엇은 아이를 깨워야겠다고 생각했다. "그냥 자게 두세요." 에벌린이 말했다. 그리고 그 뒤로 두 사람은 감감무소식이었다. 에벌린에게 모성애가 있었는지 어떤지는 모르겠지만, 어쨌든 그녀가 모성애를 드러낸 적은 한 번도 없었다. 엘우드에게 젖을 물렸을 때 에벌린의 표정, 아무런 기쁨도 느끼지 못하는 텅 빈 눈빛으로 벽만 멀거니 바라보는 그 얼굴을 떠올릴 때마다 해리엇은 뼛속까지 오싹해졌다.

법원에서 사람이 엘우드를 데리러 온 날 해리엇은 최악의 작별을 했다. 그녀와 엘우드, 단 둘이서 살아온 세월이 너무나 길었다. 그녀는 자신과 마르코니 씨가 계속 변호사에게 얘기하겠다고 말했다. 변호사인 앤드루스 씨는 애틀랜타 출신이지만, 북부의 대학에서 법을 공부한 뒤 다른 사람이 되어 돌아온 젊은 백인 운동가였다. 해리엇은 그가 올 때마다 무엇이라도 먹을 것을 내놓았다. 그는 그녀의 과일파이에 넘치는 찬사를 퍼붓고, 엘우드의 장래에 대해서도 엄청나게 낙관적이었다.

해리엇은 손자에게 어떻게든 이 가시밭길을 벗어날 길이 있을 것이라면서, 니클에 간 뒤 첫 일요일에 자신이 면회를 가겠다고 약속했다. 그러나 그녀가 갔을 때 니클 사람들은 엘우드가 아파서 손님을 만날 수 없다고 말했다.

해리엇은 어디가 아픈 거냐고 물었다. 그러자 니클의 사람은 이렇게 말했다. "그걸 내가 어떻게 알아, 아줌마?"

엘우드의 병상 옆 의자에 새 데님 바지 한 벌이 걸쳐져 있었다. 처음 몇 대를 맞을 때 채찍 조각들이 그의 살갗에 박히는 바람에 의사가 그것을 제거하는 데 두 시간이 걸렸다. 이곳 의사는 가끔 이런 치료를 했다. 족집게를 사용하는 것이 요령이었다. 아이는 고통 없이 걸을 수 있게 될 때까지 병동에 있을 것이다.

쿡 박사는 진찰실 옆의 자기 방에서 시가도 피우고, 하루 종일 전화로 아내에게 장광설도 늘어놓았다. 돈 문제나 무능한 아내의 친척들이 말다툼의 주제였다. 시가 연기가 병동 전체에 퍼져 땀 냄새, 토사물 냄새, 살 냄새를 가려주다가 새벽녘에 쿡 박사가 출근해 향수를 뿌리면 흩어져 사라졌다. 그는 약병과 약상자가 가득 들어 있는 유리 수납장의 잠금장치를 몹시 진지한 태도로 열었지만, 언제나 손을 뻗어 잡는 것은 커다란 아스피린 통뿐이었다.

엘우드는 병원에 있는 동안 내내 엎드려서 지냈다. 이유는 누구나 알 수 있었다. 병동은 그를 자체 리듬 속으로 끌어들였다. 윌마 간호사는 대부분 구시렁거리면서 기운차고 무뚝뚝하게 돌아다녔다. 서랍이나 수납장을 닫을 때는 꼭 쾅쾅 소리가 날 정도로 힘을 주었다. 빨간 머리는 항상 볼록하게 부풀린 모양이고, 뺨에는 볼연지를 점점이 발라서 엘우드는 그녀를 볼 때마다 공포 만화에서 생명을 얻어 돌아다니며 끔찍한 일을 저지르는 귀신 들린 인형이 생각났다. 옛날 사촌의 집 다락방에서 햇빛이 들어오는 창가에 앉아 〈공포의 지하 납골당〉이나 〈공포의 지하실〉 같은 만화를 읽은 적이 있었다. 그가 보기에 공포 만화에 나오는 처벌은 두 종류였다. 완전히 무고한 사람에게 가해지는 처벌과 사악한 자에게 떨어지는 불길한 정의. 그는 자신이 지금 겪고 있는 불행을 전자의 경우로 분류하고, 페이지가 넘어갈 때를 기다렸다.

윌마 간호사는 찰과상이나 기타 질병으로 찾아온 백인 소년들에게는 마치 어머니라도 되는 것처럼 다정하게 굴었다. 그러나 흑인 소년들에게는 단 한 번도 상냥한 말을 해주는 법이 없었다. 엘우드의 환자용 변기를 대할 때는 특히 모욕을 당한 것 같은 태도였다. 마치 그가 그녀의 손바닥에 소변을 보기라도 한 것 같았다. 시위를 하는 꿈을 꿀 때 카운터 뒤에서 그를 손님으로 대우하지 못하겠다고 거부하는 웨이트리스, 침이 잔뜩 묻은 입으로 뱃사람처럼 걸쭉한 욕설을 내뱉는 가정주부의 모습으로 윌마 간호사가 나온 적이 한두 번이 아니었다. 밖에서 시위행진에 참여했을 때의 꿈을 꾸는 덕분에 그는 매일 아침 병동에서 눈을 뜰 때마다 기운을 낼 수 있었다. 그의 정신은 아직 자유로이 돌아다닐 수 있었다.

그가 들어온 첫날 병동에는 그 외에 소년 한 명뿐이었다. 그러나 그 소년의 침상은 병동 한쪽 끝의 접이식 가림막 뒤에 숨겨져 있었다. 윌마 간호사도 쿡 박사도 그 소년을 치료할 때는 가림막을 닫았다. 가림막의 바퀴가 하얀 타일 바닥을 구르며 끽끽 소리를 냈다. 간호사와 의사가 말을 걸어도 그는 아무 말도 하지 않았다. 그러나 간호사와 의사는 다른 소년들을 대할 때 전혀 들을 수 없는 쾌활한 목소리를 냈다. 아무래도 그 소년은 시한부 환자이거나 왕족이라도 되는 모양이었다. 병동에 머무르다 가는 소년들 중 누구도 그 소년이 누군지, 왜 여기 입원해 있는지 알지 못했다.

여러 소년들이 병동을 들락거렸다. 엘우드는 여기가 아니라면 만나지 못했을 백인 소년 몇 명과 얼굴을 익히게 되었다. 남자들을 즐겁게 해주는 일로 돈을 버는 어머니나 한밤중에 아들의 방으로 쳐들어오는 주정뱅이 아버지에게서 도망친 가출 소년들, 고아들, 의지할 곳이 없어 국가의 후견을 받는 아이들이었다. 개중에는 거친 녀석들도 있었다. 그들은 돈을 훔치고, 교사에게 욕을 퍼붓고, 공공 기물을 파손했다. 술집에서 피투성이 주먹다짐을 벌였다거나 삼촌이 밀주를 판다는 얘기를 늘어놓는 녀석도 있었다. 그들은 엘우드가 들어본 적도 없는 죄로 니클에 오게 되었다. 꾀병, 경범죄, 구제 불능. 그 소년들 본인도 이런 단어의 뜻을 알지 못했지만, 어차피 그 단어들이 가리키는 곳이 니클인 이상 굳이 그 뜻을 알 필요가 없었다. 나는 날이 추워서 차고에서 자다가 붙잡혔어, 선생님 돈을 5달러 훔쳤어, 기침약을 한 병 마시고 정신 나간 짓을 했지, 그냥 혼자 어떻게든 살아보려고 했어.

"와, 아주 제대로 맞았구먼." 쿡 박사는 엘우드의 붕대를 갈아줄 때마다 이렇게 말했다. 엘우드는 상처를 보고 싶지 않았지만 눈에 들어오는 것을 어쩔 수 없었다. 언뜻 본 허벅지 뒤편에서는 시뻘건 채찍 자국이 섬뜩한 손가락처럼 살을 타고 기어오르고 있었다. 쿡 박사는 그에게 아스피린을 한 알 주고 자기 사무실로 돌아갔다. 그러고 5분 뒤에는 전화로 아내와 말다툼을 벌였다. 무슨 계획이 있다며 돈을 빌려달라는 변변찮은 사촌이 문제였다.

한밤중에 어떤 녀석이 코가 막혀서 킁킁거리는 바람에 엘우드는 자다가 깨어났다. 그때부터 몇 시간 동안 그는 붕대 밑의 살갗이 타는 듯 뜨겁고 가려워서 잠을 이루지 못했다.

입원한 지 일주일이 되었을 때 그가 아침에 깨어 보니 맞은편 침대에 터너가 누워 있었다. 그는 아주 기운차고 유쾌하게 〈앤디 그리피스 쇼〉의 주제가를 휘파람으로 불었다. 그의 휘파람 솜씨는 일품이었다. 엘우드와 친구가 된 뒤 줄곧 그의 휘파람 소리는 엉뚱한 장난을 치고 싶은 분위기를 조성하거나, 상대에게 반격하는 도구 역할을 했다.

터너는 윌마 간호사가 담배를 피우러 밖에 나갈 때까지 기다렸다가 자기가 왜 찾아왔는지 설명했다. "자체적으로 방학을 하자 싶었어." 그래서 그는 일부러 가루비누를 먹어 한 시간 동안 복통에 시달린 끝에 하루 휴가를 얻어냈다. 어쩌면 휴가가 이틀이 될 수도 있었다. 터너는 사람을 설득하는 법을 잘 아니까. "양말 속에 가루비누를 좀 더 숨겨왔어." 그가 말했다. 엘우드는 무뚝뚝하게 고개를 돌렸다.

"저 돌팔이는 어때?" 나중에 터너가 이렇게 물었다. 쿡 박사가 바로 조금 전 저 아래쪽 침상에서 잔뜩 부어터진 얼굴로 암소처럼 끙끙거리는 백인 소년의 체온을 재고 간 참이었다. 전화벨이 울리자 의사는 백인 소년의 손바닥에 아스피린 두 알을 내려놓고 자기 사무실로 가버렸다.

터너가 엘우드에게 다가왔다. 그는 소아마비 환자들이 쓰는 낡은 휠체어를 드르륵드르륵 굴리면서 병동 안을 돌아다니고 있었다. 그가 말했다. "우리가 대가리가 깨져서 들어와도 저 돌팔이는 아스피린만 줄걸."

엘우드는 웃고 싶지 않았다. 그러면 이렇게 아픈 몸을 속이는 짓이 될 것 같아서. 하지만 어쩔 수 없었다. 가죽 채찍이 다리 사이를 때리는 바람에 부어오른 고환, 그의 웃음이 배 속의 뭔가를 건드리자 거기가 다시 아파왔다.

터너가 말했다. "깜둥이가 대가리가 찢어지고, 양다리 양팔이 전부 잘려서 들어와도 저놈의 돌팔이는 '한 알 줄까, 두 알 줄까?' 이러고 있을걸." 그는 어딘가에 끼어서 움직이지 않는 휠체어 바퀴를 살살 달래서 휙 멀어졌다.

학교 신문인 〈게이터〉와 학교 창립 50주년을 기념하는 소책자 외에는 읽을 것이 없었다. 둘 다 캠퍼스 내에서 니클의 학생들이 인쇄한 것이었다. 사진 속의 소년들은 모두 웃고 있었지만, 엘우드는 여기에 온 지 며칠 되지 않았는데도 그들의 눈에서 니클 특유의 죽은 눈빛을 알아볼 수 있었다. 자신의 눈빛도 그렇게 변하지 않았을까 싶었다. 이제는 그도 완전히 이곳의 학생이 되었으니까. 그는 천천히 옆으로 돌아

누워 한쪽 팔꿈치를 괴고 소책자를 몇 번 쭉 훑어보았다.

이 학교는 1899년에 주 정부에 의해 플로리다 소년 산업학교로 문을 열었다. "어린 범법자들이 못된 친구들과 분리되어 신체적, 지적, 도덕적 교육을 받고 새 사람이 되어 훌륭한 시민의 품성과 목적의식을 지니고 사회로 돌아갈 수 있게 해주는 감화원. 그런 시민으로서 스스로 살아가는 데 알맞은 숙련 기술이나 직업을 갖고 품위 있고 정직하게 살아가게 해줄 것이다." 이곳에 들어온 소년들을 수감자가 아니라 학생이라고 부르는 것은 교도소에 갇힌 폭력적인 범죄자들과 구분하기 위해서였다. 엘우드는 폭력적인 범죄자는 모두 이곳의 직원으로 있다는 말을 덧붙였다.

처음 문을 열었을 때 이 학교는 겨우 다섯 살짜리 아이까지 받아들였다. 엘우드는 자려고 누워서도 이 사실을 생각하며 탄식했다. 그 아이들이 여기서 얼마나 무력했을까. 처음에 주 정부가 내어준 땅은 1000에이커였지만, 세월이 흐르면서 인정 많은 주민들이 400에이커를 기부했다. 니클은 운영비를 스스로 벌었다. 인쇄소 설립은 어느 모로 보나 완전한 성공이었다. "1926년에만 출판으로 25만 달러의 이윤을 올렸을 뿐만 아니라, 학생들도 졸업 후 유용한 기술을 접할 수 있었다." 벽돌을 제작하는 기계는 하루에 벽돌 2만 장을 생산했고, 여기서 나온 벽돌이 잭슨 카운티 전역의 크고 작은 건물에 사용되었다. 매년 크리스마스 때 학생들이 디자인해서 시행하는 빛의 축제는 몇 마일이나 떨어진 곳에서까지 사람들이 와서 볼 정도였다. 학교 신문에서는 매년 이 행사장에 기자를 내보냈다.

소책자가 만들어진 해인 1949년에 학교는 몇 년 전 이곳을 맡은 개

혁가 트레버 니클을 기리는 뜻에서 이름을 바꿨다. 이곳에 들어온 소년들은 자신의 인생이 5센트짜리도 되지 않기 때문에 이런 이름이 붙었다고 말하곤 했지만(니클은 5센트를 뜻한다), 그것은 사실이 아니었다. 복도에 걸려 있는 사진 속에서 트레버 니클은 네가 무슨 생각을 하는지 다 안다는 듯이 미간을 찌푸리고 있었다. 아니, 그것이 아니라, 자기가 무슨 생각을 하는지 네가 안다는 것을 자신도 안다는 듯한 표정이었다.

백선을 앓는 클리블랜드의 소년 한 명이 병동에 왔을 때, 엘우드는 읽을 만한 책을 좀 가져다달라고 부탁했다. 소년은 그 부탁을 들어주었다. 그는 낡은 자연과학책을 한 무더기 가져와서 털썩 내려놓았다. 지구를 구성하는 여러 판들이 충돌해서 산맥이 하늘 높이 솟아오르고 화산이 폭발한 고대의 이야기를 들려주는 책이었다. 땅속에서 들끓는 그 폭력적인 힘이 지상의 세계를 만든다. 소년이 가져다준 커다란 책에는 빨간색과 오렌지색의 화려한 그림들이 있어서, 원래 하얀색이었지만 회색으로 변해서 우중충해 보이는 병동의 분위기와 대조를 이뤘다.

터너가 병동에 온 두 번째 날 엘우드는 그가 양말에서 접어놓은 마분지를 꺼내는 것을 보았다. 터너는 그 안의 가루를 삼키고 한 시간 뒤 마구 소리를 질러댔다. 쿡 박사가 오자 터너는 그의 구두에 구토했다.

"아무것도 먹지 말라고 했을 텐데." 쿡 박사가 말했다. "여기 음식을 먹으면 속이 아플 거라고 했잖아."

"그럼 뭘 먹어요, 쿡 박사님?"

의사는 당황한 표정이었다.

터너가 대걸레로 토사물을 다 치운 뒤 엘우드가 말했다. "그러면 위가 상하지 않아?"

"당연히 상하지." 터너가 말했다. "하지만 오늘은 일하고 싶지 않았다고. 여기 침대가 완전 울퉁불퉁하긴 해도, 눈을 붙일 수 있잖아. 여기 침대에 어떻게 누우면 편할지는 각자가 알아내면 되고."

접이식 가림막 뒤의 비밀스러운 소년이 무겁게 한숨을 내쉬는 바람에 엘우드와 터너는 화들짝 놀랐다. 평소에는 그 소년이 별로 소리를 내지 않는 편이라서, 둘 다 그 소년의 존재를 잊어버리고 있었다.

"너!" 엘우드가 말했다. "거기 너 말이야!"

"쉬이!" 터너가 말했다.

아무 소리도 들리지 않았다. 하다못해 이불을 들썩거리는 소리도 없었다.

"네가 가서 봐봐." 엘우드가 말했다. 뭔가가 해결된 것 같아서 그는 오늘 기분이 좋았다. "누군지 봐. 어디가 아픈지도 물어보고."

터너가 미친놈을 보듯이 그를 보았다. "나더러 뭘 물어보래?"

"무섭냐?" 엘우드가 동네 길거리에서 놀던 아이들처럼 말했다. 그 아이들이 서로를 놀릴 때처럼.

"아, 씨." 터너가 말했다. "너 진짜 뭘 모르네. 저기 한번 보겠다고 갔다가 저 녀석이랑 내 자리가 바뀔 수도 있어. 유령 이야기에서처럼."

그날 밤 윌마 간호사는 늦게까지 자리를 지키며 가림막 뒤의 소년에게 책을 읽어주었다. 성경책과 찬송가를 읽어주는 그녀의 목소리는 하나님을 입 안에 품은 사람에게서 나는 소리 같았다.

병실 침대에 아이들이 가득하다가 곧 사라지곤 했다. 상해버린 복숭아 통조림들이 병동에 가득했다. 침대가 모자랐기 때문에 아이들은 머리와 발이 한데 맞닿을 정도로 다닥다닥 붙어서 잤다. 서로 방귀를 뀌고, 목구멍으로 끅끅 소리를 내면서. 침대의 주인들이 바뀌었다. 유충, 탐험가, 부지런한 개척자. 다친 녀석, 균에 감염된 녀석, 꾀병을 부리는 녀석, 괴롭힘을 당한 녀석, 거미에 물린 녀석, 발목이 부서진 녀석, 기계에 손가락 끝이 잘린 녀석. 화이트하우스에 다녀왔다는 것을 알고 다른 아이들은 이제 엘우드에게 거리를 두지 않았다. 그도 이제 그들과 같았다.

엘우드는 의자에 놓인 새 바지를 보는 것이 지긋지긋했다. 그래서 바지를 접어 매트리스 밑에 쑤셔 넣었다.

쿡 박사의 사무실 옆에 있는 커다란 라디오가 하루 종일 떠들어대며, 바로 옆 금속 공방에서 나는 소음과 경쟁을 벌였다. 전기톱 소리, 금속과 금속이 갈리는 소리. 쿡 박사는 라디오가 치료에 도움이 된다고 생각했다. 윌마 간호사는 굳이 아이들에게 다정히 신경을 써줄 필요가 없다고 보았다. 〈돈 맥닐의 아침 식사 클럽〉, 설교 프로그램과 할머니가 듣던 연속 드라마. 라디오 드라마에 나오는 백인들의 고민은 다른 나라 얘기처럼 멀게만 느껴졌는데, 지금은 그것이 그를 프렌치타운의 집으로 데려다주었다.

엘우드는 〈에이머스 앤 앤디〉(흑인들이 주로 살던 뉴욕 할렘을 배경으로 한 시트콤. 1928년부터 시작되었으며 나중에는 텔레비전 시트콤으로도 방영되었다)를 들은 지 오래되었다. 〈에이머스 앤 앤디〉가 시작되면 할머니가 라디오를 꺼버렸기 때문이다. 상황에 맞지도 않는 엉뚱한 단어를 아무렇게나 쓰고, 체신을 깎는 재난들이 연달아 일어나는 드라마. "백인들은 저런 걸 좋아하지만, 우리가 꼭 저걸 들을 필요는 없어." 할머니는

〈디펜더〉에서 이 드라마의 방송이 끝났다는 소식을 읽고 기뻐했다. 니클 근처의 방송국이 재방송 중인 이 시트콤이 그를 괴롭혔다. 이 옛 드라마의 재방송이 시작되어도 아무도 다이얼을 돌리지 않았고, 모두들 에이머스와 킹피시의 익살에 웃음을 터뜨렸다. 흑인 아이도 백인 아이도 모두. "와, 진짜!"

어느 라디오 방송국에서는 가끔 〈앤디 그리피스 쇼〉의 주제가를 틀어주었다. 그러면 터너가 휘파람으로 그 노래를 따라 불렀다.

"너 꾀병을 들키면 어쩌려고 그래?" 엘우드가 말했다. "그렇게 신나게 휘파람을 불면 안 되잖아."

"꾀병이라니? 가루비누가 얼마나 끔찍한데. 어쨌든 결정은 내가 내리는 거야. 다른 사람이 아니라."

말도 안 되는 소리였지만 엘우드는 아무 말도 하지 않았다. 이제 〈앤디 그리피스 쇼〉의 주제가가 머릿속에 들러붙어서 자기도 콧노래를 부르거나 휘파람을 불고 싶었지만 괜히 터너를 따라하는 것처럼 보이기 싫었다. 그 노래는 미국 전체에서 아주 작고 조용한 조각 하나를 떼어내서 만든 것 같았다. 소방차도 주 방위군도 필요 없었다. 문득 그 시트콤의 배경인 메이베리라는 소도시에서 검둥이를 본 적이 한 번도 없다는 생각이 들었다.

라디오에서 어떤 남자가 소니 리스턴이 캐시어스 클레이(무하마드 알리의 본명)라는 유망한 선수와 싸울 것이라고 발표했다. "저게 누군데?" 엘우드가 말했다.

"금방 케이오당할 검둥이겠지." 터너가 말했다.

어느 날 오후 엘우드는 꾸벅꾸벅 졸다가 갑자기 들려온 소리에 온몸이 굳어버렸다. 풍경처럼 짤랑거리는 열쇠 소리. 스펜서가 의사를 만나러 병동에 와 있었다. 엘우드는 가죽 채찍이 천장을 긁으며 아래로 내려오는 소리를 기다렸지만…… 학생주임은 그냥 가버렸고 라디오 소리가 다시 병실을 지배했다. 그는 이불이 젖을 정도로 땀을 흘리고 있었다.

"모두 그런 일을 당하는 거야?" 점심 식사 뒤에 엘우드는 터너에게 이렇게 물었다. 점심은 윌마 간호사가 나눠준 햄샌드위치와 물처럼 묽은 포도주스였다. 백인 아이들부터 먼저 음식을 받았다.

느닷없는 질문이었지만, 터너는 엘우드의 말을 알아듣고 소아마비용 휠체어를 굴려 다가왔다. 무릎에 샌드위치를 놓은 채로. "전부 너같지는 않아." 그가 말했다. "그렇게 심하지는 않지. 난 거기 간 적 없어. 전에 담배를 피웠다가 뺨을 한 번 맞은 적은 있어도."

"변호사가 있어. 그 분이 어떻게든 해줄 수 있을 거야." 엘우드가 말했다.

"넌 이미 운 좋게 벗어난 거야."

"무슨 소리야?"

터너는 후루룩 소리를 내며 주스를 끝까지 마셨다. "가끔 화이트하우스로 끌려간 애가 두 번 다시 안 나타날 때가 있거든."

병동 안은 조용했다. 두 사람이 이야기를 나누는 소리와 옆방에서 휘이잉 돌아가는 전기톱 소리뿐이었다. 엘우드는 답을 알고 싶지 않다고 생각하면서도 질문을 던졌다.

터너가 말했다. "가족들이 어떻게 된 거냐고 물으면 학교에서는 애가 도망쳤다고 말해." 그는 백인 아이들이 이쪽을 보고 있지 않은지 확인했다. "문제가 뭐냐면 말이야, 엘우드, 여기 사정을 네가 몰랐다는 거야. 코리랑 그 두 놈을 봐. 넌 고독한 경비대원 놀이를 하고 싶었겠지. 달려가서 검둥이를 구해주는 거. 하지만 그놈들이 그렇고 그런 야한 짓을 하는 게 어제오늘 일이 아니야. 그 세 놈은 항상 그런다고. 코리도 그걸 좋아해요. 두 놈이 좀 거칠게 굴다 보면, 코리가 두 놈을 끌고 변기 칸 같은 데로 들어가서 무릎을 꿇는 거지. 그놈들이 그래."

"그 애 얼굴을 봤어. 겁먹은 얼굴." 엘우드가 말했다.

"그놈이 어디에서 맛이 가는지 넌 모르잖아. 다른 놈들이 어디에서 맛이 가는지도 모르고. 밖은 밖이고, 여기는 여기다, 나는 그렇게 생각했어. 니클 사람들은 전부 다르다고 말이야. 여기 있다 보면 사람이 달라지니까. 스펜서랑 그 패거리도 마찬가지야. 어쩌면 바깥의 자유로운 세상에서는 그놈들도 착한 사람일지 모르지. 잘 웃고, 자식들한테 잘하는 사람인지도." 그가 썩은 이를 입술로 빨 때처럼 입술에 힘을 주었다. "그랬는데 내가 한 번 나갔다가 돌아와 보니, 여기에서 특별히 사람들이 변하는 게 아니야. 여기든 바깥이든 다 똑같아. 다만 여기서는 아무도 가식을 떨지 않을 뿐이지."

터너의 말은 계속 같은 자리를 맴돌고 있었다. 엘우드가 말했다. "그건 법에 어긋나는 일이야." 나라의 법뿐만 아니라 엘우드의 법칙에도 어긋났다. 모두가 외면하고 묵인한다면, 모두가 한패라는 뜻이었다. 만약 그가 외면하고 묵인한다면, 그도 다른 사람들처럼 공범이었다. 그것이 그의 생각이었다. 그의 생각은 언제나 이랬다.

터너는 아무 말도 하지 않았다.

"이래서는 안 돼." 엘우드가 말했다.

"그런 것에 신경 쓰는 사람은 하나도 없어. 네가 블랙 마이크와 로니를 지목한다면, 이런 상황에서 가만히 있는 모두를 지목하는 거야. 모두를 고자질하는 거라고."

"그게 내 말이야." 엘우드는 변호사 앤드루스 씨와 할머니에 대해 터너에게 말해주었다. 그 두 사람이 스펜서와 얼과 다른 사람들의 못된 짓을 신고할 것이라고. 학교의 힐 선생님은 활동가였다. 사방에서 시위행진에 참여한 그는 다시 시위를 조직하느라고 지난여름 이후 링컨 고등학교로 돌아오지 않았다. 엘우드는 체포당한 사실을 편지로 써서 그에게 알렸지만, 편지가 잘 도착했는지 알 길이 없었다. 힐 선생님은 니클 같은 곳에 관심을 가질 만한 사람들과 아는 사이였다. 그와 연락이 닿을 수만 있다면 좋을 텐데. "이제는 옛날 같지 않아." 엘우드가 말했다. "우리 자신을 위해 일어설 수 있어."

"그런 짓이 밖에서도 별로 소용이 없는데…… 여기선 어떨 것 같아?"

"너야 밖에서 널 위해 나서주는 사람이 없으니까 그런 말을 하는 거지."

"그거야 그렇지." 터너가 말했다. "그렇다고 내가 세상을 제대로 못 보는 건 아니야. 어쩌면 그래서 더 똑바로 보고 있을걸." 그는 가루비누 때문에 속이 아픈지 얼굴을 찡그렸다. "여기서도 살아남는 요령은 밖에 있을 때랑 똑같아. 남들이 어떻게 구는지 보고, 장애물 경주를 하듯이 놈들을 피해서 돌아가는 길을 알아내는 거지. 여기서 걸어 나가고 싶다면."

"졸업이야."

"걸어 나가는 거야." 터너가 말을 바로잡았다. "여기서 걸어 나갈 수 있을 것 같아? 잘 보고 생각해봐. 널 여기서 꺼내줄 수 있는 사람은 없어. 너밖에는."

다음 날 아침 쿡 박사는 음식을 먹지 말라는 예전의 처방을 반복하고 아스피린 두 알을 쥐여주며 터너를 쫓아냈다. 이제 병동에는 엘우드뿐이었다. 이름을 알 수 없는 소년을 가려주던 가림막은 구석에 접혀 있고, 침대에는 아무도 없었다. 밤사이 아무도 모르게 사라져버린 모양이었다.

엘우드는 진심으로 터너의 충고를 따를 작정이었으나 자신의 다리를 보고 생각이 달라졌다. 잠시 동안 좌절감에 꼼짝도 할 수 없었다.

그는 병동에서 닷새를 더 보낸 뒤 다른 아이들이 있는 곳으로 돌아왔다. 수업과 노동을 하는 나날이었다. 이제는 그도 여러 면에서 여기 니클의 아이들과 같았다. 침묵의 미덕을 받아들였다는 점도 포함해서. 할머니가 면회를 왔을 때, 그는 쿡 박사가 다리에서 붕대를 제거한 뒤 화장실에 가려고 차가운 타일 바닥을 걸으며 무엇을 보았는지 말할 수 없었다. 그때 비로소 자신의 모습을 제대로 본 엘우드는 할머니의 심장이 사실을 받아들일 수 없을 것이라는 확신이 들었다. 그런 일이 벌어지게 만든 자신에 대한 수치심 또한 견딜 수 없었다. 그는 이미 사라져버린 할머니의 다른 가족들과 마찬가지로 할머니와 아주 멀리 떨어져 살면서 지금 이 순간만은 할머니 앞에 앉아 있었다. 면회 날 그는 할머니에게 잘 지내고 있지만 슬프다고, 힘들지만 버티고 있다고 말했다. 하지만 사실은 이런 말을 하고 싶었다. "이 사람들이 나한테 이런 짓을 했어요, 할머니. 이런 짓을 했다고요."

8장

병동에서 나온 엘우드는 야외 작업 팀에 다시 합류했다. 멕시코인인 제이미가 또 백인 쪽으로 옮겨졌기 때문에 다른 아이가 책임자 자리에 있었다. 엘우드는 낫을 휘두를 때 손에 힘이 너무 들어가는 것을 깨닫고 흠칫한 적이 한두 번이 아니었다. 마치 가죽 채찍으로 풀을 후려치는 듯한 기세였다. 그럴 때면 그는 손을 멈추고 심장을 향해 진정하라고 말했다. 열흘 뒤 제이미가 다시 흑인 아이들 쪽으로 왔다. 스펜서가 그를 또 쫓아냈기 때문이었다. 그래도 그는 아무렇지 않은 듯했다. "내가 사는 게 원래 이래. 탁구공처럼 왔다 갔다."

엘우드의 학교 수업은 좀처럼 나아질 것 같지 않았지만, 받아들일 수밖에 없었다. 그는 학교 건물 밖에서 구달 선생의 팔을 살짝 잡았지만, 그는 엘우드를 알아보지 못했다. 구달은 더 수준 있는 수업을 할 수 있게 노력해보겠다고 다시 약속했지만, 엘우드도 이제 이 선생에 대해 알 만큼 알기 때문에 다시는 물어보지 않았다. 11월 말의 어느 날 오후 엘우드는 다른 아이들과 함께 학교 건물 지하실을 청소하는 일을 맡았다. 거기에 1954년 달력들이 담긴 상자가 있었는데, 그는 그 상자 밑에서 《칩윅의 영국 고전》 한 질을 발견했다. 트롤럽이니 디킨스니 하는 이름들이 보였다. 엘우드는 다른 아이들이 더듬더듬 수업을 따라갈 때 그 책들을 한 권씩 차례로 읽었다. 전에 대학에서 영국 문학을 공부할 생각이던 그가 이제는 그 책들로 독학하는 수밖에 없었다. 그러는 수밖에 없었다.

분수에 맞지 않는 행동을 하면 벌을 받는다는 것이 해리엇이 바라보는 세상의 중요한 원칙 중 하나였다. 병동에서 엘우드는 자신이 더 어려운 수업을 요청했기 때문에 그렇게 가혹하게 매질을 당한 건지 생각해보았다. 건방진 검둥이를 잡아다 혼을 내준 것이 아닐까. 하지만 지금은 새로운 가설이 떠올랐다. 니클에서 자행되는 만행에 지침이 되는 상위 원칙 같은 것은 없다는 가설. 상대가 누구든 무차별적으로 쏟아지는 악의가 있을 뿐이었다. 10학년 과학 시간에 들은 적이 있는 상상의 이야기 하나가 그의 뇌리를 때렸다. 사람이 관여하지 않아도 저절로 돌아가는 '영구적인 불행 기계'에 관한 이야기였다. 그가 백과사전을 처음 펼쳤을 때 눈에 띈 항목 중 하나인 아르키메데스도 생각났다. 세상을 움직일 수 있을 만큼 커다란 지렛대는 폭력밖에 없다(아르키메데스는 지렛대의 원리를 발견하고 흥분해서 이 원리를 이용해 지구라도 들어 보일 수 있다고 큰소리를 쳤다고 한다).

그는 열심히 생각해보았지만 어떻게 하면 일찍 졸업할 수 있을지 알 수 없었다. 벌점과 좋은 점수의 과학을 잘 아는 데즈먼드도 도움이 되지 않았다. "시키는 대로 잘하면 매주 품행 점수를 얻을 수 있어. 곧바로. 하지만 사감이 널 다른 사람과 혼동하거나 널 잡으려고 작정했다면 빵점이지. 벌점에 대해서는 뭐가 어떻게 돌아가는지 알 길이 없어."

벌점의 기준은 기숙사마다 달랐다. 흡연, 싸움, 지속적인 복장 불량. 처벌은 학생이 어느 기숙사에 있는지와 해당 기숙사 관리인의 변덕에 달려 있었다. 클리블랜드에서 욕을 하면 벌점이 100점이었다. 블레이클리가 하느님을 두려워하는 사람이었기 때문이다. 하지만 루스벨트 기숙사에서는 같은 행동에 벌점이 50점이었다. 링컨 기숙사에서는 자위행위 벌점이 200점이지만, 다른 사람을 자위시켜주다가 걸리면 벌점은 100점뿐이었다.

"100점뿐?"

"링컨이 그래." 데즈먼드가 마치 어디 외국에 대해 설명하듯이, 다른 나라의 신령과 화폐에 대해 설명하듯이 말했다.

엘우드는 블레이클리가 독한 술을 좋아한다는 것을 알아차렸다. 그는 정오까지 반쯤 정신이 혼미한 상태였다. 그렇다면 그를 믿을 수 없는 걸까? 만약 엘우드가 아무런 문제를 일으키지 않고 완벽하게 처신한다면, 가장 낮은 단계인 유충에서 가장 높은 단계인 에이스까지 얼마나 빨리 올라갈 수 있을까? 모든 일이 완벽하게 굴러간다면?

"이미 한 번 고꾸라졌으니 완벽해지기에는 늦었어." 데즈먼드가 말했다.

문제는 자신이 말썽을 피해 다녀도 본의 아니게 휘말릴 수 있다는 점이었다. 다른 학생이 엘우드의 약점을 알아차리고 뭔가 일을 꾸미거나, 직원 중 누군가가 그의 웃는 얼굴이 싫다며 웃지 못하게 만들어버릴 수 있었다. 애당초 불운에 휘말려 이곳에 오게 되었듯이, 또 불운의 가시덤불에 자기도 모르게 발을 들여놓을 수도 있었다. 엘우드는 마음을 정했다. 6월까지 점수를 모아서 이 구덩이에서 빠져나가자. 판사가 정한 기간보다 4개월 먼저 나가는 거야. 마음이 좀 편안해졌다. 그는 학교의 일정에 맞춰 시간을 인식하는 데에 익숙했다. 만약 6월에 졸업한다면 1년을 잃어버리는 셈이었지만, 그래도 내년 이맘때쯤이면 다시 링컨 고등학교 3학년으로 돌아가 있을 터였다. 힐 선생님이 지원해준다면 다시 멜빈 그리그스 대학에 등록할 수도 있었다. 원래 대학 등록금으로 마련해둔 돈을 변호사 비용으로 써버렸지만, 엘우드가 내년 여름에 추가로 아르바이트를 하면 어떻게든 될 것 같았다.

시기를 정했으니, 이제 행동 방향을 정할 차례였다. 병동에서 나온 뒤 처음 며칠 동안은 기분이 거지 같았지만 이렇게 계획을 세우고, 거기에 인권운동의 영웅들에게서 배운 교훈과 터너의 충고를 합치니 기분이 나아졌다. 잘 지켜보고 생각한 뒤 계획을 짠다. 세상은 생각 없는 군중이라도 엘우드는 그들 사이를 뚫고 똑바로 걸어가리라. 그들이 그에게 욕을 하고 침을 뱉고 폭력을 휘둘러도 그는 끝까지 나아갈 것이다. 피로에 지치고 피투성이가 되어도 끝까지 나아갈 것이다.

엘우드는 로니와 블랙 마이크의 보복을 예상하고 기다렸지만 그 둘은 조용했다. 그리프가 몸으로 들이받는 바람에 엘우드가 계단 아래로 굴러떨어진 사건이 있었을 뿐이었다. 아이들은 엘우드를 무시했다. 엘우드가 화장실에서 도와주려고 했던 아이 코리는 그에게 한 번 윙크를 했다. 모두들 여기 니클에서 다음 번 불운에 휘말리지 않으려고 긴장하고 있었지만, 니클의 불운은 그들이 어떻게 할 수 있는 것이 아니었다.

어느 수요일 아침 식사 후에 관리인 카터가 엘우드에게 새로운 임무를 위해 창고로 가라고 지시했다. 가보니 터너와 젊은 백인 남자가 있었다. 비트족처럼 몸을 늘어뜨리고 금발 머리는 기름지게 뭉쳐 있는 홀쭉한 청년이었다. 엘우드는 그가 여러 건물의 그늘 속에서 담배를 피우는 모습을 본 적이 있었다. 이름이 하퍼인 그는, 직원 기록에 따르면 지역봉사부 소속이었다. 하퍼가 엘우드를 한 번 보더니 말했다. "괜찮네." 하퍼가 창고의 커다란 미닫이문을 닫고 빗장을 지른 뒤, 그들은 회색 승합차 앞좌석에 올랐다. 다른 학교 차량과 달리 니클의 이름이 적혀 있지 않은 차였다.

엘우드는 가운데 자리였다. "간다." 터너가 이렇게 말하고서 창문을 아래로 내렸다. "스미티 대신 누가 좋을 것 같으냐고 하퍼가 물어서 내가 너라고 대답했어. 여기 있는 멍청이들하고는 다른 녀석이라고."

스미티는 클리블랜드 옆 루스벨트 기숙사에 있던, 나이가 많은 편에 속하는 소년이었다. 그는 에이스로 최고 점수를 받아 지난주에 졸업했지만, 엘우드는 '졸업'이라는 단어를 쓰는 것이 바보 같다는 생각이 들었다. 어떻게 봐도 스미티는 글을 전혀 읽지 못했다.

하퍼가 말했다. "네가 함부로 떠들지 않을 거라고 하더라. 그게 필요한 조건이거든." 이 말과 함께 그들은 니클의 경내를 빠져나왔다.

엘우드는 병동에 다녀온 뒤로 터너와 주로 어울려 지내며 클리블랜드의 휴게실에서 오후 시간을 죽였다. 데즈먼드나 아니면 성격이 차분한 다른 아이들과 함께 체커(서양 장기)를 두거나 탁구를 칠 때가 많았다. 터너는 뭔가를 찾으려는 듯이 어떤 방에 들어갔다가도 원래 목적을 까맣게 잊어버리고 시답지 않은 소리를 늘어놓곤 했다. 그의 체스

솜씨는 엘우드보다 낫고, 농담을 던지는 재주는 데즈먼드보다 나았다. 그리고 제이미와 달리 한결같은 일정에 따라 움직였다. 엘우드는 터너가 지역봉사부에 배치된 것을 알고 있었지만, 무슨 일을 하는지 자세히 캐물으면 터너의 반응이 조심스러워졌다. "물건을 가져다주고, 원래 가야 하는 자리에 잘 갔는지 확인하는 일이야."

"그게 무슨 개-개-개소리야?" 제이미가 말했다. 원래 자연스럽게 욕을 하는 재주도 없는 데다가 가끔 말을 더듬는 바람에 그 효과가 더 줄어들었지만, 그는 니클에서 접할 수 있는 악덕 중에서 그래도 욕이 얌전한 악덕이라고 생각했는지 이런 식으로 써먹었다.

"지역봉사라는 소리지." 엘우드가 말했다.

지역봉사에 참여하게 된 즉각적인 효과는 엘우드가 대학에 가려고 길에서 공짜로 차를 얻어 탄 그날 일이 없었던 것처럼 굴 수 있다는 것이었다. 몇 시간 동안이라도 니클 밖에 나와 있었으니까. 이곳에 온 뒤처음으로 자유세계에 다시 발을 디딘 순간이었다. 자유세계는 감옥의 죄수들이 쓰는 속어였지만, 감화원에서도 쓰이게 되었다. 어느 소년이팔자가 험한 아버지나 삼촌에게서 듣고 가져온 이 단어가 감화원에도 잘 어울렸기 때문이다. 아니면 니클이 굳이 학교 행세를 하려고 드는데도 이곳의 직원이 여기 학생들에 대한 속내를 고스란히 드러내면서 '자유세계'라고 말한 것을 어느 소년이 듣고 정착시켰을 가능성도 있었다.

엘우드의 허파로 들어오는 공기가 서늘했다. 창문으로 보이는 모든 것이 새롭고 눈부셨다. "이것 아니면 이것." 옛날에 안과의사가 도수가 다른 렌즈 두 개를 놓고 하나를 고르라며 이렇게 말한 적이 있었다. 엘우드는 세상을 일부밖에 보지 못하는 눈에 익숙해질 수 있다는 사실이 언제나 놀라웠다. 그런 사람들은 자신이 보는 세상이 일부에 불과하다는 사실을 몰랐다. 둘 중 하나를 고른다면 두말할 것도 없이 지금 이것이었다. 승합차 옆으로 스쳐가는 풍경. 모든 것이 갑자기 장엄하게 보였다. 다 쓰러져가는 집, 칙칙한 콘크리트 블록으로 지은 집, 누군가의 마당에서 반쯤 잡초에 가려져 있는 폐물 자동차까지도 장엄했다. '와일드 체리 하이-C'라고 적힌 녹슨 표지판을 본 뒤에는 갑자기 목이 말라서 견딜 수 없었다. 평생 이렇게 목이 마른 적이 없는 것 같았다.

하퍼는 엘우드의 자세가 바뀐 것을 알아차렸다. "밖에 나오니 좋은 모양이네." 그는 이렇게 말하고 나서 터너와 함께 웃음을 터뜨렸다. 그가 라디오를 틀자 엘비스의 노래가 나왔다. 하퍼는 박자에 맞춰 핸들을 손바닥으로 두드렸다.

기질적으로 하퍼는 니클의 직원답지 않은 사람이었다. "백인치고는 괜찮아." 터너는 이렇게 평가했다. 하퍼는 니클의 행정동에서 비서로 일하는 이모의 손에 자랐기 때문에 니클이 사실상 고향이나 마찬가지였다. 니클의 백인 학생들에게 마스코트처럼 귀여움을 받으며 헤아릴 수 없이 많은 날을 보내다가 어느 정도 자란 뒤에는 여기서 아르바이트를 했다. 붓을 잡을 수 있는 나이가 됐을 때부터 매년 크리스마스 장식의 사슴을 맡아 그리기도 했다. 이제 스무 살이 된 그는 니클의 정식 직원이었다. "우리 이모 말씀이 나는 남들과 그럭저럭 잘 지내는 성격이래." 그는 싸구려 잡화점 앞에 차를 세워놓고 시간을 보내면서 아이들에게 이렇게 말했다. "그 말이 맞는 것 같아. 나는 어렸을 때부터 백인이든 흑인이든 너희 같은 애들을 봤어. 그러니 너희나 나나 다를 게 없다는 걸 알지. 다만 너희가 조금 운이 없었을 뿐이야."

그들은 엘리너 시내를 돌며 네 군데에 들른 뒤 소방대장의 집으로 갔다. 그들이 가장 먼저 들른 곳은 '존 식당'이었는데, 간판에 녹슨 자국이 있는 것을 보니 원래 '존' 다음에 '의'자가 있다가 떨어진 것 같았다. 하퍼가 골목에 차를 세운 뒤 엘우드는 비로소 승합차에 실린 물건을 구경할 수 있었다. 니클의 주방에서 나온 물건들이 갖가지 통에 들어 있었다. 완두콩 통조림, 업소용 크기의 복숭아 통조림, 사과 소스, 삶은 콩 통조림, 그레이비소스. 플로리다주가 이번 주에 니클로 보낸 물건들 중 일부였다.

하퍼가 담배에 불을 붙이고, 트랜지스터라디오에 귀를 가까이 댔다. 오늘의 경기가 진행 중이었다. 터너가 먼저 깍지콩 상자와 양파 자루를 화물칸 밖에 서 있는 엘우드에게 건넨 뒤, 그와 함께 식당 뒷문으로 그 물건들을 날랐다.

"당밀도 잊지 마." 하퍼가 말했다.

작업을 마친 뒤 식당 주인이 나타났다. 거뭇한 얼룩이 잔뜩 묻은 앞치마를 입은 살찐 백인 남자였다. 그가 하퍼의 등을 철썩 두드린 뒤, 봉투 하나를 건네며 가족의 안부를 물었다.

"루실 이모를 아시잖아요." 하퍼가 말했다. "자꾸 걸어 다니지 말아야 하는데 도무지 가만히 있질 못해요."

그다음에 들른 두 곳도 역시 식당이었다. 바비큐를 파는 노점과 카운티 경계선 너머에서 세 가지 요리를 곁들인 고기 요리를 파는 식당. 그다음에는 톱숍 식품점에 들러 채소 통조림을 한 짐 내려주었다. 하퍼는 매번 현금이 든 봉투를 반으로 접어 고무줄로 묶은 다음 대시보드의 사물함에 넣은 뒤에야 다음 목적지로 출발했다.

터너는 이것이 무슨 일인지 스스로 깨달으라는 듯이 아무 말도 하지 않았다. 하퍼는 엘우드가 이 새로운 임무를 편안히 받아들이고 있는지 확인하고 싶어 했다. "놀라지 않은 모양이네." 그가 말했다.

"결국 어딘가로 가야 할 물건들이잖아요." 엘우드가 대답했다.

"세상이 다 그렇지. 스펜서가 어디로 가야 할지 나한테 말해주고, 하디 교장에게 넘기는 거야." 라디오에서 계속 로큰롤이 흘러나오자 하퍼가 다이얼을 이리저리 돌렸다. 다시 엘비스가 나왔다. 엘비스가 없는 곳이 없었다. "옛날에는 더 심했어." 하퍼가 말했다. "우리 이모 말씀에 따르면 그래. 하지만 주 정부에서 한 번 호되게 혼을 낸 뒤로 지금은 남쪽 캠퍼스 물건들을 내보내고 있지." 즉, 흑인 학생들의 보급품만 팔아치운다는 뜻이었다. "옛날에 로버츠라는 사람이 니클을 운영했는데, 할 수만 있다면 너희가 숨 쉬는 공기도 팔아치울 사람이었어. 그 정도는 돼야 사기꾼이지!"

"화장실 청소보다는 나아." 터너가 말했다. "잔디 깎기보다도 낫고. 내 생각에는."

밖에 나올 수 있다는 점이 좋다고 엘우드는 솔직하게 말했다. 그 뒤로 몇 달 동안 엘우드는 두 사람과 함께 플로리다주 엘리너의 구석구석을 돌아다녔다. 하퍼가 식당들의 직원 출입구 옆에 차를 세웠기 때문에 엘우드도 짧은 메인 스트리트의 뒷골목을 아주 잘 알게 되었다. 때로는 공책과 연필을 운반할 때도 있고, 의약품과 붕대를 운반할 때도 있었지만, 역시 주요 품목은 식품이었다. 추수감사절용 칠면조와 크리스마스용 햄이 식당 요리사들의 손으로 사라지고, 시내 초등학교의 교감은 건네받은 지우개 상자를 열어 하나하나 수를 헤아렸다. 엘우드는 학생들에게 왜 치약이 지급되지 않는지 궁금했는데 이제 그 이유를 알 수 있었다. 하퍼는 싸구려 잡화점인 피셔스 드럭스 뒤쪽에 차를 세우고 시내의 의사에게 전화로 연락했다. 그러면 의사가 은밀하게 운전석 쪽으로 다가왔다. 가끔 한 번씩 막다른 길의 초록색 3층 주택 앞에 차를 세울 때도 있었다. 말쑥한 시의원처럼 보이는 사람이 스웨터 조끼 차림으로 나와서 하퍼에게 돈을 주었다. 하퍼는 그 사람에 대해 자세히 모른다고 말했다. 어쨌든 그 사람은 예의가 바르고, 빳빳한 지폐를 갖고 있었으며, 플로리다의 스포츠 팀들에 대해 즐겨 이야기했다.

'이것 아니면 이것?' 학교 밖으로 나올 때마다 새 렌즈가 착 자리를 차지하고 새로운 것들을 보여주었다.

첫날 승합차 화물칸의 물건들이 모두 사라진 뒤 엘우드는 이제 니클로 돌아갈 것이라고 생각했지만, 차가 향한 곳은 깨끗하고 조용한 거리였다. 엘우드는 탤러해시에서 백인들이 살던 근사한 동네를 떠올렸다. 하퍼는 널찍한 잔디밭이 물결치는 바다처럼 펼쳐진 커다란 하얀색 주택 앞에 차를 세웠다. 지붕과 연결된 깃대에서 미국 국기가 한숨을 내쉬었다. 그들은 차에서 내려 승합차 구석을 들여다보았다. 캔버스 방수포 아래에 페인트칠 도구가 숨어 있었다.

"데이비스 부인." 하퍼가 고개 숙여 인사하며 말했다.

머리를 벌집 모양으로 틀어 올린 백인 부인이 포치에서 손을 흔들었다. "정말 기대되네." 그녀가 말했다.

엘우드는 부인을 따라 뒷마당으로 가면서 그녀와 눈을 마주치지 않았다. 뒷마당에는 떡갈나무가 여러 그루 서 있고, 그 옆에 낡아 보이는 회색 정자가 있었다.

"이겁니까?" 하퍼가 물었다.

"우리 할아버지께서 40년 전에 지으신 거야." 데이비스 부인이 말했다. "콘래드가 나한테 청혼한 곳도 바로 저기고." 부인은 개의 엄니 모양을 본뜬 격자무늬가 있는 노란색 원피스를 입고, 재키 케네디처럼 어두운 선글라스를 쓰고 있었다. 그녀는 어깨에 작은 초록색 벌레가 앉은 것을 발견하고 손가락으로 팅겨낸 뒤 방긋 웃었다.

정자는 새로 페인트칠을 할 필요가 있었다. 데이비스 부인이 하퍼에게 빗자루를 주자 하퍼는 그 빗자루를 엘우드에게 넘겼다. 엘우드가 정자 바닥을 빗자루로 쓰는 동안 터너는 승합차에서 페인트를 가져왔다.

"모두 여기까지 나와서 나를 도와주다니 착하네." 데이비스 부인은 이렇게 말하고 나서 집 안으로 들어갔다.

"내가 세 시쯤 데리러 올게." 하퍼도 이렇게 말하고 나서 사라졌다.

터너는 메이플에 하퍼의 여자 친구가 있다고 설명해주었다. 그녀의 아버지가 공장에서 일하는데 퇴근이 아주 늦다고 했다.

"우리가 페인트칠을 하는 거야?" 엘우드가 말했다.

"맞았어."

"하퍼가 여기에 우리를 두고 간다고?"

"맞았어. 데이비스 씨가 소방대장이거든. 우리를 자주 이리로 불러내서 이런저런 일을 시켜. 스미티랑 내가 저기 맨 위층의 방을 전부 손봤지." 터너는 지붕창들을 손가락으로 가리켰다. 마치 엘우드가 그 창문을 통해 자신의 솜씨를 볼 수 있을 거라고 생각하는 사람처럼. "학교 이사들이 전부 이렇게 우리한테 허드렛일을 시켜. 가끔 웃기지도 않은 일을 할 때도 있지만, 그래도 학교 안에서 하는 일보다는 이렇게 밖으로 나오는 편이 좋지."

엘우드도 같은 생각이었다. 습한 11월의 오후에 그는 벌레와 새가 빚어내는 자유세계의 소리를 음미했다. 그들이 짝짓기나 경고를 위해 내는 소리에 곧 터너의 휘파람 소리가 섞였다. 엘우드가 잘못 들은 것이 아니라면, 척 베리의 노래였다. 페인트의 상표는 딕시였고, 색은 딕시 화이트였다.

엘우드가 페인트칠을 조금이라도 해본 것은 러몬트 부인의 집 변소를 단장해주었을 때가 마지막이었다. 그때 할머니는 부인에게서 10센트를 받고 엘우드를 빌려주었다. 터너는 이 이야기를 듣고 웃음을 터뜨리며, 옛날에는 학교도 아이들 여러 팀을 항상 엘리너로 내보내 거물들의 일을 해주게 했다고 말했다. 하퍼에 따르면, 지금 하는 페인트칠처럼 무료로 봉사할 때도 있었지만 그보다는 상당한 액수의 돈이 오갈 때가 더 많았다. 학교는 곡식을 팔아서 번 돈, 인쇄소에서 번 돈, 벽돌을 팔아서 번 돈과 마찬가지로 그 돈도 '유지비'로 관리했다. 그보다 더 오래전에는 더 섬뜩한 일들이 벌어졌다. "졸업하더라도 집으로 돌아가지 못했어. 학교에서 학생을 시내의 사람들에게 사실상 팔아넘기면 거기서 가석방 상태로 보냈지. 노예처럼 일하고 지하실 같은 데서 잤어. 수시로 얻어맞고 발길질을 당하면서 쓰레기 같은 음식을 먹고."

"쓰레기 같은 음식이라면 지금 우리가 먹는 그런 거?"

"무슨 말씀. 훨씬 더 심했지." 일을 해서 빚을 갚아야 놈들이 학생을 풀어줬다고 터너는 말했다.

"무슨 빚?"

이 말에 터너는 당황한 기색이었다. "그런 생각은 한 번도 안 해봤는데." 그가 엘우드의 팔을 잡았다. "너무 빨리 하면 안 좋아. 우리가 제대로만 하면 이거 사흘짜리 일도 될 수 있어. 데이비스 부인이 레모네이드를 가져온다."

청동색 쟁반에 담긴 레모네이드 두 잔은 최고였다.

엘우드와 터너는 정자의 난간과 격자 모양 벽의 페인트칠을 끝냈다. 엘우드는 딕시 화이트 새 깡통을 한 번 흔들어주고 뚜껑을 연 뒤 붓으로 페인트를 휘저었다. 그는 자신이 어쩌다 니클로 오게 되었는지 터너에게 말해준 적이 있었다. 터너는 "야, 그거 진짜 너무한다"라고 말했을 뿐 자신의 과거에 대해서는 한 마디도 하지 않았다. 그는 거의 1년 동안 나가 있다가 이 학교로 다시 돌아온 참이었다. 어쩌다 다시 끌려왔느냐고 묻는다면 그의 입이 열릴지도 몰랐다. 니클의 힘은 모든 것을 빨아들이니까, 터너도 그런 이야기를 하다가 자신의 과거까지 이야기하게 될지 모를 일이었다.

엘우드가 질문을 던지자 터너는 바닥에 앉았다. "너 핀세터가 뭔지 알아?"

"볼링핀을 놓는 사람이잖아."

"나는 탬파의 볼링장에서 핀세터로 일했어. 홀리데이라는 곳이었는데, 대부분의 볼링장은 사람 대신 기계를 쓰거든. 하지만 거기 주인 가필드 씨는 꿋꿋이 고집을 부렸지. 우리가 레인 끝에 달리기 선수처럼 웅크리고 있는 걸 보면서 좋아했어. 아니, 사냥을 나가기 직전의 개 같았다고 해야 하나. 나쁜 일자리는 아니었어. 손님들이 공을 던진 다음에 핀을 세워서 다시 정리해주면 되니까. 당시 나는 에버렛 씨 집에서 살고 있었는데, 가필드 씨는 그 집 식구들과 잘 아는 사이였어. 에버렛 씨 가족들은 아이들을 몇 명 맡아주는 대가로 주 정부에서 돈을 받았지. 많은 액수는 아니지만, 어쨌든 그래서 그 집에는 항상 나 같은 부랑아들이 많이 들락날락했어.

아까도 말했지만 볼링장 일은 나쁘지 않았어. 목요일은 흑인의 날이었는데, 사방에서 온갖 사람들이 몰려와서 저마다 시합을 벌였어. 재미있었다니까. 하지만 다른 날에는 주로 탬파에 사는 멍청한 백인 손님들이 왔어. 나쁜 사람도 있고, 덜 나쁜 사람도 있고, 뭐, 백인이니까. 나는 몸이 상당히 날랜 편이고, 일할 때는 방긋방긋 잘 웃어. 머릿속으로는 다른 생각을 하면서 몸만 움직이는 거니까. 손님들도 날 좋아해서 팁을 줬어. 단골손님들 중에 친한 사람도 생겼지. 진짜로 잘 아는 사이가 된 건 아니지만, 매주 얼굴을 보는 처지니까, 뭐. 그러다 보니 그 친한 사람들하고 편히 어울리게 되었어. 나랑 잘 아는 손님이 파울을 저지르면 내가 농담을 하는 거야. 공이 레인 옆의 홈으로 빠져버리거나 남은 핀들이 양쪽으로 어이없게 갈라져 있으면 이렇게 웃기는 표정을 짓기도 하고. 단골손님들하고 그렇게 장난을 치면서 시간을 보내는 게 일상이 되었어. 손님들한테 팁을 받는 것도 좋았고.

그때 주방에서 일하는 영감님이 있었는데, 이름이 루야. 나름대로 세상살이를 겪은 사람인데, 우리 핀세터들한테는 별로 말을 걸지 않고 버거만 뒤집었어. 그 영감이 그렇게 불퉁하니까 우리도 별로 말을 안 걸었지. 그런데 어느 날 저녁 휴식 시간에 내가 담배를 피우려고 주방 뒤편으로 나갔더니 루가 거기 있는 거야. 기름기가 덕지덕지 묻은 앞치마 차림으로. 날이 되게 더웠어. 루가 나를 위아래로 훑어보더니 이런 말을 하더라고. '네 놈이 광대 짓을 하는 거 다 봤다, 검둥아. 왜 항상 그렇게 백인들 앞에서 허세를 부리면서 가식을 떠는 거야? 자존심 이라는 말도 몰라?'

다른 핀세터 두 명이 거기 나와 있다가 이 말을 듣고는 좆 됐다 싶었나 봐. 나는 얼굴이 너무 뜨거워서 그 멍청이 영감을 한 대 후려치고 싶었어. 날 잘 알지도 못하면서. 나에 대해 개뿔 뭘 안다고. 내가 가만히 바라보는데도 그 영감은 제자리에 서서 자기가 말아서 만든 담배만 계속 피우더라고. 내가 아무 짓도 못할 것이라는 사실을 알았던 거지. 그 영감 말이 옳았으니까.

그다음 근무시간에 나는, 뭐랄까, 다른 행동을 하기 시작했어. 손님들하고 농담을 주고받지 않고 못되게 굴었지. 공이 홈에 빠지거나 손님의 발이 선을 넘어서면 나는 못된 표정을 지었어. 손님들도 내가 바뀐 걸 알아차린 모양이더라고. 전에는 마치 우리가 다 같이 한편이고 평등한 것처럼 굴었지만 현실은 그렇지 않았으니까.

그날 밤에 나는 가난뱅이 백인 손님을 겁나게 갈궈댔어. 덩치만 크지 멍청하게 헤헤 웃어대는 사람이었는데, 그 사람이 4-6으로 갈라진 스페어를 처리해야 하는 상황에서 나는 이렇게 말했지. '와, 이거 되겠어?' 벅스 버니 말투로. 그랬더니 그 손님이 더 이상 참을 수가 없는지 레인을 따라 나한테 달려오는 거야. 나는 레인에서 레인으로 펄쩍펄쩍 뛰면서 도망치고, 그 손님은 계속 나를 쫓아오고. 나는 손님들의 경기를 죄다 방해하면서 공을 피해서 요리조리 도망쳤는데, 결국 그 손님 친구들이 그 손님을 붙잡았어. 항상 오는 단골손님들이라 가필드 씨를 곤란하게 만들고 싶지 않았던 거지. 나하고도 잘 아는 사이였고. 아니,

내가 올바른 행동을 하기 시작하면서 그 사람들도 생각이 달라졌겠지만. 하여튼 그 사람들이 그 손님을 붙잡아서 진정시킨 다음에 데리고 나갔어."

터너는 손짓 발짓을 곁들여 이야기 속의 장면들을 흉내 내면서 씩 웃었다. 하지만 이야기의 마지막 장면에서는 아주 작은 물건을 찾아보려고 애쓰는 사람처럼 눈을 가늘게 뜨고 정자 바닥만 바라보았다. "사실상 그걸로 끝이었어." 터너가 귀의 흉터를 긁적이며 말했다. "그다음 주에 그 손님의 차가 주차장에 서 있는 걸 보고 내가 콘크리트 블록을 던져 창문을 깼지. 그러고는 경찰에 잡혀갔어."

하퍼가 약속한 시간에서 한 시간이 더 지났는데도 오지 않았다. 터너와 엘우드가 불평할 일은 아니었다. 니클에서 보내는 자유 시간과 자유세계에서 일하는 시간을 비교한다면, 답은 뻔했다. "사다리가 필요할 것 같아요." 하퍼가 나타났을 때 엘우드는 그에게 이렇게 말했다.

"그래." 하퍼가 말했다.

데이비스 부인은 차를 타고 떠나는 그들을 향해 포치에서 손을 흔들어주었다.

"여자 친구는 잘 만나고 왔어요, 하퍼?" 터너가 물었다.

하퍼는 셔츠 자락을 허리춤에 집어넣었다. "이제부터 좋은 시간을 좀 즐길 수 있겠다 싶으면, 여자들은 지난번에 만났을 때부터 줄곧 생각하던 얘기를 새로 꺼낸다니까."

"맞아요, 진짜로." 터너는 이렇게 말하고 나서 손을 뻗어 하퍼의 담배를 하나 가져와 불을 붙였다.

엘우드는 자유세계에서 눈에 보이는 모든 것을 쓸어 담았다. 나중에 머리로 다시 조립해볼 요량이었다. 주변 모든 것의 생김새와 냄새, 그리고 그밖의 모든 것들. 이틀 뒤 하퍼는 엘우드에게 완전히 지역봉사부 소속이 되었다고 말했다. 하기야 백인들은 항상 그의 부지런한 성격을 알아주었다. 엘우드는 기분이 좋아졌다. 밖에 나갔다가 니클로 돌아올 때마다 그는 자세한 사항들을 공책에 적어두었다. 날짜. 만난 사람들의 이름과 장소의 이름. 이름 뒤에 자세한 정보를 채워 넣는 데 시간이 꽤 걸리는 사람도 있었지만 엘우드는 항상 끈기 있고 철저한 성격이었다.

9장

아이들은 그리프를 응원했다. 평소 그리프는 남들의 약점을 후벼 파가며 괴롭히는 비열한 녀석이었지만 상관없었다. 약점이 없는 상대를 괴롭힐 때는 아예 없는 약점을 만들어내기도 했다. 예를 들어, 평생 무릎이 안으로 휘어본 적이 없는 사람에게 '밭장다리 새끼'라고 욕을 하는 식이었다. 그리프는 다른 아이들의 발을 걸어 넘어뜨리고는 엉덩방아를 찧은 아이들을 비웃었다. 나중에 혼나지 않을 것 같다는 자신이 있을 때는 아이들을 때리기도 했다. 어두운 방으로 끌고 가서 겁을 주기도 했다. 몸에서 말처럼 악취를 풍기면서 그는 다른 아이들의 엄마를 웃음거리로 삼았다. 여기 학생들 중에 엄마 없는 아이가 대부분이라는 점을 감안하면 아주 비열한 짓이었다. 다른 아이들의 디저트를 훔친 적도 한두 번이 아니었다. 그는 씩 웃으면서 쟁반에서 디저트를 싹 쓸어가곤 했다. 별로 대단치 않은 디저트가 나와도 그것이 원칙이었다. 그런데도 아이들이 그리프를 응원한 것은 연례 권투 대회에서 그가 니클의 유색인종 아이들을 대표하는 선수로 나설 예정이기 때문이었다. 1년 내내 그가 무슨 짓을 했든, 경기가 있는 그날만은 그와 다른 흑인 아이들이 모두 한 몸이 되었다. 아이들은 그가 백인 아이를 케이오로 이길 것이라고 믿었다.

만약 그리프가 상대에게 맞아서 부러진 이를 뱉어내는 역경을 이겨내고 케이오승을 거둔다면 그건 끝내주는 일이었다.

흑인 아이들은 15년 동안 니클의 챔피언 자리를 놓치지 않았다. 이곳에서 오랫동안 근무한 직원들은 백인이 마지막으로 챔피언이 됐을 때를 기억하며 그 백인 아이를 한껏 떠받들었다. 이건 그들이 가장 자주 입에 올리는 옛날이야기였다. 이 백인 챔피언 테리 '독' 번스는 스와니 카운티의 칙칙한 동네 출신으로 손이 쇠망치 같은 녀석이었다. 그는 이웃집 닭들을 목 졸라 죽인 혐의로 니클에 오게 되었는데, 그가 "놈들이 나를 잡으려고 달려들었다"는 이유로 죽인 닭은 정확히 스물한 마리였다. 그는 슬레이트 지붕에서 빗방울이 또르르 굴러 내리듯이 통증을 흘려버렸다. 독 번스가 자유세계로 돌아간 뒤, 권투 경기에서 결승에 진출한 백인 아이들은 모두 서투른 겁쟁이였다. 녀석들이 워낙 휘청거렸기 때문에, 지난 세월 동안 옛날 챔피언에 대한 터무니없는 얘기들만 더욱 부풀려졌다. 독 번스가 인간인가 싶을 만큼 긴 팔을 타고났다는 둥, 독 번스는 지치는 법이 없다는 둥, 그의 전설적인 주먹이 유망한 상대를 후려치고 창문을 뒤흔들었다는 둥. 사실 독 번스는 가족과 낯선 사람을 막론하고 수많은 사람에게서 구타와 학대를 당했기 때문에 니클에 왔을 때는 이미 어떤 처벌도 가벼운 산들바람처럼 치부해버릴 수 있는 경지에 이르러 있었다.

그리프가 권투 경기에 나선 것은 이번이 처음이었다. 그는 지난 챔피언 액설 파크스가 졸업한 직후인 2월에 니클에 들어왔다. 액설은 권투 시즌 이전에 졸업이 예정되어 있었는데도 루스벨트의 관리인들이 타이틀 방어전까지 그를 붙들어두었다. 식당에서 사과를 훔쳤다는 누명을 씌워 그를 유충 단계로 떨어뜨린 것이다. 그리프는 학교에서 가장 못된 녀석으로 부상하면서 자연스레 액설의 후계자가 되었다. 링 밖에서 그리프는 취미 삼아 약한 아이들을 괴롭혔다. 친구가 없고 잘 우는 아이들이 그의 괴롭힘 대상이었다. 링 안에서는 상대가 곧바로 쇄도해 들어왔기 때문에 그는 사냥에 시간을 지체하지 않았다. 전기 토스터나 자동 세탁기처럼 권투는 삶을 편리하게 해주는 현대문명의 이기였다.

흑인 팀의 코치는 미시시피 출신의 맥스 데이비드라는 사람이었다. 학교의 차고에서 일하는 그는 웰터급 선수로 활동할 때 배운 것들을 학생에게 전해준 공로로 그해 연말에 봉투를 받았다. 맥스 데이비드는 초여름부터 그리프에게 자신을 열심히 선전했다. "첫 시합에서 사팔뜨기가 됐는데 은퇴 시합에서 눈이 다시 정상으로 돌아왔어. 그러니까 권투를 하면서 몸이 부서지는 건 더 나아지기 위해서라는 내 말을 믿어도 된다. 그게 사실이니까." 그리프는 빙긋 웃었다. 거인처럼 덩치가 큰 그는 가을 내내 상대 선수들을 가루로 만들어버렸다. 잔인하지만 필연적인 일이었다. 그는 우아하지도, 정밀하지도 않았다. 강력한 폭력의 도구였을 뿐이지만, 그것으로 충분했다.

아이들이 니클에 머무르는 평균적인 기간을 생각해보면(직원들이 야료를 부릴 때는 제외), 대부분의 아이들이 직접 볼 수 있는 권투 시즌은 한두 번 정도였다. 챔피언전이 점점 가까워지자 유충들은 12월의 그 경기가 중요하다는 말을 계속 들어야 했다. 먼저 기숙사 내에서 예선이 벌어지고, 거기서 이긴 사람이 다른 기숙사 두 곳의 최고 선수와 싸운다. 그다음에 벌어지는 것이 최고의 흑인 선수와 백인 녀석들이 올려 보낸 멍청이의 싸움이었다. 그들이 니클에서 정의와 만날 수 있는 자리는 이 챔피언전이 유일했다.

이 싸움은 아이들을 달래는 주문 같은 역할을 했다. 그 덕분에 아이들은 굴욕으로 점철된 나날을 헤쳐 나갈 수 있었다. 이 챔피언전은 트레버 니클이 1946년에 제도화했다. 그가 교화할 필요가 있는 아이들을 모아둔 플로리다 산업 남학교의 교장으로 취임한 직후였다. 농사를 짓던 니클은 그때까지 학교를 운영해본 경험이 전혀 없었다. 그러나 KKK단의 회합에서 도덕 향상과 노동의 가치, 그리고 보살핌이 필요한 어린 영혼들에 관한 즉흥 연설로 깊은 인상을 남겼다. 그래서 마침 자리가 생겼을 때 힘 있는 사람들이 그의 열정을 떠올리게 되었다. 그가 교장이 된 뒤 처음 맞은 크리스마스에 카운티 정부는 그가 학생들을 얼마나 향상시켰는지 직접 목격할 수 있었다. 새로 페인트칠이 필요한 곳에는 모두 페인트가 칠해졌고, 어두운 감방은 잠시 더 순수한 용도의 방으로 바뀌었으며, 구타는 하얀색의 작은 다용도 건물에서만 이루어지게 되었다. 엘리너의 선량한 시민들이 그 산업용 환풍기를 봤다면 의문을 품었을지도 모르지만, 그 건물은 외부인들을 위한 견학 코스에 포함되지 않았다.

니클은 오래전부터 권투를 널리 알리면서, 이 종목이 올림픽에서 더욱 확대되어야 한다고 로비하는 사람들을 뒤에서 조종했다. 학교에서 권투는 언제나 인기가 좋았다. 대부분의 아이들이 나름대로 폭력을 겪은 경험이 있기 때문이었다. 하지만 새로 교장에 취임한 니클은 권투의 입지를 높이는 것을 자신의 일로 받아들였다. 그는 옛날부터 교장들이 돈을 가져가기 쉬운 품목이었던 체육 예산을 새로 정비해서 규정에 맞는 장비를 구입하고 코칭스태프를 강화했다. 니클은 운동 전반에 일반적인 관심을 유지하고 있었다. 그는 인간이 몸을 최고의 상태로 유지하면 기적이 일어난다고 열렬히 믿는 사람이었기 때문에, 학교의 체육교육이 잘 이루어지고 있는지 확인하기 위해 샤워하는 아이들을 자주 지켜보았다.

"교장이?" 터너가 여기까지 이야기했을 때 엘우드가 이렇게 물었다.

"캠벨 박사가 그 술수를 어디서 배웠겠어?" 터너가 말했다. 니클은 이제 학교에 없었지만, 이 학교의 심리 상담가인 캠벨 박사는 데이트 상대를 고르려고 백인 아이들의 샤워실을 어슬렁거리기로 유명했다. "그 더러운 늙은이들이 다 한통속이었어."

엘우드와 터너는 체육관 관중석에서 빈둥거리며 오후를 보내는 중이었다. 그리프는 체리와 스파링을 했다. 백인과 흑인의 혼혈인 체리는 자신의 백인 어머니를 입에 담으면 안 된다는 교훈을 남들에게 가르쳐주는 수단으로 권투를 선택한 사람이었다. 그는 날래고 유연했지만, 그리프가 그를 사정없이 때려눕혔다.

그해 12월 초에 클리블랜드에서는 훈련 중인 그리프를 찾아내는 것이 인기를 끌었다. 흑인 기숙사의 아이들이 순찰을 돌았고, 언덕 아래 백인 기숙사에서 정찰을 온 아이들도 정보를 찾아 돌아다녔다. 그리프는 노동절 이후부터 훈련을 위해 주방 근무를 면제받았다. 정말 볼 만한 광경이었다. 맥스는 계속 그에게 날달걀과 귀리만 먹는 정체 모를 식단을 지키게 했고, 염소 피가 담겨 있다는 물병을 아이스박스에 넣어두었다. 맥스가 그 피를 내밀면, 그리프는 엄청나게 과장된 태도로 그것을 삼킨 뒤 복수하듯 샌드백을 마구 후려쳤다.

터너는 2년 전 니클에 처음 왔을 때 액설이 싸우는 모습을 본 적이 있었다. 그는 발놀림이 느렸지만, 마치 오래된 돌다리처럼 몸이 단단해서 하늘이 내리는 시련을 모두 이겨냈다. 그리프와는 달리 어린아이들을 친절하게 보호해주는 성격이기도 했다. "지금 어디서 뭘 하는지 궁금하네." 터너가 말했다. "그 자식은 눈치라는 게 전혀 없어. 지금 어디서 뭘 하든 십중팔구 스스로 팔자를 꼬고 있을걸." 이것이 니클의 전통이었다.

체리가 비틀거리다가 털썩 주저앉았다. 그리프는 마우스피스를 뱉고 소리를 질렀다. 블랙 마이크가 스파링이 벌어진 링으로 올라가 자유의 여신이 횃불을 치켜들 듯이 그리프의 손을 들어 올렸다.

"쟤가 이길 것 같아?" 엘우드가 물었다. 백인 쪽에서는 빅 쳇이라는 아이가 결승에 나올 가능성이 컸다. 늪지 출신인 그는 좀 대단한 녀석이었다.

"저 팔 좀 봐, 세상에." 터너가 말했다. "저건 피스톤이지. 아니면 훈제 햄이거나."

경기가 끝난 뒤 아직도 힘이 남아 부들부들 떠는 그리프 옆에서 뼹아리 둘이 글러브 끈을 풀어주는 모습을 보고 있자니, 저런 거인이 싸움에 질 것 같다는 생각이 잘 들지 않았다. 그래서 이틀 뒤 스펜서가 그리프에게 케이오를 당해주라고 말하는 소리를 들은 터너는 깜짝 놀라서 허리를 곧추세웠다.

그는 업소용 바닥 세제 상자들 사이에 자기만의 둥지를 미리 만들어 둔 창고 다락방에서 낮잠을 자고 있었다. 그가 하퍼의 명령으로 할 일이 있다는 핑계를 대고 혼자 그 커다란 창고로 들어가면 직원 중 누구도 그에게 잔소리를 하지 않았다. 다시 말해서 터너가 남들을 피해 혼자 숨을 곳이 있다는 뜻이었다. 감독관도 다른 학생들도 없는 곳에 그는 베개와 군용 담요, 하퍼의 트랜지스터라디오를 가져다 두었다. 그리고 일주일에 두어 시간 정도를 그곳에서 보냈다. 남들과 잘 지내볼 생각 같은 건 없이 혼자 떠돌아다니던 시절과 비슷했다. 다른 사람들도 굳이 그와 잘 사귀어보려 하지 않았다. 예전에 그는 낡은 신문지처럼 뿌리 없이 거리를 떠돌아다닌 적이 몇 번 있었다. 창고 다락방에 올라오면 그 시절로 돌아간 것 같았다.

그러나 그날은 창고 문을 닫는 소리가 그를 깨웠다. 곧 멍청한 당나귀 같은 그리프의 목소리가 들렸다. "무슨 일이세요, 스펜서 선생님?"

"훈련은 잘하고 있니, 그리프? 우리 맥스 선생 말로는 네가 아주 타고났다던데."

터너는 미간에 주름을 잡았다. 백인이 안부를 묻는다는 것은 언제나 곧 뒤통수를 칠 것이라는 뜻이었다. 하지만 그리프는 워낙 멍청해서 전혀 눈치채지 못하고 있었다. 수업 시간에 그리프는 2 더하기 3의 답을 몰라 쩔쩔맸다. 자기 손의 손가락이 몇 개인지도 모르는 것 같았다. 겁 없는 녀석들이 그걸 보고 웃어대면, 그리프는 그다음 주에 그 녀석들을 한 명씩 화장실로 끌고 가서 변기에 머리를 처박았다.

터너의 평가는 정확했다. 그리프는 이 비밀스러운 만남의 이유를 생각해보려 하지 않았다. 스펜서는 그 권투 경기의 중요성, 12월에 시합하는 전통에 대해 자세히 설명했다. 그다음에는 은근한 암시가 이어졌다. 때로 상대 팀이 이길 수 있게 해주는 것이 훌륭한 스포츠 정신이라는 얘기였다. 스펜서는 말을 그럴싸하게 포장해보려고 했다. 나뭇가지가 휘어질 줄도 알아야 부러지지 않는다고. 숙명론도 들먹였다. 살다보면 아무리 열심히 노력해도 잘되지 않을 때가 있기 마련이라고. 하지만 그리프는 정말 눈치가 없었다. 네, 선생님…… 옳은 말씀인 것 같습니다, 스펜서 선생님…… 그런 것 같아요, 선생님. 결국 스펜서는 그리프에게 3라운드에 그 시커먼 엉덩이로 주저앉지 않으면 자기들이 그를 저 뒤로 데려갈 것이라고 말했다.

"네, 스펜서 선생님." 그리프가 말했다. 다락방에서는 그리프의 얼굴이 보이지 않았기 때문에 그가 정말로 스펜서의 말을 알아들었는지 터너가 확인할 길은 없었다. 그리프는 주먹도 머리도 전부 돌이었다.

스펜서가 이야기를 마무리했다. "네가 경기에서 이길 수 있다는 걸너도 알잖아. 그냥 그걸로 만족해라." 스펜서는 헛기침을 하고 말을 이었다. "자, 따라와." 마치 길을 잃고 헤매던 어린 양을 몰고 가는 듯한 말투였다. 터너는 다시 혼자가 되었다.

"그거 완전 개소리 아니냐?" 그는 엘리너에 다녀온 뒤 클리블랜드의 정문 앞 계단에서 엘우드와 빈둥거리며 이렇게 말했다. 낡은 단지에 뚜껑이 덮이듯이 겨울이 다가오고 있어서 햇빛에 힘이 없었다. 엘우드는 터너가 이런 이야기를 할 수 있는 유일한 사람이었다. 다른 얼간이들은 입을 다물어야 하는 줄도 모르고 철없이 떠들어대다가 잔뜩 얻어맞거나 할 터였다.

터너는 지금껏 엘우드 같은 녀석을 본 적이 없었다. 그의 머리에 자꾸만 떠오르는 단어는 '굳건하다'였다. 탤러해시 출신인 엘우드는 착하고 무른 모범생처럼 굴면서 짜증 나게 자꾸 설교를 하려고 드는데도 그렇게 보였다. 녀석이 쓰고 있는 안경을 발로 밟아 나비처럼 짓이겨버리고 싶을 때도 있었다. 엘우드는 백인 대학생 같은 말투를 썼고, 꼭 읽지 않아도 되는 책들을 읽어 자기만의 원자폭탄에 쓸 우라늄을 캐냈다. 그래도 여전히 굳건해 보였다.

엘우드는 터너의 말을 듣고 놀라지 않았다. "권투계가 속속들이 썩어서 그래." 그가 잘 아는 사람처럼 말했다. "신문에 그런 기사가 많이 나왔어." 그는 옛날 마르코니의 가게에서 한가한 시간에 의자에 앉아 신문에서 읽은 내용을 말해주었다. "승부를 조작하는 이유는 하나뿐이야. 자기가 거기에 돈을 건 거지."

"나도 돈이 있으면 걸겠다." 터너가 말했다. "옛날에 홀리데이에서도 가끔 우리끼리 플레이오프에 돈을 걸었어. 나는 돈을 따는 쪽이었지."

"사람들이 가만히 있지 않을 거야." 엘우드가 말했다. 그리프가 승리한다면 당연히 기쁘겠지만, 둘이서 경기를 기대하며 상상해본 시나리오도 그에 못지않게 달콤했다. 백인 선수가 배를 얻어맞고 설사를 쏟거나, 하디 교장의 얼굴에 피를 분수처럼 내뿜거나, '얼음송곳으로 찍어낸 것처럼' 입에서 하얀 이가 튀어나오는 광경. 기운이 나는 상상이었다.

"맞아." 터너가 말했다. "하지만 스펜서가 저 뒤로 데려가겠다고 말했으니 말을 들어야지."

"화이트하우스로 데려간다는 거야?"

"내가 직접 보여줄게." 터너가 말했다. 저녁 식사 때까지 시간이 조금 있었다.

두 사람은 10분쯤 걸어서 세탁실에 도착했다. 이 시간에는 세탁실이 닫혀 있었다. 터너는 엘우드에게 겨드랑이에 끼고 있는 책이 무슨 내용이냐고 물었고, 엘우드는 어떤 영국 가족이 재산과 작위를 지키기 위해 맏딸을 결혼시키려 하는 내용이라고 말했다. 복잡한 반전들이 있는 이야기였다.

"그 여자랑 결혼하겠다는 사람이 없어? 못생겼나?"

"단정하고 기품 있게 생겼대."

"젠장."

세탁실을 지나니 황폐해진 마구간이 있었다. 천장은 내려앉은 지 이미 오래였고, 자연이 그 안까지 영역을 넓혀서 가지만 앙상한 덤불과 힘없이 늘어진 풀이 자라고 있었다. 유령을 믿지 않는 사람이라면 여기서 짓궂은 장난을 꾸밀 수도 있겠지만, 유령 문제에 대해 명확한 결론을 내린 학생이 한 명도 없었기 때문에 모두 이 근처에는 오지 않았다. 마구간 한쪽에 서 있는 떡갈나무 두 그루에는 쇠고리들이 박혀 있었다.

"여기가 '저 뒤'야." 터너가 말했다. "흑인 아이를 이리로 데려와서 저기 쇠고리에 묶겠다는 말을 가끔 해. 양팔을 벌린 자세로 묶은 뒤에 말채찍으로 후려쳐서 애를 걸레로 만드는 거지."

엘우드는 주먹을 꽉 쥐었지만 곧 자신을 억제했다. "백인 아이들은?"

"화이트하우스로. 거기는 인종차별이 없어. 여기는 인종분리가 되어 있고. 여기로 데려온 아이들은 병동으로 보내는 법이 없어. 도망친 걸로 처리하지. 그걸로 끝이야."

"그 애들 가족은 어쩌고?"

"여기 애들 중에 가족이 있는 녀석이 얼마나 되겠어? 아니, 애한테 신경 쓰는 가족이 얼마나 될 것 같아? 모두 너 같지 않아, 엘우드." 엘우드의 할머니가 주전부리들을 들고 면회를 오는 것이 터너는 부러웠다. 그래서 때로 질투심이 튀어나왔다. 지금처럼. 엘우드는 곁눈 가리개를 쓴 채 돌아다니고 있었다. 법이 있으니 시위를 하며 팻말을 흔드는 것은 가능했다. 많은 백인들을 설득한다면 법을 바꿀 수도 있을 것이다. 탬파에 있을 때 터너는 좋은 셔츠에 넥타이를 맨 대학생들이 울워스에서 연좌 농성을 하는 모습을 본 적이 있었다. 그는 일을 해야만 살 수 있는데, 그들은 거기서 시위를 하고 있었다. 결국 그 시위가 성공해서 식당이 흑인에게도 음식을 팔기 시작했지만 터너는 어차피 돈이 없어서 그 음식을 사 먹을 수 없었다. 법을 바꿀 수는 있지만, 사람들이 서로를 대하는 태도는 바꿀 수 없다. 니클의 인종차별은 지독했다. 여기서 일하는 사람들 중 절반은 주말에 십중팔구 KKK처럼 옷을 차려입을 것이다. 그러나 터너가 보기에 사악함의 뿌리는 단순히 피부색에만 있는 것이 아니었다. 문제는 스펜서였다. 스펜서와 그리프였다. 아이들이 이런 곳에 오게 만든 그 모든 부모들, 사람들이 문제였다.

그래서 터너는 이 두 그루 나무가 있는 곳으로 엘우드를 데려왔다. 책에는 나오지 않는 현실을 보여주려고.

엘우드는 고리 하나를 잡고 잡아당겼다. 단단히 박혀서 이미 나무의 일부가 되어 있었다. 이 고리를 뜯어내려 하다가는 뼈가 먼저 부러질 것 같았다.

이틀 뒤 하퍼가 정말로 도박이 벌어지고 있다고 확인해주었다. 테리의 BBQ에서 돼지 몇 마리를 내려준 뒤였다. "배달 완료." 하퍼가 승합차 문을 닫자 터너가 말했다. 손에서 도살장의 악취가 풍겼다. 그때 터너가 하퍼에게 시합에 대해 물어보았다.

"나도 상황을 봐서 돈을 좀 걸 거야." 하퍼가 말했다. 니클 교장 시절에는 스포츠의 순수성이니 뭐니 해서 도박에 보잘것없는 액수만 오갈 뿐이었다. 요즘은 인근 세 개 카운티에서 돈이 좀 있고 내기를 좋아하는 사람이라면 누구든 돈을 걸었다. 아니, 누구나 돈을 걸 수 있는 것은 아니었다. 니클의 직원이 보증하는 사람만 가능했다. "하지만 항상 흑인한테 돈을 걸어야 돼. 안 그러면 바보지."

"권투에는 항상 승부조작이 있어요." 엘우드가 말했다.

"시골 목사만큼 썩었다고요." 터너가 말을 덧붙였다.

"설마, 그러진 않을걸." 하퍼가 말했다. 이 권투 경기는 그에게 곧 어린 시절이었다. 그는 어렸을 때부터 VIP석에서 팝콘을 씹어 먹으며 이 권투 경기를 구경했다. "얼마나 멋진데."

터너는 코웃음을 치고는 휘파람을 불기 시작했다.

대회는 이틀 동안 열렸다. 첫째 날에는 백인 캠퍼스와 흑인 캠퍼스에서 결승 진출자가 가려졌다. 지난 두 달 동안 체육관에는 훈련용 링 세 개가 서 있었지만, 지금은 중앙의 링 하나만 남아 있었다. 쌀쌀한 날씨였지만, 체육관 안은 눅눅했다. 시내에서 온 백인 남자들이 링과 가장 가까운 접의자를 차지했고, 그다음에는 학교 직원이 앉았다. 그다음에는 학생들이 객석에 앉거나 체육관 바닥에 주저앉아 있었다. 잿빛

팔꿈치가 서로 맞닿을 정도로 간격이 빽빽했다. 학교의 인종분리정책은 여기 체육관에서도 저절로 실현되었기 때문에, 백인과 흑인 아이들은 각각 체육관 남쪽과 북쪽을 차지했다. 경계선에서는 양쪽 아이들이 서로를 밀어댔다.

하디 교장이 사회를 맡았다. 그가 행정동에 있는 자신의 사무실에서 나오는 것은 아주 드문 일이었다. 터너도 핼러윈 때 이후로 그를 처음 보았다. 핼러윈 때 하디는 드라큘라로 분장하고 땀에 젖은 손으로 나이가 어린 학생들에게 옥수수 모양 사탕을 한 움큼씩 나눠주었다. 키가 작은 몸에 양복을 입은 그의 대머리가 구름처럼 주위를 메운 흰머리들 위로 둥둥 떠 있는 듯했다. 하디와 함께 온 그의 아내는 건강한 미인이라서, 그녀가 한 번씩 학교에 올 때마다 학생들이 일거수일투족을 놓치지 않았다. 물론 무모하게 눈을 놀렸다가는 규정상 반드시 구타를 당하게 되어 있기 때문에 몰래 바라볼 뿐이었다. 하디의 부인은 미스 사우스 루이지애나였다고 했다. 그녀는 종이부채로 목의 열기를 식혔다.

하디 부부는 이사들과 함께 맨 앞줄의 특별한 자리에 즐거이 앉아 있었다. 터너는 이사들 대부분의 집에 가서 마당을 쓸어주거나 햄을 배달해준 적이 있기 때문에 그들의 얼굴을 알고 있었다. 옷 위로 분홍색 목이 솟아오른 부분, 1인치쯤 되는 그곳이 바로 공격에 취약한 부분이었다.

하퍼는 직원들과 함께 VIP석 뒷줄에 앉았다. 다른 직원들이 옆에 있기 때문인지 평소처럼 빽들거리는 모습이 아니었다. 터너는 관리인이나 감독관이 나타나면 하퍼의 표정과 자세가 찰칵 하고 스위치를 누른 것처럼 바뀌는 모습을 아주 많이 보았다. 순식간에 변장을 벗어버리는 것 같았다. 아니, 변장용 마스크를 새로 쓰는 것 같기도 했다.

하디가 몇 마디 연설을 했다. 그가 이사장인 찰스 그레이슨 씨(오랫동안 니클을 후원한 은행장)가 돌아오는 금요일에 예순 살이 된다면서 학생들에게 생일 축하 노래를 부르게 하자 그레이슨 씨는 일어서서 독재자처럼 뒷짐을 지고 고개를 살짝 끄덕여주었다.

백인 기숙사 대표들의 경기가 먼저였다. 빅 쳇은 로프를 비집고 링으로 들어와 한가운데로 가볍게 뛰어갔다. 그의 응원단이 미쳐 날뛰었다. 한 군단은 되는 것 같았다. 백인 아이들은 흑인 아이들만큼 형편이 나쁘지 않았지만, 그래도 니클에 왔다는 것은 세상의 관심을 별로 받지 못했다는 뜻이었다. 빅 쳇은 그들에게 '위대한 백인의 희망'을 상징하는 존재였다. 소문에 따르면, 몽유병이 있는 그가 밤에 잠든 채로 돌아다니다가 화장실 벽에 주먹으로 구멍을 뚫어놓았다고 했다. 아침에 그는 피투성이가 된 손마디를 입으로 빨고 있었다. "새끼가 꼭 프랑켄슈타인처럼 생겼네." 터너가 말했다. 사각형 머리와 힘없이 늘어진 긴 팔이 꼭 그랬다.

3회전으로 치러진 첫 번째 경기는 보잘것없었다. 원래 인쇄소 관리일을 하는 심판은 빅 쳇의 손을 들어주었고 아무도 반발하지 않았다. 심판은 옛날에 어떤 아이의 뺨을 때린 뒤로 침착한 사람이라는 평판을 얻었다. 그 아이는 심판이 끼고 있던 대학 남학생회 반지 때문에 반쯤 눈이 멀고 말았으나, 그 뒤로 심판은 구세주에게 무릎을 꿇었기 때문에 아내를 제외한 누구에게도 두 번 다시 분노를 이기지 못해 손을 드는 일이 없었다. 백인 기숙사의 두 번째 경기는 시작하자마자 어퍼컷이 휙 소리가 날 정도로 공기를 갈랐다. 빅 쳇의 상대는 그 소리에 어린 시절의 두려움을 떠올리고, 경기 내내 토끼처럼 잽싸게 도망만 다녔다. 심판의 판정이 내려지자 빅 쳇은 입 속을 손으로 더듬다가 두 조각으로 부러진 마우스피스를 뱉어내고 그 두꺼운 양팔을 허공으로 치켜들었다.

"저 놈이 그리프를 잡을 수 있을 것 같은데." 엘우드가 말했다.

"그럴지도 모르지. 그래도 그 사람들은 확실히 하고 싶었을 거야." 사람들을 마음대로 부릴 수 있는 힘이 있는데도 행사하지 않는다면, 그런 힘을 갖고 있는 의미가 없지 않은가.

루스벨트와 링컨에서 올라온 챔피언들과 그리프의 한판 승부는 금방 끝났다. 루스벨트의 대표인 페티본은 그리프보다 1피트쯤 키가 작았기 때문에 누가 봐도 상대가 되지 않을 것 같았지만, 그래도 루스벨트에서 여러 상대를 이기고 올라온 녀석이었다. 공이 울리자 그리프가 재빨리 튀어나와 사냥감의 몸에 연달아 퍽퍽퍽 주먹을 먹여 굴욕을 주었다. 관중도 움찔할 정도였다. "저녁 식사로 저놈 갈비를 먹을 생각이야 뭐야!" 터너의 뒤쪽에서 누군가가 소리쳤다. 휘청거리던 페티본이 꿈처럼 허공으로 떠올랐다가 더러운 링 바닥에 입이라도 맞출 것처럼 털썩 쓰러지자 하디 부인이 비명을 질렀다.

두 번째 경기는 그렇게까지 일방적이지는 않았다. 그리프는 링컨에서 올라온 윌슨을 3라운드 내내 싸구려 고깃덩어리처럼 두드려댔지만, 윌슨은 아버지에게 자신의 가치를 증명하려는 듯 끝내 쓰러지지 않았다. 윌슨은 사실상 두 개의 경기를 동시에 치르고 있었다. 하나는 모두가 보고 있는 그 경기였고, 다른 하나는 오로지 윌슨 자신만 볼 수 있었다. 아버지는 이미 몇 년 전에 세상을 떠났기 때문에 맏아들에 대해 새로운 평가를 내려줄 수 없었지만, 그날 밤 윌슨은 오랜만에 처음으로 악몽 없는 잠을 이룰 수 있었다. 심판은 염려가 깃든 미소를 지으며 그리프의 승리를 선언했다.

터너는 체육관 안을 둘러보며 내기에 돈을 건 사람들과 학생들의 표정을 확인했다. 경기를 조작하겠다고 나섰다면 놈들에게 제대로 맛을 보여주어야 했다. 옛날 탬파에 살 때, 에버렛 일가의 집에서 몇 블록 떨어진 담배 가게 앞에서 거리의 사기꾼이 '레이디를 찾아라' 게임(엎어 놓은 카드 석 장 중에서 퀸을 찾아내는 도박)을 벌였다. 그는 마분지 상자 위에서 카드를 이리저리 움직이며 하루 종일 사람들의 돈을 빼앗아갔다. 그의 손가락에서는 반지들이 햇빛을 받아 번쩍거리며 소리를 질러댔다. 터너는 근처에서 그 쇼를 구경하는 것이 좋았다. 사기꾼의 눈동자 움직임을 좇고, 하트의 퀸을 찾아내려는 손님의 눈동자 움직임도 좋았다. 그러다 카드를 뒤집은 손님이 자신의 솜씨가 생각만큼 좋지 않았음을 깨닫고 표정을 무너뜨리던 그 광경이라니. 사기꾼은 터너에게 꺼지라고 말했지만, 몇 주가 흐른 뒤에는 자기도 지루해졌는지 옆에서 어른거리는 터너를 내버려두었다. "사람들이 스스로 상황을 잘 안다고 생각하게 만드는 거야." 어느 날 그가 터너에게 말했다. "자기 눈으로 직접 보고 있다는 사실에 정신이 팔려서 더 큰 그림을 못 보게 되는 거지." 그가 경찰에 잡혀간 뒤에도 그의 마분지 상자는 그 골목에 몇 주 동안이나 그대로 놓여 있었다.

내일 결전을 치를 상대가 정해진 뒤, 터너의 생각은 다시 그 길거리로 돌아갔다. 사기꾼도 손님도 아닌 외부인이지만 게임의 모든 규칙을 아는 상태에서 '레이디를 찾아라'를 구경하던 그때로. 내일 저녁이면 백인들은 돈을 걸고 흑인 아이들은 희망을 걸 것이다. 하지만 결국은 사기꾼이 패를 뒤집고 돈과 희망을 모두 쓸어가겠지. 터너는 2년 전 액설이 경기에 나섰을 때의 들뜬 분위기를 떠올렸다. 당시 그들은 자기들도 모처럼 뭔가를 손에 넣을 수 있게 되었음을 깨닫고 미친 듯이 기뻐했다. 그렇게 몇 시간 동안 자유세계에 온 듯 행복한 시간을 보내다가 다시 니클의 현실로 돌아왔다.

멍청한 놈들.

그리프가 대망의 경기에 나서는 날 아침에 흑인 아이들은 밤잠을 잘 이루지 못해 억지로 졸린 눈을 떴다. 식당에서는 그리프가 얼마나 굉장한 승리를 거둘지 모두들 재잘거렸다. 그 백인 녀석은 우리 할머니처럼 이가 다 빠져버릴 거야. 돌팔이 의사한테서 아스피린을 한 양동이쯤 받아먹어도 두통이 가시지 않을걸. KKK가 일주일 내내 두건을 쓴 채로 울어댈 거야. 흑인 아이들은 수업 시간에도 입에 거품을 물고 갖가지 추측을 내놓으면서 허공을 멍하니 바라보았다. 고구마밭에서는 일손을 놓았다. 흑인 챔피언이 탄생한다는 생각 때문이었다. 모처럼 흑인이 승리를 거두고, 그동안 우리를 짓밟던 놈들이 눈앞에 별을 보며 먼지처럼 사라질 것이라는 생각.

그리프는 흑인 공작처럼 우쭐거렸고, 뻥아리 한 무리가 그의 뒤를 따랐다. 나이가 어린 아이들은 각자 자신의 적을 상상하며 허공에 주먹을 날리고, 새로운 영웅을 찬양하는 노래를 지어 불렀다. 그리프는 일주일 동안 링 밖에서는 전혀 주먹을 휘두르지 않았다. 마치 성경책에 대고 맹세를 하기라도 한 것 같았다. 그래서 블랙 마이크와 로니도 합심해서 성질을 참았다. 어느 모로 보나, 그리프는 스펜서의 명령에 신경을 쓰지 않는 것 같았다. 엘우드의 눈에는 그렇게 보였다. "잊어버린 것 같아." 엘우드는 아침 식사를 마친 뒤 터너와 함께 창고로 걸어가면서 이렇게 속삭였다.

"주위에서 이렇게 떠받들어준다면 나라도 그 분위기를 즐기겠다." 터너가 말했다. 다음 날이면 이 모든 일이 없었던 것처럼 일상으로 돌아갈 것이다. 그는 그 대망의 경기 다음 날 오후의 액셜을 떠올렸다. 그는 다시 우울하고 왜소한 모습으로 돌아가 시멘트를 휘젓고 있었다. "나를 미워하고 두려워하던 멍청이들이 언제 또 나를 이렇게 해리 벨라폰테처럼 떠받들어주겠어?"

"아니면 진짜 잊었을 수도 있지." 엘우드가 말했다.

그날 저녁 아이들은 줄지어 체육관으로 들어갔다. 주방에서 일하는 아이들 몇 명이 커다란 솥으로 팝콘을 튀겨내 원뿔 모양의 종이컵으로 퍼주었다. 뻥아리들은 팝콘을 우적우적 먹으면서 또 뒤로 달려가 다시 줄을 섰다. 터너, 엘우드, 제이미는 객석 중간쯤으로 함께 비집고 들어갔다. 거기가 좋은 자리였다. "야, 제이미, 넌 원래 저쪽에 앉아야 하는 것 아니냐?" 터너가 물었다.

제이미는 히죽 웃었다. "그러고 보니 어느 쪽이든 내 승리네."

터너는 팔짱을 끼고 아래쪽의 얼굴들을 훑어보았다. 스펜서가 보였다. 그는 앞줄에서 돈 많은 거물인 교장 부부와 악수를 나눈 뒤 직원들과 함께 앉았다. 자신에 찬 모습이었다. 그는 잠바에서 은색 수통을 꺼내 한 모금 마셨다. 은행장이 시가를 사람들에게 나눠주었다. 하디 부인이 하나를 받아 물자, 모두들 그녀가 연기를 내뿜는 모습을 지켜보았다. 천장의 불빛 속에서 빙글빙글 올라가는 회색 연기가 살아 있는 유령 같았다.

체육관 반대편에서는 백인 아이들이 나무 바닥을 발로 굴렀다. 천둥 같은 소리가 벽에 부딪혀 메아리쳤다. 흑인 아이들이 그들의 뒤를 따라 발을 구르자, 거대한 무리가 휘청거리며 우르르 몰려오는 듯한 소리가 체육관 안을 한 바퀴 돌았다. 아이들은 그 뒤에야 발 구르기를 멈추고 응원의 함성을 질렀다.

"놈을 장의사한테 보내버려!"

심판이 공을 울렸다. 두 선수는 키와 체격이 똑같아서, 마치 같은 돌로 깎아낸 것 같았다. 지금껏 흑인 아이들이 챔피언을 독점한 역사가 있다 해도, 오늘은 팽팽한 경기였다. 처음에는 두 아이 모두 춤을 추듯 발을 놀리거나 상대의 주먹을 피하지 않았다. 그들은 자꾸만 서로에게 파고들며 공격을 주고받고 고통을 떨쳐버렸다. 사람들은 선수들이 엎치락뒤치락할 때마다 소리를 질러대고 야유를 퍼부었다. 블랙 마이크와 로니는 로프에 매달려 빅 쳇을 향해 배설물과 관련된 욕설을 쏟아내다가 심판에게 쫓겨났다. 그리프가 혹시 실수로 빅 쳇을 케이오시킬까 봐 겁을 냈는지는 몰라도, 겉으로는 전혀 내색하지 않았다. 거인 같은 흑인 소년은 백인 소년을 무자비하게 두들겨대며 상대의 반격을 몸으로 받아내고, 다시 상대의 얼굴을 때렸다. 마치 감방의 벽을 주먹으로 뚫고 나가려는 것 같았다. 피와 땀으로 앞이 보이지 않게 되었을 때도 그는 빅 쳇의 위치를 무서울 정도로 알아내서 그의 공격을 물리쳤다.

빅 쳇이 감탄스러울 정도로 공세를 펼쳤지만, 2라운드가 끝났을 때는 그리프가 분명히 승기를 잡고 있었다.

"보기 좋게 연출하는 거야." 터너가 말했다.

엘우드가 이 거짓 공연을 경멸하듯 미간에 주름을 잡자 터너는 빙긋 웃었다. 이 경기는 조작된 엉터리였다. 그가 터너에게 이야기해준 그 옛날의 접시 닦기 경주와 같았다. 이것은 흑인들을 계속 눌러두기 위한 또 다른 기계 장치였다. 터너는 친구가 새로이 선보이는 냉소적인 모습이 즐거웠다. 하지만 그런 그도 이 굉장한 싸움의 마법 같은 힘에 마음이 흔들렸다. 그들의 적이자 챔피언인 그리프가 저 백인 소년에게 고통을 주는 모습을 보니 기분이 좋아졌다. 자기도 모르게. 마지막 3라운드가 시작되었을 때, 그는 그 기분을 계속 유지하고 싶었다. 설사 거짓 경기라 해도 그들의 피와 생각은 진짜였다. 터너는 그리프가 이기지 않을 것임을 알면서도, 왠지 그가 이길 것이라는 확신이 들었다. 터너 자신도 결국 사기꾼에게 속아 넘어가는 손님이 된 셈이었지만 상관없었다.

빅 쳇이 그리프에게 다가와 잽을 연타하며 그를 코너로 몰아넣었다. 그리프가 빠져나갈 구멍이 없었다. 터너는 지금이 결정적인 순간일 것이라고 생각했지만, 그리프는 상대를 끌어안고 버텼다. 그의 보디 블로에 빅 쳇이 비틀거렸다. 이제 남은 시간이 몇 초밖에 없는데도 그리프는 물러서지 않았다. 빅 쳇이 그의 코를 퍽 때렸지만 그리프는 그것도 떨쳐버렸다. 터너가 보기에 그리프가 급격히 무너지기에 딱 좋은 순간이 올 때마다, 즉 그리프가 아무리 연기를 못한다 해도 빅 쳇의 거센 공격이 어색함을 덮어줄 것 같은 순간이 와도 그리프는 그 기회를 잡지 않았다.

터너가 엘우드의 옆구리를 찔렀다. 엘우드는 경악한 표정을 짓고 있었다. 그리프가 쓰러질 생각이 없다는 것을 두 사람 모두 알 수 있었다. 그리프는 끝까지 갈 작정이었다.

그 뒤에 무슨 일을 당하더라도.

마지막 공이 울렸을 때, 링 안의 두 소년은 서로 얽혀 있었다. 땀과 피가 번들거리는 몸으로 서로를 지탱하고 있는 모습이 인디언들의 뾰족한 천막 같았다. 심판이 둘을 떼어놓자 지친 두 소년은 넋이 나간 듯 휘청거리며 자신의 코너로 돌아갔다.

터너가 말했다. "젠장."

"혹시 그게 취소되었는지도 몰라." 엘우드가 말했다.

심판도 도박에 참여했고, 사람들이 저런 식의 결말을 내는 쪽으로 계획을 바꿨을 가능성이 분명히 있었다. 그러나 스펜서의 반응이 이 가설을 무너뜨렸다. 두 번째 줄에서 유일하게 계속 앉아 있는 스펜서는 얼굴을 잔뜩 찡그려 악의에 찬 표정을 짓고 있었다. 돈 많은 거물 한 명이 벌겋게 달아오른 얼굴로 고개를 돌려 스펜서의 팔을 움켜쥐었다.

그리프가 벌떡 일어나 링 한가운데로 무겁게 걸어가서 소리쳤다. 그러나 관중의 함성 때문에 그의 말이 들리지 않았다. 블랙 마이크와 로니가 이성을 잃은 것처럼 보이는 그리프를 제지했다. 그리프는 휘청거리며 링을 가로지르려고 했다.

심판이 모두에게 진정하라고 외친 뒤 판정 결과를 발표했다. 처음 두 라운드는 그리프의 승리, 마지막 라운드는 빅 쳇의 승리였다. 결과적으로 흑인 소년의 승리였다.

그리프는 승리를 기뻐하며 링 안에서 펄쩍펄쩍 뛰는 대신 두 친구의 손에서 빠져나와 스펜서가 앉아 있는 쪽을 향해 링을 가로질렀다. 이제 터너의 귀에도 그의 말소리가 들렸다. "저는 2라운드인 줄 알았어요! 2라운드인 줄 알았어요!" 흑인 소년들이 챔피언을 위해 환호하며 그를 루스벨트 기숙사로 데려가는 동안에도 그는 여전히 이 말을 비명처럼 외치고 있었다. 그리프가 우는 모습을 처음 본 흑인 소년들은 그가 승리의 기쁨을 못 이겨 눈물을 흘린다고 생각해버렸다.

머리를 맞으면 뇌가 흔들릴 수 있다. 그렇게 머리를 맞으면 정신이 혼란해질 수 있다. 그런 이유로 사람이 2 더하기 1의 답을 잊어버릴 줄은 터너도 짐작하지 못했다. 하지만 생각해보니 그리프는 언제나 산수를 잘하지 못했던 것 같았다.

그날 밤 그는 모든 흑인 소년을 대표해서 링 안에 혼자 서 있었다. 백인 남자들이 그를 '저 뒤'의 쇠고리로 끌고 갔을 때도 그는 모든 흑인 소년의 대표였다. 그날 밤 그들에게 끌려간 그리프는 두 번 다시 돌아오지 않았다. 그가 자존심 때문에 져주지 않았다는 소문이 퍼졌다. 그가 무릎을 꿇는 것을 거부했다는 얘기였다. 그리프가 감시를 뚫고 자유세계로 도망쳤다고 믿는 편이 아이들에게 더 좋을 것이라고 생각했는지 아무도 그가 도망치지 않았다고 말하지 않았다. 하지만 학교 측이 경보를 울리거나 개들을 풀지 않은 것이 이상하다고 지적한 사람이 몇 명 있기는 했다. 50년 뒤 플로리다 주 정부가 그의 유해를 파내서 검시했을 때, 검시관은 부러진 손목뼈를 보고 그가 죽기 전에 손목이 묶였을 것이라고 추정했다. 다른 부위의 뼈들 또한 부러진 것을 보면, 폭력 행위가 더 있었던 것으로 짐작되었다.

나무에 박힌 그 쇠고리의 이야기를 아는 사람들은 이제 대부분 세상을 떠났다. 그러나 그 쇠고리는 여전히 그 자리에 있다. 나무에 깊숙이 박혀 녹이 슨 모습으로 누구든 마음만 먹으면 볼 수 있는 증거가 되어.

10장

못된 놈들이 사슴 머리들을 부숴놓았다. 크리스마스가 지나 소년들이 부서지기 쉬운 전시물을 정리하려고 모일 때까지 전시물이 어느 정도 손상되는 것은 미리 예상할 수 있는 일이었다. 그러나 뿔이 휘어지고 다리 관절이 비틀린 것을 보니 누군가 악의를 품고 일부러 부쉈음이 분명했다.

"이것 좀 봐라." 베이커 선생이 스읍 하고 숨을 빨아들이는 소리를 내며 말했다. 니클의 교사치고 젊은 편인 그녀는 부글부글 끓어오르듯이 화를 내는 경향이 있었다. 니클에서 흑인 아이들이 사용하는 미술실의 한심한 상태, 되는 대로 갖춰진 비품, 개선을 위한 자신의 다양한 건의에 대한 조직적인 저항이라고 볼 수밖에 없는 학교의 태도 등에 대해 그녀는 항상 분노했다. 원래 젊은 교사들은 이곳에서 오래 버티지 못하고 다른 곳으로 옮겨가곤 했다. "힘들게 만들어놓은 건데."

터너는 사슴의 두개골 안에 둥글게 말아서 넣어두었던 신문지를 빼내서 주름을 폈다. 닉슨과 케네디의 첫 번째 토론에 대해 평가한 헤드라인이 보였다. '참패.' "이건 못 쓰겠는데요." 그가 말했다.

엘우드가 한 손을 들었다. "전부 새로 만들까요, 아니면 머리만 새로 만들까요, 베이커 선생님?"

"몸은 그럭저럭 쓸 만할 것 같아." 베이커 선생은 인상을 찌푸리며 자신의 빨간색 곱슬머리를 틀어 올려 고정했다. "머리만 만들면 되겠다. 몸은 털만 정리해. 그리고 내년에 처음부터 새로 만드는 거야."

인근 지역에서 오는 손님들, 조지아와 앨라배마에서 오는 학생 가족들이 매년 이 크리스마스 축제 때 줄을 이었다. 이 행사는 학교 행정 부서의 자랑이었으며, '교화'가 그저 고결한 이상에 그치지 않고 실현 가능한 계획임을 증명해서 많은 기금을 모을 수 있는 기회였다. 조금 손을 쓰고 작전을 벌이기만 하면 되었다. 색색의 전구들이 5마일(약 8km)이나 늘어선 삼목들에 매달리고, 남쪽 캠퍼스의 지붕 가장자리에도 매달렸다. 진입로 기슭에는 크레인까지 동원해서 30피트가 넘는 산타클로스를 세웠다. 미식축구장 가장자리를 따라 둥글게 달리는 소형 증기기관차 모형의 조립 방법은 엄숙한 교파의 두루마리 문서처럼 수십 년 동안 전해져 내려왔다.

작년에는 크리스마스 전시물 덕분에 10만 명이 넘는 손님들이 학교를 찾아왔다. 하디 교장은 니클 아카데미의 착한 소년들이 그 숫자를 더 늘리지 못할 이유가 없다고 강력히 주장했다.

백인 아이들은 대형 전시물, 즉 거대한 썰매와 예수 탄생 디오라마, 증기기관차가 달릴 기찻길 등의 조립을 맡았다. 색칠은 대부분 흑인 아이들의 몫이었다. 부족한 부분에 살짝 손을 대는 경우도 있고, 새로운 전시물에 색을 칠할 때도 있었다. 예전 학생들이 꼼꼼하지 못해서 저지른 예술적인 실수를 교정하고 옛날 전시물을 새로 꾸미기도 했다. 모든 기숙사의 보행로에는 3피트 높이의 지팡이 모양 사탕이 줄줄이 늘어섰는데, 모두 빨간색과 흰색을 새로 칠해줘야 했다. 거대한 포스터 크기의 크리스마스카드에는 북극의 허황된 장면들,《헨젤과 그레텔》이나《아기돼지 삼형제》처럼 인기 있는 동화 속 장면, 성경 속 이야기 등이 그려졌다. 이 카드들은 웅장한 극장의 로비를 장식하듯이 학교 안의 도로들을 따라 받침대 위에 비스듬히 세워져 있었다.

학생들은 이 시기를 아주 좋아했다. 형편없는 집이라도 집에 있을 때의 크리스마스가 생각나기 때문일 수도 있고, 일생을 통틀어 처음으로 느낀 진짜 명절 분위기 때문일 수도 있었다. 백인 흑인을 가릴 것 없이 모두 선물을 받았다. 그런 면에서는 잭슨 카운티의 인심이 후했다. 단순히 스웨터나 속옷 종류뿐만이 아니라, 야구 글러브나 장난감 병정 세트까지 선물로 나왔다. 그날 아침만은 그들도 밤이 악몽 같지 않고 조용히 흘러가는 좋은 동네에서 좋은 집에 사는 아이들 같았다.

심지어 터너도 사람 모양의 쿠키가 그려진 카드를 손보면서 빙긋 웃었다. 옛날이야기 속에 영웅으로 등장하는 이 쿠키의 구호가 생각났기 때문이다. "넌 날 못 잡아, 넌 날 못 잡아." 그렇게 살 수 있다면 좋을 텐데. 하지만 이 이야기의 끝이 어땠는지는 기억나지 않았다.

베이커 선생에게 카드를 가져가서 합격 판정을 받은 그는 종이 반죽으로 만든 기차역 옆에서 제이미, 엘우드, 데즈먼드와 합류했다.

데즈먼드가 속삭였다. "제이미가 얼레."

재료를 찾아낸 사람은 데즈먼드지만, 계획을 생각해낸 것은 제이미였다. 이제 막 개척자 단계에 올라선 녀석이 그런 제안을 하다니 뜻밖이었다. 여기서 나갈 날이 멀지 않았다는 뜻인데. 제이미는 엘우드처럼 탤러해시에서 자랐지만, 서로 아는 지역 중에 겹치는 곳이 없었다. 동네도 다르고, 도시도 달랐다. 그가 듣기로 아버지는 항상 허튼소리만 늘어놓다가 가끔 인근을 돌아다니며 진공청소기를 판매하는 사람이었다고 했다. 그는 플로리다주 북서부를 돌아다니며 집집마다 문을 두드렸다. 그가 어떻게 제이미의 어머니를 만났는지는 확실하지 않았지만, 제이미는 어쨌든 그 두 사람이 만났다는 증거였다. 또 다른 증거로는 두 사람이 수시로 이사를 다니면서 줄곧 끌고 다닌 진공청소기가 있었다.

제이미의 어머니 엘리는 올세인츠의 사우스 먼로에 있는 코카콜라 병입 공장의 청소부였다. 제이미는 친구들과 함께 인근의 철도 조차장을 휩쓸고 다녔다. 크랩스(주사위 두 개로 하는 노름)도 하고, 닳아빠진 〈플레이보이〉를 서로 돌려보기도 했다. 그는 착한 아이였다. 학교에 부지런히 출석하는 아이는 아니었지만, 조차장 사건만 아니었다면 니클에 올 일이 없었을 것이다. 조차장에 자주 출몰하던 주정뱅이 영감이 어느 날 제이미 친구의 바지 속에 불쑥 손을 집어넣었다. 아이들은 그를 흠씬 두들겨 팼고, 제이미만 경찰보다 빨리 달리지 못해 체포되었다.

니클에 있는 동안 그는 아이들이 휘말리기 쉬운 사소한 다툼을 피해 다녔다. 아이들은 심리적으로 서로 지지 않으려고 수도 없이 싸움을 벌였다. 제이미는 계속 기숙사가 바뀌는 와중에도 조용히 행동하면서 니클 안내서의 규율을 지켰다. 직원들이 항상 안내서를 입에 담는데도 그 책을 실제로 본 사람이 없다는 점을 감안하면, 기적적인 일이었다. 정의와 마찬가지로 그 안내서도 이론적으로만 존재했다.

감독관의 잔에 약을 타는 것은 평소 그의 성격과 어울리지 않는 일이었다.

그런데도 그는 '얼'이라고 말했다.

데즈먼드는 고구마밭에서 일하는 것에 아무 불만이 없었다. 수확할 때가 되면 고구마에서 나는 냄새가 좋았다. 흙냄새가 섞인 따뜻한 냄새였다. 일을 마치고 집으로 돌아와 데즈먼드가 잘 자고 있는지 확인하던 아버지의 땀 냄새와 비슷했다.

지난주에 데즈먼드는 헛간 수리를 맡은 팀에 속해 있었다. 트랙터를 보관하는 커다란 회색 헛간이었다. 전등 절반이 나가버렸고, 귀뚜라미들이 곳곳에 진을 치고 있었다. 한쪽 구석 천장에는 거미줄이 가득했다. 데즈먼드는 아래로 무엇이 쏟아질지 경계하면서 하얀 거미줄을 빗자루로 찔렀다. 그러다 거기에 깡통들이 느슨하게 쌓여 있는 것을 발견하고 다른 곳에 정리해두었다. 하지만 초록색 깡통 하나는 너무 낡아서 겉에 적힌 글자를 읽을 수 없었다. 흔들어 보았더니 완전히 단단하게 굳어 있는 느낌이 났다. 이걸 어떻게 하면 좋겠느냐고 나이 많은 소년에게 물어보자, 그는 여기에 있으면 안 되는 물건이라고 말했다. "그거 말한테 쓰는 약이야. 먹으면 안 되는 걸 먹었을 때 토하게 만드는 약." 옛날 마구간이 근처에 있었다. 아마 마구간을 폐쇄할 때 이 깡통이 이 헛간으로 흘러들어 온 모양이었다. 니클에서는 대개 물건들이 원래 있어야 하는 자리로 흘러갔지만, 게으르거나 짓궂은 녀석들이 명령을 어길 때가 가끔 있었다.

데즈먼드는 잠바 안에 약을 감춰 클리블랜드로 가져갔다.

누군가가(일이 모두 끝난 뒤 그가 누군지 아무도 기억하지 못했다) 그 약을 직원의 잔에 넣자고 말했다. 그럴 것이 아니라면 데즈먼드가 굳이 그걸 가져온 이유가 무엇인가? 여기에 반대하는 주장을 차분히 반박해서 계획을 현실로 만든 사람은 바로 제이미였다. "이 약을 누구한테 줄까?" 제이미가 과장된 태도로 친구들에게 차례로 물었다. 원래 제이미는 손찌검부터 날리고 보는 삼촌 때문에 질문을 던질 때 말을 더듬는 증세가 있었지만, 그날은 그런 증세가 나타나지 않았다.

데즈먼드가 패트릭을 지목했다. 자다가 침대에 오줌을 쌌다는 이유로 그를 구타하고, 한밤중에 더러워진 매트리스를 세탁실까지 끌고 가게 시킨 관리인이었다. "그 시팔 놈이 아주 창자까지 다 토하는 꼴을 보면 좋겠어."

그들은 방과 후 클리블랜드의 휴게실에서 이 이야기를 나눴다. 주위에는 아무도 없었다. 가끔 운동장에서 환성이 들려올 뿐이었다. '이 약을 누구한테 줄까?' 엘우드는 이 질문에 더긴의 이름을 댔다. 그가 더긴과 한바탕한 것은 아무도 모르는 사실이었다. 살집이 있는 백인 감독관인 더긴은 황소 같은 눈을 졸린 사람처럼 뜨고 쿵쿵 돌아다녔다. 길에서 물웅덩이나 움푹 팬 곳을 갑자기 만날 때처럼 그도 느닷없이 아이들 앞에 불쑥 나타나곤 했다. 그리고 크고 두툼한 손을 생각보다 재빨리 놀려서 어깨뼈를 뽑아버릴 듯이 잡아당기거나 비쩍 마른 목을 올가미처럼 움켜쥐었다. 엘우드는 병동에 있을 때 만난 적이 있는 백인 학생과 이야기했다는 이유로 더긴이 자신의 배를 때렸다고 아이들에게 말했다. 백인과 흑인 두 캠퍼스 아이들이 서로 친하게 어울리는 것을 학교는 반가워하지 않았다. 아이들은 말이 된다는 듯 고개를 끄덕였지만, 사실 그가 그 약을 주고 싶은 사람은 바로 스펜서라는 것을 모두 알고 있었다. 스펜서가 그의 다리를 그렇게 만들었으니까. 그러나 이런 백일몽을 꾸면서도 아이들은 감히 스펜서의 이름을 입에 담지 못했다. 다른 데서도 말해봤자 입만 아플 뿐이었다.

"난 웨인라이트한테 주고 싶어." 터너가 말했다. 그는 처음 니클에 왔을 때 담배를 피우다가 웨인라이트한테 걸린 적이 있다고 말했다. 웨인라이트가 머리를 어찌나 세게 때렸는지 뺨에 혹이 생길 정도였다. 웨인라이트는 피부색이 밝은 편이었지만, 흑인 아이들은 그의 머리카락과 코를 보고 그에게 흑인 피가 섞여 있다고 확신했다. 웨인라이트는 스스로 모르는 척하는 이 사실을 알고 있다는 이유로 흑인 아이들을 구타했다. "그때 나는 엘우드 너보다도 더 신참이었어." 그 뒤로 그는 담배를 피우다가 누구에게도 걸린 적이 없었다.

이제는 제이미의 차례였다. 그는 간단히 "얼"이라고만 말했을 뿐 자세한 설명은 하지 않았다.

왜?

"놈이 알아."

여러 날이 흐르는 동안 그들은 체커를 두고 탁구를 치면서 계획을 정리했다. 누군가가 괴롭힘을 당하는 모습을 보거나 자기들이 누군가에게 언어맞은 기억이 문득 떠오를 때마다 과녁이 바뀌었다. 하지만 줄곧 사라지지 않는 이름이 하나 있었다. 얼. 엘우드는 어느 날 자기 차례가 되었을 때 더긴을 포기하고 얼의 이름을 말했다. 엘우드가 화이트하우스로 끌려간 날 얼이 그를 때리지는 않았지만, 그는 스펜서 본인이 아니면서 스펜서와 상당히 가까운 위치에 있었다.

엘우드는 "명절 오찬이 뭐야?"라는 질문을 던졌을 때 이미 답을 알고 있었는지도 모른다.

'명절 오찬'은 기숙사 현관의 커다란 달력에 적혀 있는 말이었다. 데즈먼드는 그것이 학생이 아니라 직원들을 위한 행사라고 말했다. 북쪽 캠퍼스에서 또 한 해 열심히 일한 것을 축하하는 의미로 식당에서 근사한 식사를 한다는 것이었다.

"자기들이 먹을 좋은 쇠고기를 구하려고 고기 보관창고를 습격하지." 터너가 말했다. 아이들은 이때 좋은 점수를 받기 위해서 웨이터가 되겠다고 자원했다.

데즈먼드가 말했다. "그때가 좋겠다." 무엇에 좋은지는 굳이 말하지 않았다.

제이미는 역시 똑같은 답을 내놓았다. "얼."

얼은 때에 따라 남쪽 캠퍼스에서 일하기도 하고, 북쪽 캠퍼스에서 일하기도 했다. 일반적인 경우라면 과연 제이미와 얼 사이에 무슨 원한이 있는지 그들도 소문으로 알 수 있었겠지만, 둘 다 백인 기숙사와 흑인 기숙사를 오갔기 때문에 백인 기숙사에서 무슨 일이 있었는지는 알 길이 없었다. 아마 얼이 더럽고 야한 짓을 했거나, 제이미가 건방지게 말대답을 했거나, 백인 아이들이 누명을 씌웠을 것이다. 얼은 수송부에서 술자리가 벌어질 때마다 빠지지 않았다. 밤에 수송부 쪽에 불이 켜지고 시끌벅적한 소리가 들려오면, 학생들은 오늘은 저놈들에게 얻어맞거나 으슥한 길로 끌려가 강제로 데이트를 하지 않게 해달라고 기도했다. 하지만 결말이 좋지 않을 때가 많았다.

오래된 초록색 깡통 속의 이상한 약. 아이들은 스스로 정의를 위해 하는 일이라는 주문을 걸었다. 정의 또는 복수. 자기들이 정말로 실행할 생각으로 내내 계획을 짰다는 사실을 아무도 인정하려 하지 않았다. 크리스마스가 점점 가까워지자 아이들은 계속 그 이야기를 다시 꺼내면서 아이디어를 주고받았다. 그래서 각자 그 계획의 무게와 결과를 생각해보게 되었다. 추상적인 아이디어가 점차 실체를 갖춰가면서 어떻게, 언제, 만약에로 시작하는 의문들이 많아졌다. 데즈먼드, 터너, 제이미는 자기도 모르는 사이에 엘우드를 더 이상 끼워주지 않게 되었다. 이 장난이 그의 도덕적 양심에 어긋나는 것이었기 때문이다. 마틴 루서 킹 목사가 오벌 포버스 주지사에게 잿물을 2온스쯤 먹이는 모습은 상상하기 힘들었다. 게다가 엘우드는 화이트하우스에서 매질을 당해 다리뿐만 아니라 온몸에 흉터를 얻었다. 마음에도 깊은 흔적이 남았기 때문에 스펜서가 나타나면 그는 움찔 놀라서 어깨를 움츠렸다. 현실을 깨달은 뒤 그는 복수에 대해 이야기하는 것도 잘 견디지 못했다.

그러다 계획이 무산되고 아이들은 더 이상 그 일을 입에 담지 않게 되었다. "우리를 땅에 묻어버릴 거야." 제이미가 또다시 그걸 누구에게 주고 싶으냐고 묻기 시작하자 데즈먼드가 이렇게 말했다.

"조심하면 되지." 제이미가 말했다.

"난 가서 농구나 해야겠다." 데즈먼드는 밖으로 나가버렸다.

터너는 한숨을 내쉬었다. 이 놀이도 이제 지루해졌음을 인정할 수밖에 없었다. 자기들을 괴롭히던 사람이 명절 만찬 때 맛있는 음식들 위로 잔뜩 속을 게워내고 다른 백인들에게도 더러운 토사물을 흩뿌리는 모습을 상상하는 것이 한동안은 재미있었다. 바지에 똥을 지리고, 너무 아파서 얼굴이 딸기처럼 새빨갛게 달아오른 채로 숨을 몰아쉬다가 나중에는 음식이 아니라 시커먼 피를 토해낼 것이다. 이 즐거운 상상이 그들에게는 새로운 약이었다. 그러나 그 일을 실행하지 못할 것이라는 사실이 재미를 망쳐버렸다. 터너가 일어서자 제이미가 고개를 저으며 그와 함께 농구장으로 향했다.

명절 만찬이 열리는 금요일에 지역봉사부는 밖에 배달을 나갔다. 싸구려 잡화점에서 일을 마친 뒤 하퍼가 볼일이 있다고 말했다. "내가 금방 쌩 하니 다녀올게. 너희는 여기서 기다려."

승합차가 사라졌다. 터너와 엘우드는 지저분한 골목을 걸어 대로로 나갔다. 전에도 하퍼는 학교 이사의 집에서 일하는 두 사람만 두고 자리를 비운 적이 있었다. 메인 스트리트에서는 그러는 법이 없었다. 뒷골목에 나와 돌아다니게 된 지 두 달이 지났는데도 엘우드는 믿을 수가 없었다. "돌아다녀도 돼?" 그가 터너에게 물었다.

"소란을 피우면 안 되지만 그건 되지." 터너는 이미 여러 번 이런 일을 겪은 사람처럼 굴었다.

메인 스트리트에서 니클의 학생들을 보는 것이 드문 일은 아니었다. 학생들은 정부가 나눠준 데님 제복 차림으로 회색 스쿨버스를 타고 와서 지역봉사를 했다. 터너와 엘우드처럼 특별한 봉사를 하는 것이 아니라, 독립기념일 불꽃놀이나 창립 기념일 퍼레이드가 끝난 뒤 공원의 쓰레기를 치우는 진짜 지역봉사였다. 계절마다 한 번씩 성가대가 침례교회에 가서 아름다운 목소리를 뽐내기도 했다. 그러면 하디 교장의 비서들이 기부금을 받기 위해 봉투를 돌렸다. 감독관이 아이 하나를 데리고 볼일을 보러 시내로 나갈 때도 있었다. 그러나 감독관 없이 흑인 아이 둘만 있는 것은 보기 드문 광경이었다. 마침 점심시간이었다. 엘리너의 백인들은 저 두 아이가 왜 여기에 나와 있는지 추측해보았다. 아이들이 뭔가 나쁜 짓을 꾸미거나 겁을 먹은 것 같지는 않았다. 근처 철물점에 감독관이 들어간 모양이었다. 철물점 주인인 본템스 씨는 검둥이를 싫어해서 안에 들어오지 못하게 했다. 백인들은 계속 가던 길을 갔다. 저 두 아이에게 자기들이 신경 쓸 필요가 없었다.

싸구려 잡화점의 진열창에는 태엽을 감는 로봇이나 공기총이나 색칠한 기차 같은 크리스마스 선물용 장난감이 가득했다. 아이들은 꼬마들이나 갖고 노는 물건이라는 것을 알면서도 여전히 마음이 들뜨는 것을 잘 감출 줄 알았다. 그들은 은행 앞을 재빨리 지나갔다. 거기서 이사들이 나타날 것 같았다. 아니면 감화원 명령서 같은 서류에 서명할 권한이 있는 백인들이라도 나타날 것 같았다.

"이렇게 나와 있으니까 기분이 이상하다." 엘우드가 말했다.

"괜찮아." 터너가 말했다.

"우릴 감시하는 사람이 없어."

길에는 사람이 없었다. 도로에도 잠시 차가 끊어진 상태였다. 터너는 주위를 둘러보며 빙긋 웃었다. 엘우드가 무슨 생각을 하는지 알 것 같았다. "대부분 도망치면 늪에 뛰어들 거라고 말해." 터너가 말했다. "개들이 쫓아오지 못하게 몸에서 냄새를 씻어낸 다음 안전해질 때까지 기다렸다가 지나가는 차를 얻어 타고 어디론가 간다는 거지. 서쪽이든 북쪽이든. 하지만 그러면 금방 잡혀. 다들 늪으로 도망치거든. 게다가 냄새를 씻어내는 건 영화에서나 가능한 일이야."

"너라면 어떻게 할 거야?"

터너는 머릿속으로 도망칠 생각을 이미 몇 번이나 해보았지만 다른 사람에게 말한 적은 한 번도 없었다. "늪이 아니라 여기 자유세계로 나와야지. 남의 집 빨랫줄에서 옷을 훔쳐 입고 남쪽으로 가는 거야. 북쪽이 아니라. 내가 그럴 줄 놈들은 예상하지 못할 테니까. 아까 배달할 때 지나친 빈 집 있지? 톨리버 씨의 집이야. 항상 일 때문에 수도에 가 있어서 그 집에 사람이 없어. 거기 들어가서 먹을 것이랑 필요한 물건을 챙기고 개들을 피해서 최대한 멀리 가는 거지. 개들이 지쳐 떨어질 때까지. 놈들이 예상하는 행동을 하지 않는 게 요령이야." 그 순간 그는 가장 중요한 부분을 문득 떠올렸다. "그리고 아무도 데려가면 안 돼. 그 멍청이들은 절대 안 돼. 걸리적거리기만 하니까."

천천히 걷다 보니 약국 앞이었다. 진열창 뒤에서 금발 여자가 유모차를 향해 몸을 굽히고 숟가락으로 아이스크림을 떠서 아기에게 먹이고 있었다. 아기는 온 얼굴에 지저분하게 초콜릿을 묻히고서 큰 소리로 행복하게 옹알이를 했다.

"너 돈 좀 있어?" 터너가 말했다.

"너보다는 많지." 엘우드가 말했다.

돈은 한 푼도 없었다. 게다가 이 잡화점이 흑인을 손님으로 받지 않는다는 사실을 알기 때문에 두 사람은 그냥 웃어버렸다. 가끔은 웃음이 인종을 갈라놓은 높고 넓은 벽에서 벽돌 몇 개를 떨어뜨리기도 했다. 하지만 그들은 아이스크림을 먹고 싶은 생각이 전혀 없었기 때문에도 웃음을 터뜨렸다.

엘우드가 아이스크림을 싫어할 만도 했다. 아이스크림 공장에서 그런 일을 겪었으니까. 터너는 열한 살 때 이모의 집으로 들어와 같이 살기 시작한 이모의 애인 때문에 아이스크림을 싫어했다. 이모 메이비스는 그의 유일한 친척이었다. 플로리다주는 그녀의 존재를 몰랐기 때문에 서류에서 그녀의 이름이 들어가야 할 자리가 빈칸으로 남아 있었지만, 터너는 한동안 그녀의 집에서 살았다. 터너의 아버지 클래런스는 좀 두서없는 사람이었다. 터너의 기억 속에서 아버지는 곧 커다란 갈색 손 두 개와 가래가 긁히는 것처럼 쿡쿡 웃는 소리를 의미했다. 바람에 낙엽이 휙 날아가는 소리가 들리면 그는 그 웃음소리를 떠올렸다. 니클의 아이들이 수십 년의 세월이 흐른 뒤에도 가죽끈이 휙 휘둘러지는 소리를 들으면 화이트하우스를 떠올린 것과 같았다.

터너가 아버지를 마지막으로 본 것은 세 살 때였다. 그 뒤로 아버지는 그냥 바람 같은 존재였다. 어머니 도러시는 좀 더 오래 머물렀다. 자신의 토사물에 사레가 들려 숨이 막힐 때까지. 그녀는 속을 버리는 싸구려 술을 좋아했다. 싸구려일수록 더 좋아했다. 그녀는 어느 날 그런 술을 마시다가 숨이 막혀 거실 소파에서 몸을 뒤틀며 괴로워한 끝에 파랗게 질린 차가운 시체가 되었다. 지금은 성 서배스천 공동묘지에서 땅속 6피트 깊이에 묻혀 있었다. 그 사실을 알고 있다는 것이 그가 고결한 친구 엘우드보다 나은 점이었다. 엘우드의 어머니와 아버지는 서부로 가버린 뒤 엽서 한 장 보낸 적이 없었다. 한밤중에 아이를 버리고 가버리는 어머니가 어디 있는가. 아이가 어떻게 되든 내 알 바 아니라는 듯이. 터너는 만약 언젠가 엘우드와 진심으로 싸움을 벌이는 날이 오면 그에게 날릴 반칙 중 하나로 이 사실을 간직해두었다. 터너는 어머니가 자신을 사랑했다는 확신이 있었다. 아들보다 술을 더 좋아한 것이 문제였을 뿐이다.

메이비스 이모는 터너를 데려가서 좋은 옷을 입혀 학교에 보내고 끼니를 챙겨주었다. 매달 마지막 주 토요일에는 빨간색 원피스를 입고 목에 향수를 뿌린 뒤 여자 친구들과 외출했지만, 그 외에는 병원에서 간호사로 일하는 일상과 터너만이 그녀의 전부였다. 그녀는 누구에게서도 예쁘다는 소리를 들어본 적이 없었다. 눈은 까맣고 작았으며, 턱은 만들다 만 것 같았다. 그래서 이스마엘이 호감을 보이자 그녀는 순식간에 빠져들었다. 이스마엘은 그녀에게 예쁘다고 해주었을 뿐만 아니라, 그녀가 한 번도 들어보지 못한 다른 찬사도 많이 들려주었다. 휴스턴 공항의 관리부 직원인 그는 아무리 열심히 씻어도 몸에 속속들이 배어 있는 공장 냄새를 제거할 수 없었지만, 꽃을 들고 올 때는 꽃 냄새로 그 냄새를 거의 가릴 수 있었다.

이스마엘은 배터리처럼 폭력성을 차곡차곡 저장해서 은근히 무서운 남자였다. 터너는 그때부터 이런 남자들을 알아보는 눈이 생겼다. 메이비스는 이스마엘을 생각하며 환한 얼굴로 뮤지컬 영화의 노래들을 흥얼거리곤 했다. 잡음이 많은 트랜지스터라디오를 틀어놓고 화장실에 틀어박혀 뜨거운 빗으로 머리를 손질할 때도 있었다. 그녀의 노래는 음정이 잘 맞지 않았다. 언젠가 이모가 2주 내내 선글라스를 쓴 이유가 무엇인지, 가끔 정오가 지날 때까지 방에 틀어박혀 있다가 작은 신음 소리를 내며 절룩절룩 밖으로 나온 이유가 무엇인지 터너는 한 번도 생각해보지 않았다.

이스마엘의 주먹 앞에서 터너가 제 몸으로 이모를 가리고 섰던 다음 날 이스마엘은 그를 데리고 나가 아이스크림을 사주었다. 마켓 거리에 있는 A. J. 스미스의 가게였다. "여기 이 아이에게 가장 큰 아이스크림선디를 줘요." 아이스크림을 한 입씩 먹을 때마다 입에 양말을 문 것 같았다. 그는 비참한 기분을 느끼면서도 아이스크림을 남김없이 먹어치웠다. 그리고 그때부터 어른들은 나쁜 짓을 한 뒤 그걸 잊게 만들려고 항상 아이들에게 뇌물을 준다고 생각하게 되었다. 이모의 집에서 마지막으로 도망칠 때도 그 사실을 깨달았을 때의 그 맛이 입 안에 남아 있었다.

니클은 한 달에 한 번씩 학생들에게 바닐라아이스크림을 주었다. 아이들은 돼지우리 속의 멍청한 새끼돼지들처럼 꽥꽥거리며 좋아했지만, 터너는 그 아이들을 전부 주먹으로 때려눕히고 싶었다. 매달 세 번째 수요일에 터너와 엘우드는 북쪽 캠퍼스 아이들에게 돌아가야 할 아이스크림 중 대부분을 들고 엘리너 약국 뒷문으로 들어가 내려놓았다. 터너는 자신이 아이들을 이 아이스크림으로부터 구해주는 것 같았다.

금발의 부인이 문을 향해 유모차를 밀고 다가오자 엘우드는 문을 열어주었다. 부인은 아무 말도 하지 않았다.

하퍼가 차를 세우고, 앞좌석에 앉으라고 두 사람에게 손짓했다. "둘이 못된 장난이라도 꾸미고 있어?"

"네." 터너는 이렇게 말하고 나서 엘우드에게 속삭였다. "이건 내 계획이니까 훔쳐가지 마, 엘. 그건 진짜 황금이야." 두 사람은 승합차에 올랐다.

차가 행정동을 지나 흑인 캠퍼스로 향하는 동안 학생들이 풀밭에서 걱정스러운 표정으로 한데 모여 있는 것이 보였다. 하퍼가 차의 속도를 늦추고 거기 있는 백인 소년 한 명에게 소리쳐 물었다. "무슨 일이야?"

"얼 씨가 병동으로 실려갔어요. 어디가 아픈 모양이에요."

하퍼는 창고 옆에 승합차를 세우고 병동으로 달려갔다. 엘우드와 터너는 서둘러 클리블랜드로 돌아갔다. 엘우드는 다람쥐처럼 사방을 두리번거리며 훑어보았고, 터너는 아무렇지 않은 척하려다가 오히려 우주 영화 속 로봇처럼 움직이고 있었다. 상황을 알아볼 필요가 있었다. 캠퍼스가 분리되어 있어도 흑인 소년들과 백인 소년들은 안전을 위해 서로 소식을 주고받았다. 그래서 가끔은 니클이 정말로 집처럼 느껴졌다. 싫어하는 형이나 누나가 오늘 엄마가 기분이 나쁘다든가 하루 종일 술을 퍼마셨다고 미리 알려주면서 마음의 준비를 하라고 경고해주는 집.

두 사람은 흑인 식당 밖에서 데즈먼드와 마주쳤다. 터너가 안을 살펴보았더니, 직원들의 오찬을 위해 차려놓은 식탁이 그대로 있었다. 아니, 절반만 그대로였다. 뒤집어진 의자들은 소란이 있었다는 증거였고, 사람들이 얼을 끌고 나갈 때 묻은 핏자국도 그대로 남아 있었다.

"그거 약이 아닌 것 같아." 데즈먼드가 말했다. 그의 묵직한 목소리가 한층 더 우울하게 들렸다.

터너가 그의 어깨를 주먹으로 때렸다. "너 우릴 전부 죽일 셈이야?"

"내가 아니야! 내가 아니라고!" 데즈먼드는 터너의 어깨 너머로 화이트하우스를 바라보았다.

엘우드는 손으로 입을 막았다. 핏자국 속에 작업화 발자국 절반이 찍혀 있었다. 그는 갑자기 정신이 바짝 들어서 내리막길 쪽을 바라보았다. 혹시 누가 자기들을 잡으러 오는지 보기 위해서였다. "제이미는 어디 있어?"

"그 새끼." 데즈먼드가 말했다.

그들은 식당 계단에서 전략을 짰다. 터너는 다른 학생들에게서 얼의 상태에 대한 정보를 모아보자고 제안했다. 여기서 직선으로 달리면 캠퍼스 동편과 면한 도로가 곧바로 나오기 때문에 여기 그대로 있고 싶다는 말은 하지 않았다. 스펜서가 수색대를 꾸려 출동하더라도 그는 전속력으로 여기를 벗어날 것이다. '놈들은 날 못 잡아. 나는 쿠키 영웅이니까.'

제이미는 한 시간 뒤 후줄근하고 조금 멍한 모습으로 나타났다. 방금 관람차를 한 바퀴 타고 온 사람 같았다. 그는 세 사람이 다른 아이들에게서 모은 정보를 완성해주었다. 명절 오찬은 여느 때처럼 시작되었다. 1년에 한 번 이 날에만 바깥 공기를 쐬는 특별한 식탁보가 식탁에 덮이고, 먼지가 쌓여 있던 좋은 접시들이 깨끗한 모습으로 놓였다. 감독관들은 각자 자리에 앉아 맥주를 마시며 지저분한 이야기들을 늘어놓고, 가슴 큰 여비서들과 여교사들에 대해 음담패설을 주고받았다. 그들은 떠들썩하게 즐기고 있었다. 식사가 시작되고 몇 분 뒤 얼이 배를 움켜잡고 벌떡 일어섰다. 사람들은 그가 사레가 들린 줄 알았다. 하지만 그가 곧 먹은 것을 사방에 게워내기 시작했다. 마침내 피까지 터져 나오자 그들은 그를 언덕 아래 병동으로 데려갔다.

제이미는 자신이 다른 아이들 틈에 섞여 병동 밖에 서 있다가 얼이 구급차에 실려 가는 것을 보고 왔다고 말했다.

"너 미쳤구나." 엘우드가 말했다.

"내가 한 게 아니야." 제이미가 텅 빈 얼굴로 말했다. "난 미식축구를 하고 있었어. 거기서 날 본 사람이 얼마나 많은데."

"내 사물함에서 그 깡통이 사라졌어." 데즈먼드가 말했다.

"내가 안 가져갔다니까." 제이미가 말했다. "누가 네 사물함을 털어가서 이 사고를 쳤는지도 모르지." 그는 데즈먼드의 어깨를 톡톡 두드렸다. "그거 말한테 먹이는 약이라고 네가 그랬잖아!"

"나도 들은 얘기야." 데즈먼드가 말했다. "너도 봤잖아. 곁에 말이 그려져 있는 거."

"어쩌면 염소였는지도 모르지." 터너가 말했다.

"말한테 먹이는 독이었을 수도 있어." 엘우드가 말했다.

"아니면 염소 독이거나." 터너가 덧붙였다.

"말이 쥐랑 같냐, 멍청아?" 데즈먼드가 말했다. "누가 말한테 독을 먹여? 그냥 총으로 쏘지."

"그럼 죽지 않은 게 다행이네." 제이미가 말했다. 엘우드와 데즈먼드는 계속 그를 다그쳤지만, 제이미의 이야기는 바뀌지 않았다.

그래도 가끔 제이미의 입가에 걸리는 미소를 모두 볼 수 있었다. 터너는 제이미가 면전에서 늘어놓은 거짓말에 화가 나지 않았다. 뻔히 거짓말이라는 게 보이는데도 계속 거짓말을 하는 사람들은 그에게 감탄의 대상이었다. 그런 사람 앞에서는 누구도 어떻게 해볼 방법이 없었다. 사람이 다른 사람들 앞에서 무력하다는 또 하나의 증거였다. 제이미가 사실을 인정하는 일은 없을 테니, 터너는 그냥 비탈길 아래의 부산한 풍경과 다른 아이들을 지켜보기만 했다.

얼은 죽지 않았다. 하지만 다시 일터로 돌아오지도 못했다. 의사의 지시 때문이라고 했다. 이것이 그 뒤로 며칠 동안 들려온 소식이었다. 몇 주가 지난 뒤에는 얼의 후임으로 온 헤너핀이라는 키 큰 남자가 더

악질이라는 사실을 알게 되었다. 그는 많은 아이들에게 기분 내키는 대로 잔인한 짓들을 저질렀다. 어쨌든 그 일이 벌어진 그날 저녁에 그들은 아무런 일도 당하지 않았다. 쿡 박사가 얼의 발작을 타고난 체질 탓으로 돌렸다는 소식이 들려오자(그에게 그런 가족력이 있다는 모양이었다) 터너는 도피 계획을 짜는 것을 그만두었다.

소등 직전에 터너와 엘우드는 기숙사 앞의 커다란 떡갈나무 앞에서 빈둥거렸다. 캠퍼스는 조용했다. 터너는 담배를 피우고 싶었지만, 담뱃갑이 창고의 다락방에 있었다. 그래서 대신 휘파람을 불었다. 하퍼가 배달을 갈 때 계속 부르는 그 엘비스 노래였다.

밤벌레들이 한꺼번에 울어대기 시작했다. "얼, 진짜 나쁜 새끼였어." 터너가 말했다.

"내가 그 모습을 직접 봤으면 좋을 텐데." 엘우드가 말했다.

"하."

"그게 스펜서였으면 좋을 텐데. 그러면 정말 좋았을 거야." 그는 생각이 날 때마다 문지르는 허벅지 뒤쪽을 손바닥으로 만졌다.

그때 환성이 들렸다. 언덕 아래에서 감독관들이 크리스마스 전등을 밝혔기 때문이었다. 아이들이 지난 몇 주 동안 힘들게 일한 성과를 이제 눈으로 볼 수 있었다. 초록색, 빨간색, 하얀색 전구들이 남쪽 캠퍼스의 건물과 나무의 윤곽을 따라 즐거운 명절 분위기를 그려냈다. 저 멀리 어둠 속에서는 입구에 선 커다란 산타클로스가 안에 들어 있는 악마의 불빛으로 환히 빛나고 있었다.

"불빛이 대단하네." 터너가 말했다.

화이트하우스 너머에서 낡은 급수탑의 윤곽을 따라 전구들이 깜박거렸다. 백인 아이 한 명이 전구를 못으로 고정하는 작업을 하다가 사다리에서 떨어져 쇄골이 부러지는 사고가 있었던 그곳이었다. 전구들은 X자 모양의 나무 버팀목 위로 둥둥 떠서 거대한 물탱크를 휘감으며 뾰족한 삼각형을 그려냈다. 마치 하늘로 떠오르는 우주선 같았다. 그걸 보고 있자니 터너는 뭔가가 생각날 것 같았다. 그래, 그것…… 놀이공원 펀타운의 텔레비전 광고. 멍청이처럼 즐겁기만 한 음악과 범퍼카와 롤러코스터와 원자로켓. 다른 아이들은 가끔 그 놀이공원 이야기를 했다. 자유세계로 다시 나가면 거기에 갈 것이라고. 터너가 보기에는 멍청한 소리였다. 사람들은 그렇게 좋은 곳에 유색인종을 들이지 않았다. 하지만 지금 그의 눈앞에 로켓이 있었다. 깜박거리는 수많은 불빛들에 휘감겨 뾰족하게 별들을 향해 뻗어서 이륙 순간을 기다리는 로켓. 보이지 않는 어두운 행성을 향해 어둠 속으로 발사될 로켓.

"보기 좋네." 터너가 말했다.

"우리 솜씨가 제법이야." 엘우드가 말했다.

3부

11장

"엘우드?"

그는 거실에서 대답 대신 알아들을 수 없는 소리를 냈다. 창문 틈새로 저 아래 브로드웨이 거리 일부가 보였다. 새미의 신발 수선집, 문을 닫은 여행사, 길을 따라 뻗어 있는 중앙선. 그의 위치 때문에 사다리꼴로 보이는 그 광경이 이 도시를 담은 그만의 스노볼 같았다. 담배를 피우기에 좋은 곳이라서, 그는 허리 통증이 심해지지 않게 창턱에 걸터앉는 법을 찾아냈다.

"가서 얼음을 좀 사 올게. 더는 못 참겠어." 데니즈가 이렇게 말하고 나서 밖으로 나가 출입문을 잠갔다. 그가 지난주에 그녀에게 준 열쇠를 사용해서.

그에게 더위는 상관없었다. 이 도시가 괴로운 여름을 만들어내는 것은 확실했지만, 남부의 더위에 비하면 아무것도 아니었다. 지하철이나 술집에서 뉴욕 시민들이 덥다고 불평하는 것을 보면 그는 언제나 킬킬 웃음이 났다. 그가 이 도시에 온 첫날에도 청소부 파업이 있었지만 2월이라 악취가 지금처럼 심하지는 않았다. 지금은 아래층 현관에서 밖으로 나갈 때마다 사방에 악취가 자욱했다. 어디서 정글 칼을 구해 와서 후려치고 싶다는 생각이 들 정도였다. 파업이 시작된 지 겨우 이틀째인데 벌써 이 지경이었다.

1968년에 무작정 벌어진 파업을 통해 이 도시의 한심하기 짝이 없는 모습을 처음 접한 그는 이 도시에 처음 온 자신을 모두 나서서 괴롭히는 모양이라고 생각할 수밖에 없었다. 길에 와글와글 모여 있는 강철 쓰레기통에 쓰레기가 흘러넘치는데도 며칠이 지나도록 치우는 사람이 없었다. 쓰레기통 옆에도 봉투와 마분지 상자에 담긴 쓰레기가 쌓여 있었다. 그는 낯선 곳에 가면 어느 정도 지리를 파악할 때까지 대중교통을 피했기 때문에 지하철을 타본 적이 없었다. 그는 포트 오소리티에서 맨해튼 북쪽까지 계속 걸어 다녔다. 똑바로 직선으로만 걷는 것은 불가능했다. 쓰레기의 산들을 요리조리 피해서 걸어야 했다. 그가 99번가의 저렴한 호텔인 스타틀러에 도착했을 때, 그곳의 투숙객들이 거대한 쓰레기 더미를 양쪽으로 뺑뺑 차서 터놓은 길이 출입문까지 이어져 있었다. 쥐들이 바삐 돌아다녔다. 만약 호텔 2층의 어느 방에 침입하고 싶다면, 쓰레기 산을 타고 오르기만 하면 되었다.

지배인은 그에게 4층 뒤쪽에 있는 방의 열쇠를 주었다. 전열기가 있는 방이었다. 욕실은 복도를 따라 조금 떨어진 곳에 있었다. 볼티모어에서 일할 때 동료 한 사람이 이 싸구려 숙소에 대해 말해주며 아주 끔찍한 곳처럼 묘사했다. 하지만 실제로 와보니 그렇게까지 끔찍하지는 않았다. 그는 여기보다 더 형편없는 숙소도 경험한 적이 있었다. 이틀

쯤 지난 뒤에 그는 슈퍼마켓에서 세제를 사서 직접 변기와 샤워실을 청소했다. 다른 사람들은 전혀 신경 쓰지 않았다. 이런 곳에서는. 하지만 그는 이미 수많은 곳에서 더러운 변기들을 헤아릴 수 없을 만큼 많이 닦은 적이 있었다.

악취 속에 무릎을 꿇고 앉아서 청소를 하다니. 여기가 뉴욕이군.

브로드웨이 거리에서 데니즈가 그의 시야를 가로질러 걸어갔다. 밖으로 직접 내려가보면 거리가 대체로 깨끗한 것 같았다. 하지만 3층에서 벤치와 나무가 있는 풍경을 보다 보면, 지하철 환풍구와 길바닥 위에 쓰레기가 잔뜩 쌓여 있는 것이 보였다. 종이봉투, 맥주병, 타블로이드 신문. 사방에서 쓰레기가 바람에 실려 날아다녔다. 파업이 시작된 후로 다른 사람들도 모두 그와 똑같은 광경을 항상 보고 있었다. 이 도시는 지금 엉망이었다.

그는 찻잔에 담배를 비벼 끈 뒤, 한 번도 몸이 징 울리지 않고 소파까지 가는 데 성공했다. 허리를 삐끗한 뒤로 몸이 좀 괜찮아졌다 싶어서 그만 깜박 잊고 너무 빨리 움직이다 보면 징 하고 허리가 울렸다. 화장실에 앉아 있다가도 징, 바지를 올리다가도 징. 그럴 때면 개처럼 낑낑거리며 몸을 둥글게 말고 바닥에 몇 분 동안 누워 있었다. 살갗에 닿는 화장실 타일 바닥이 서늘했다. 이건 순전히 그의 잘못이었다. 서랍과 상자 속에 무엇이 들어 있는지 모르니 조심해야 하는데. 전에 우크라이나인 영감(연금을 받는 경찰관인데 여자 조카가 있는 필라델피아로 이주하는 중이었다)의 이삿짐을 나르다가 협탁을 들어올리려고 몸을 숙였을 때 허리를 삐끗하고 말았다. 래리는 그의 허리에서 난 소리가 복도까지 들렸다고 말했다. 협탁의 서랍 안에는 역기에 끼우는 웨이트가 잔뜩 들어 있었다. 그 경찰관이 혹시 한밤중에 갑자기 역기를 들고 싶은 충동이 들지도 모른다며 300파운드(약 136kg)짜리 웨이트를 여러 개 거기에 넣어두었다고 했다. 지난주에는 커다란 나무 책상을 들다가 또 허리를 삐었다. 전혀 위험하게 보이지 않았지만, 그날 그는 수당을 받으려고 추가 근무를 하던 중이라서 수면 부족으로 몸이 제대로 움직이지 않았다. "저런 덴마크식 모던 가구들은 조심해서 다뤄야 돼." 래리가 그에게 말했다. 데니즈가 돌아오면 탕파를 하나 더 마련해달라고 부탁해야 할 것 같았다. 비록 그녀는 부엌에서 럼주와 콜라를 섞어 칵테일을 만드느라 한참 동안 꾸물거리겠지만.

이 동네에서는 밤에 살사 음악이 시끄럽게 울릴 때가 많은데, 오늘 저녁은 유난히 더 시끄러웠다. 더위 때문에 사람들이 전부 창문을 열어놓은 데다가, 내일이 독립기념일이기 때문이었다. 모두 휴일을 즐기고 있었다. 만약 허리가 이렇게 아프지 않았다면 데니즈와 함께 코니아일랜드로 가서 불꽃놀이를 구경했겠지만, 상황이 여의치 않으니 오늘 밤은 그냥 집에서 채널 4가 방영하는 영화 〈흑과 백〉이나 볼 생각이었다. 유죄판결을 받은 두 범죄자 시드니 포이티어와 토니 커티스가 손목이 함께 묶인 채 탈주해서 늪지대를 통과하고, 사냥개들과 엽총을 든 멍청한 보안관들을 피해 도망치는 내용의 영화였다. 할리우드의 엉터리 거짓말 영화였지만, 그는 텔레비전에서, 그러니까 주로 〈레이트 레이트 쇼〉에서 이 영화를 방영할 때마다 놓치지 않았다. 데니즈도 시드니 포이티어를 좋아했다.

그의 방에 있는 가구들은 손님들이 버린 물건이었다. 따라서 뉴욕시 전역의 가구들을 돌아가며 보여주는 일종의 전시장 같았다. 새 물건이 들어오면 옛 물건은 빠져나갔다. 그가 사용하는 퀸 사이즈 침대에는 그가 좋아하는 엄청 딱딱한 매트리스가 깔려 있었고, 서랍장에는 화려한 놋쇠 장식이 있었다. 램프와 카펫도 잔뜩 있었다. 사람들은 이사할 때 많은 물건을 버린다. 어떤 사람들은 단순히 집만 옮기는 게 아니라 아예 성격까지 바꿔버리는 것처럼 보일 정도다. '경제적 사다리'를 올라가거나 내려가는 셈이니, 기존의 침대가 새 집에는 어울리지 않을지도 모른다. 소파가 상자처럼 너무 각진 모양인 것도 이상하다. 신혼부부인 경우에는 아예 거실 세트를 새로 들여놓기도 한다. 도심에서 교외의 롱아일랜드나 웨스트체스터로 탈출하는 수많은 백인 중산층 가정들은 이사와 더불어 완전히 새로 시작했다. 도시의 삶을 떨쳐버리고, 스스로 생각하는 자신의 이미지마저 바꿔버렸다. 호라이즌 이삿짐센터에서 일하는 엘우드와 동료들은 고물 장수가 버린 물건을 수거하러 오기 전에 먼저 좋은 것을 골라냈다. 그가 지금 누워 있는 소파만 해도 7년 만에 열두 번째로 들여놓은 것이었다. 그의 가구들은 계속 고급스러워졌다. 비록 가끔 허리가 지옥을 맛보기도 하지만, 이런 것이 이삿짐센터에서 일하면서 누리는 특전 중 하나였다.

떠돌이처럼 남이 버린 가구를 주워다 살면서도 그는 이곳에 뿌리를 내리고 있었다. 어렸을 때 살던 집을 빼면, 지금 이 집에서 가장 오래 살았다. 처음 뉴욕에 왔을 때는 싸구려 호텔에 머물렀지만, 몇 달 뒤 '4 브라더스'에서 접시 닦이 일을 구한 다음부터는 맨해튼 북쪽, 이스트할렘 등 여러 곳을 돌아다니며 살았다. 그러다 호라이즌에서 안정적으로 일하게 되면서 여기 82번가의 브로드웨이 인근에 정착했다. 집주인이 여기서 기회를 열어준다면 이 아파트를 살 생각이었다. 여기서 산 지도 벌써 4년이 넘었다. "나도 이제 중산층이야." 그는 혼자 농담처럼 중얼거렸다. 여기서는 바퀴벌레들도 더 고상해 보였다. 그가 화장실 불을 켜면 녀석들은 그의 존재를 무시해버리지 않고 잽싸게 도망쳤다. 그는 녀석들의 조심성을 일종의 품격으로 해석했다.

데니즈가 돌아왔다. "밖에서 내가 소리 지른 거 들었어?" 그녀는 부엌으로 들어가서 사 온 얼음 봉지에 버터나이프를 찔러 넣었다.

"뭐?"

"커다란 쥐가 내 발등을 타고 넘어가서 내가 소리를 질렀거든. 그게 내 소리였어."

데니즈는 키가 크고 할렘 사람답게 강단이 있어서 농구선수로 활약해도 괜찮았을 것 같았다. 세상에 두려운 것이 없는 도시 여자였다. 전에 길에서 근육이 울룩불룩한 멍청이가 못된 말을 중얼거리자 그녀가 그놈 면전으로 바짝 다가가 욕을 퍼부은 적도 있었다. 그런데 쥐 때문에 어린 소녀처럼 비명을 질렀다니. 데니즈는 어느 모로 보나 결코 어린 소녀가 아니었으므로, 이런 모습을 보일 때마다 놀라울 따름이었다. 그녀는 126번가에서 공터 옆에 살았는데, 지금은 더위와 쓰레기 때문에 그 공터가 어느 때보다 활기를 띠고 있었다. 망할 놈의 쥐들은 지하의 소굴에서 쏟아져 나와 사방을 돌아다녔다. 그녀는 어젯밤 개만큼 커다란 쥐를 보았다고 말했다. "짖는 소리도 개 같았어." 그는 진짜 개였을지도 모른다는 의견을 내놓았지만, 데니즈는 오늘 집으로 돌아가지 않겠다고 말했다. 그에게는 반가운 말이었다.

독립기념일이라 그녀의 수요일 야간 수업도 취소되었다. 그도 쉬는 날이라 그날 오후 그녀가 와서 침대로 들어왔을 때 그는 자고 있었다.

그녀의 커다란 은 귀걸이가 협탁(터틀베이에서 요크 애비뉴로 이사한 앳킨슨 일가의 물건. 아이 셋과 개 한 마리, 김벨스 식당 세트가 있는 집이었다)에 닿는 소리가 그를 깨웠다. 그의 허리에서 정확히 어느 부위가 아픈지 잘 아는 그녀가 그곳을 주물러주다가 그에게 똑바로 누우라고 말하더니 그 위로 올라탔다. 열기가 한바탕 지나간 뒤 둘이 한데 엉킨 채 누워 있자니 방 안 온도가 10도는 더 높아진 것 같았다. 콜라를 탄 미지근한 럼주가 한동안은 효과가 있는 것 같더니 곧 그것도 소용없게 되었기 때문에 얼음을 사러 나갈 수밖에 없었다.

두 사람은 131번가의 고등학교에서 처음 만났다. 성인들을 위한 야간 수업이었다. 그는 고졸 학력 인증서(GED)를 따기 위해 준비 중이었고, 그녀는 옆 교실에서 도미니카인과 폴란드인 학생들에게 영어를 가르쳤다. 그는 GED 코스를 다 마친 뒤에야 그녀에게 데이트를 신청했다. 마침내 GED를 따고 뿌듯해졌지만, 동시에 이런 승리감을 함께 나눌 사람이 없다는 사실 또한 깨달았다. 그는 한동안 GED를 딸 생각을 마음에 품고 다니면서, 바람 앞의 촛불을 손으로 가려 보호하듯이 소중히 간직했다. 지하철에서 '여러분의 방식으로 밤에 공부를 마치세요'라는 야간 수업 광고를 계속 보다가 마침내 인증서를 받아들었을 때는 너무나 기뻤다. 그래서 젠장, 알 게 뭐야, 하는 심정으로 곧바로 데니즈에게 다가갔다. 커다란 눈은 갈색이고, 콧잔등에는 주근깨가 있는 그녀. '그만의 방식으로.' 그는 지금껏 다른 방식을 따른 적이 별로 없었다.

데니즈는 그의 데이트 신청을 거절했다. 이미 만나는 사람이 있다면서. 그러나 한 달 뒤 그녀가 그를 불러냈고, 두 사람은 쿠바식 중국 음식을 먹으러 갔다.

데니즈가 콜라를 섞은 럼주에 얼음을 넣어서 가져왔다. "내가 샌드위치도 사 왔지." 그녀가 말했다.

그는 워터스 씨가 브롱크스의 암스테르담 애비뉴에서 아서 애비뉴로 이사하면서 버리고 간 간이 테이블을 접어서 소파와 협탁 사이에 딱 맞게 놓았다. 이 물건을 발명한 사람은 노벨 물리학상을 받아 마땅했다.

"이젠 그만 빈둥거리고 쓰레기를 좀 치워줘야 하는 것 아냐?" 데니즈가 부엌에서 말했다. "빔이 전화를 걸어서 뭐라고 말을 해봐야지."

그녀는 시장이 멍청해서 파업을 기회 삼아 불평을 늘어놓고 있다고 보았다. 그가 텔레비전의 실내 안테나를 조정해서 채널 4의 화면이 가장 선명하게 잡히는 위치를 찾는 동안 그녀는 불만을 하나씩 늘어놓았다. 먼저 그녀는 냄새를 꼽았다. 음식이 썩는 냄새와 슈퍼마켓들이 거기에 뿌린 소독약 냄새. 소독약은 쓰레기 더미 위에 징그러운 안개처럼 몰려 있는 파리들과 길 위에서 꿈틀거리는 구더기를 잡기 위한 것이었다. 그다음 문제는 연기였다. 사람들은 쓰레기 더미에 불을 붙여서 쓰레기를 태워 없애버리려고 했다. 그는 이런 행동을 이해할 수 없어서 인간이라는 동물을 연구해봐야 할 것 같다고 생각했다. 어쨌든 그 연기는 건물들 사이로 무기력하게 불어오는 바람에 실려 사방으로 퍼져 나갔다. 소방차들도 비명처럼 사이렌을 울리며 대로와 골목 할 것 없이 도시 전역으로 흩어졌다.

이걸로도 부족해서 쥐까지.

그는 한숨을 내쉬었다. 모든 언쟁에서 그는 어느 쪽이든 저항하는 편을 드는 것이 첫 번째 원칙이었다. 경찰과 정치가, 특권을 누리는 기업가와 판사, 기계를 만지는 어중이떠중이들. "사타구니를 쥐었으니 비틀어야지." 그가 말했다. "그 사람들은 노동자야." 빔 시장과 닉슨, 그리고 닉슨의 헛소리를 생각하면 거의 투표에 참가하고 싶은 생각이 들 정도였다. 하지만 그는 얼마 되지도 않는 운을 공연히 시험해보고 싶지 않아서 정부와 관련된 일은 최대한 피해 다녔다.

"그만 앉지 그래." 그가 말했다. "내가 정리할게."

"내가 이미 다 했어." 그의 탕파에 물을 채우려고 주전자도 벌써 불에 올려두었는지 주전자에서 휘파람 소리가 났다.

쓰레기를 태우는 연기가 창문을 통해 스멀스멀 들어오자 그는 환기를 위해 침실 창문을 열었다. 데니즈가 옳았다. 이번 파업이 지난번만큼 오래 간다면 정말로 귀찮아질 것이다. 바깥의 상황은 끔찍했다. 하지만 이 도시 사람들이 자기가 사는 곳의 실체를 알게 된 것은 좋은 일이었다.

그의 이런 시각을 받아들이면 어떨까. 그게 사람들 마음에 들지 모르겠다.

뉴스 앵커는 공휴일인 다음 날의 날씨를 알려준 뒤, 파업 현황을 간단히 보도("대화가 계속되고 있습니다")하고는 시청자들에게 〈9시 영화 극장〉을 위해 채널을 고정하시라고 말했다.

그는 자신의 잔으로 그녀의 잔을 가볍게 두드렸다. "당신은 이제 나랑 결혼한 거야. 이게 반지야."

"뭐?"

"영화 대사야. 시드니 포이티어가 하는 말." 자신과 무식한 백인의 손목을 한데 묶은 사슬을 들어 올리며 하는 말이었다.

"아무 말이나 막 하지 마."

그거야 당연했다. 이 대사는 누가 하는지, 누구에게 하는지에 따라 달라졌다. 영화의 엔딩처럼. 일단 두 죄수는 모두 탈주에 성공하지 못했다. 아니, 두 사람이 상대의 목숨을 제물로 바칠 생각이 있었다면 둘 중 하나는 성공할 수도 있었을 것이다. 아니, 그래봤자 다 소용없는 일인지도 모른다. 어느 쪽이든 둘은 망한 인생이었으니까. 그는 몇 년 뒤 그 영화를 더 이상 보지 않게 되었다. 영화가 좀 진부하기 때문에, 아니면 사실이 틀리게 묘사되었기 때문에, 아니면 그가 먼 길을 걸어왔음을 보여주기 때문이 아니라 그 영화를 보고 있으면 슬퍼지는데 자신의 마음 일부가 미친놈처럼 그런 슬픔을 원하고 있다는 사실을 깨달았기 때문이었다. 어느 순간 그는 기분을 처지게 만드는 것들을 피하는 편이 현명하다는 깨달음을 얻었다.

그러나 그날 밤 그가 영화의 마지막 장면을 보지 못한 것은 데니즈의 데님 스커트에서 뻗어 나온 튼튼한 허벅지에 정신이 팔린 탓이었다. 제산제 광고가 시작되었을 때 그는 그쪽으로 손을 뻗었다.

〈흑과 백〉 다음에는 섹스 다음에는 잠. 밤에도 소방차 소리가 났다. 내일 아침 그는 허리가 아프든 말든 일어나서 나가야 했다. 10시에 사람을 만나서 승합차를 사기로 되어 있기 때문이었다. 그는 침대 밑 부츠 속에 지폐를 돌돌 말아 넣어두었다. 임금을 받는 날마다 20달러를 그 지폐 뭉치에 더하면서 느끼던 만족감이 앞으로 그리워질 것 같았다. 그는 빨래방에서 그 승합차 전단지를 발견하고 남들이 못 보게 찢어버렸다. 67년식 포드 이코노라인을 판다는 전단지였다. 새로 번쩍번쩍 칠을 할 필요는 있었지만, 125번가의 녀석들이 그에게 신세 진 것이 있으니 문제없었다. 이 차가 있으면 호라이즌 외에 개인적으로 다른 일을 더 할 생각이었다. 주말에도 래리를 데려와 함께 일해야지. 래리가 전처에게 돈을 줄 수 있게. 뉴욕 공중위생부는 믿을 수 없지만, 양육비 때문에 항상 투덜거리는 래리는 US 스틸만큼 믿음직했다.

그는 자신의 회사를 에이스 이삿짐센터로 명명하기로 했다. AAA라는 이름은 이미 남이 차지했어도, 자신의 회사가 전화번호부 맨 위에 실리면 좋을 것 같았다. 6개월이 흐른 뒤에야 그는 자신이 니클 시절의 기억 때문에 이 이름을 선택했다는 사실을 깨달았다. 자유세계로 나가 요리조리 자기만의 길을 걸어갈 수 있는 단계였던 에이스.

12장

　니클을 벗어나는 방법은 네 가지였다.

　첫째, 복역 기간을 채운다. 대부분의 아이들은 6개월에서 2년의 선고를 받았다. 그러나 행정동에서 재량을 발휘해 그 기간 전에 합법적으로 학생을 풀어줄 권한을 갖고 있었다. 학생이 조심스럽게 행동하면서 점수를 모아 에이스 단계까지 올라가면, 품행 방정 사유로 합법적인 석방 대상이 되었다. 학생이 가족의 품으로 풀려날 때 몹시 반가워하는 가족도 있고, 길을 걸어오는 아이의 얼굴을 보면서 또 재앙이 임박했음을 감지하고 움찔하는 가족도 있었다. 하지만 그것도 가족이 있을 때의 얘기였다. 가족이 없는 경우에는 플로리다주의 아동복지기관들이 여러 가지 구제책을 시행했는데 개중에는 비교적 좋은 것도 있었다.

　나이를 먹어서 니클을 벗어나는 방법도 있었다. 니클은 열여덟 살 생일을 맞은 아이들에게 간단히 악수를 하고 푼돈을 몇 푼 쥐어준 뒤 문을 가리켰다. 그 학생들은 집으로 돌아가든 무심한 세상에서 혼자

길을 개척하든 자유였다. 그래봤자 험난한 인생길을 걷게 될 가능성이 높았지만. 니클에 오기 전에 이미 여러 가지 방식으로 잔뜩 얻어맞은 아이들은 니클에 있는 동안 또 많은 상처를 입었다. 더 심각한 잘못을 저질러서 더 무서운 기관으로 가는 아이들도 많았다. 니클 아이들의 인생은 이곳에 오기 전에도, 이곳에 있는 동안에도, 이곳을 벗어난 뒤에도 줄곧 엉망진창이었다. 그 아이들의 일반적인 궤적이 그랬다.

둘째, 법원이 개입한다. 이건 마법 같은 사건이었다. 오래전 연락이 끊긴 이모나 사촌이 갑자기 나타나서 주 정부에 후견권을 요구하는 경우. 친애하는 어머니가 돈이 좀 있어서 변호사를 선임하고, 그 변호사가 상황이 바뀌었다며, 그러니까 예를 들어 '아버지가 돌아가셨으니 가족의 생계를 책임질 사람이 필요합니다' 같은 주장을 펴면서 법원에 자비를 요청하는 경우. 이 새로운 요청을 심의하는 판사가 예전에 재판을 맡았던 음침한 놈일 수도 있고 새로운 사람일 수도 있지만, 어쨌든 모종의 이유로, 그러니까 몰래 돈이 오갔다든지 하는 이유로 유리한 결정을 내려줄 가능성이 있었다. 하지만 이렇게 뇌물을 줄 돈이 있는 집이라면, 애당초 아이가 니클에 오지도 않았을 것이다. 그래도 여러 면에서 부패하고 변덕스러운 사법기관 덕분에 때로는 학생이 정말로 풀려나기도 했다. 니클에서 이런 경우는 '신의 역사'로 통했다.

셋째, 학생이 죽는다. 비록 건강에 나쁜 환경, 영양실조, 무자비한 업무태만이 죽음을 더욱 앞당긴 경우라 해도 하여튼 '자연사'가 여기에 해당했다. 1945년 여름에 한 소년이 당시 처벌에 자주 사용되던 징벌 상자에 갇혀 있다가 심장마비로 사망했다. 검시관은 이것을 자연사로 판정했다. 몸이 고통을 견디다 못해 나가떨어질 때까지 햇볕 속에서 그 쇠 상자에 갇혀 있는 상황을 상상해보라. 인플루엔자, 결핵, 폐렴으로 죽는 아이들도 있고, 사고사, 익사, 추락사도 발생했다. 1921년의 화재 때는 스물세 명이 목숨을 잃었다. 기숙사 출구 중 절반이 잠겨 있었고 어두운 3층 감방에 갇혀 있던 두 소년은 아예 도망칠 길이 없었다.

죽은 아이들은 부트 힐에 묻히거나 가족에게 인계되었다. 유난히 극악한 죽음을 맞는 아이들도 있었다. 부실하긴 해도 어쨌든 학교 기록부에 모두 적혀 있는 사실이었다. 둔기에 맞은 상처, 엽총에 맞아 날아간 몸. 20세기 전반기에 니클 인근의 여러 가정에 임대되었던 아이들이 죽어서 돌아오는 경우도 있었다. '승인받지 않은 휴가' 중에 목숨을 잃은 아이들. 트럭에 치여 사망한 아이도 두 명 있었다. 하지만 이런 죽음에 대한 조사는 한 번도 이루어지지 않았다. 사우스플로리다 대학의 고고학 팀은 여러 번 탈주를 시도했던 아이들의 사망률이 그렇지 않은 아이들보다 높다는 사실을 발견했다. 그렇다면 드는 짐작이 있을 것이다. 아무 표시도 없는 묘지는 여전히 비밀을 품고 있었다.

넷째, 학생이 도망친다. 어떻게든 탈출을 시도한 뒤 그 결과는 운에 맡기는 방법이다.

어떤 아이들은 니클에서 도망쳐 다른 곳에서 다른 이름으로 그림자처럼 살아갔다. 죽을 때까지 평생 동안 니클이 자기를 잡으러 올 날을 두려워하면서. 하지만 탈출을 시도한 아이들은 대부분 붙잡혀서 아이스크림 공장을 한 번 맛본 뒤 품행 교정을 위해 2주 정도 어두운 감방에 갇혔다. 도망치는 것도 미친 짓이고 도망치지 않는 것도 미친 짓이었다. 학교의 경계선 너머, 자유롭고 활기찬 세계를 보면서 자유를 향해 냅다 달려가고 싶다는 생각을 하는 것이 당연하지 않은가. 한 번만이라도 자신의 인생을 스스로 써 내려가고 싶다는 생각. 이렇게 도망치고 싶다는 생각을 금하는 것, 아주 작은 나비의 날갯짓 같은 생각까지도 금하는 것은 곧 인간성을 죽이는 일이었다.

니클에서 도망친 유명한 학생 중에 클레이턴 스미스가 있었다. 그의 이야기는 오랫동안 이어져 내려왔다. 감독관들과 관리인들이 특별히 주의를 기울인 덕분이었다.

때는 1952년. 클레이턴은 평소 도망칠 것처럼 보이지 않는 아이였다. 똑똑하거나 꿋꿋하지도 않고, 반항적이거나 기백이 있지도 않았다. 하지만 그에게는 견디고자 하는 의지가 부족했다. 니클에 발을 들이기 전에 이미 수많은 고통을 겪은 그에게 니클은 세상의 잔혹성을 더욱 증폭하고 다듬어서 선사해주었다. 덕분에 한층 더 냉혹한 세상에 눈을 뜬 그는 지난 15년 동안 이미 이렇게 고통을 겪었는데 앞날에 고통이 있으면 얼마나 더 있겠느냐는 생각을 하게 되었다.

클레이턴 집안의 남자들은 서로 대단히 닮은꼴이었다. 이웃 사람들은 매를 연상시키는 옆모습, 연한 갈색 눈, 말할 때 손과 입을 가볍게 움직이는 모습만으로 그들이 누구인지 알아보았다. 닮은 것은 겉모습만이 아니었다. 그들은 모두 운도 나쁘고 수명도 길지 않았다. 클레이턴 역시 확실히 그들과 닮은꼴이었다.

클레이턴의 아버지는 아들이 네 살 때 심장발작을 일으켰다. 손으로 침대보를 꽉 부여잡고, 입도 눈도 크게 벌린 모습이었다. 클레이턴은 열 살 때 학교를 그만두고 맨체스터 오렌지 과수원에서 일하기 시작했다. 형 세 명과 누나 두 명이 이미 걸어간 길을 막내도 따라간 것이다. 엄마가 한 번 폐렴을 앓고 난 뒤 점점 건강이 나빠지자 플로리다주가 후견인이 되어 아이들을 여기저기 흩어놓았다. 탬파 사람들은 여전히 니클을 플로리다 소년 산업학교라고 불렀는데, 원래 나쁜 아이든 달리 갈 곳이 없는 아이든 상관없이 일단 그곳에 들어가면 성격이 좋아져서 나온다는 평판이 퍼져 있었다. 클레이턴의 누나들이 보낸 편지가 도착하면 다른 학생들이 그에게 읽어주었다. 그의 형들은 이리저리 휩쓸려 다녔다.

클레이턴은 싸우는 법을 배운 적이 없었다. 형이나 누나가 항상 곁에 있었으니 괴롭히는 아이들을 대신 물리쳐주었다. 그래서 니클에 들어온 뒤 클레이턴은 사소한 다툼이 벌어졌을 때 잘 대처하지 못했다. 그는 주방에서 감자 껍질을 벗길 때만 마음이 편안해졌다. 주방은 조용했고, 그는 나름대로 일하는 체계를 갖고 있었다. 당시 루스벨트 기숙사의 사감은 프레디 리치라는 사람이었는데, 그의 경력에는 무력한 아이들이 가는 곳의 이름이 가득했다. 마크 G. 기딘스 하우스, 가든빌 소년학교, 클리어워터에 있는 세인트빈센트 고아원, 그리고 니클 소년 아카데미. 프레디 리치는 걸음걸이와 자세를 보고 후보를 고른 뒤, 행정동의 기록을 확인했다. 그리고 다른 아이들이 그 후보를 대하는 태도를 보고 자신의 판단을 최종적으로 확인했다. 그에게 클레이턴은 식은 죽 먹기였다. 그의 손가락이 아이의 척추뼈 두 개를 만지며 아이를 채근했다.

프레디 리치의 숙소는 루스벨트 기숙사 3층에 있었지만, 그는 니클의 전통에 따라 사냥감을 하얀 교사(校舍) 지하로 데려가는 편을 선호했다. 그 은밀한 데이트에 마지막으로 다녀온 뒤 클레이턴은 더 이상 견딜 수 없었다. 그날 밤 캠퍼스를 가로질러 걸어가던 그를 발견한 두 감독관은 그가 감시자 없이 혼자 기숙사로 걸어 돌아오는 모습에 이미 익숙했기 때문에 그냥 통과시켰다. 그래서 그는 순조롭게 움직일 수 있었다.

소년의 계획에는 게인즈빌 외곽의 어느 소녀 수용시설에 들어간 누나 벨이 포함되어 있었다. 다른 가족들과는 대조적으로 벨은 집에 있을 때보다 더 나은 환경에서 잘 지내고 있었다. 그 수용시설을 운영하는 사람들은 상냥했으며, 인종문제에 대해서도 계몽된 의식을 갖고 있었다. 해진 옷을 입고 옥수수죽을 먹는 생활과는 안녕이었다. 벨은 다시 학교에 다니면서 주말에만 다른 소녀들과 함께 옷을 수선하는 일을 했다. 그렇게 어느 정도 나이를 먹은 뒤 그녀는 클레이턴에게 편지를 보내 자신이 데리러 갈 테니 다시 함께 살자고 말했다. 벨은 클레이턴이 어렸을 때 목욕을 시키고 옷을 입혀준 사람이었다. 그리고 클레이턴의 삶에서 안락함은 언제나 기억도 흐릿한 그 아기 시절과 연결되어 있었다. 밤에 도망친 그는 늪지 가장자리에 도착했다. 그 검은 물에 들어가야 한다는 것이 상식적인 판단이었지만, 그는 차마 발을 내밀 수 없었다. 유령, 어두운 물, 동물들이 짝짓기와 공격을 위해 질러대는 소리가 너무 무서웠다. 클레이턴은 항상 어둠을 무서워했고, 오로지 벨만이 그를 달래는 노래를 알고 있었다. 벨이 그를 무릎에 눕히고 노래를 불러줄 때면, 그는 손가락에 누나의 땋은 머리를 감으며 놀았다. 그는 동쪽으로 라임밭이 끝나는 지점까지 가서 마침내 조던 로드에 다다랐다.

동이 틀 무렵 길가의 숲으로 기어 들어간 그는 오후까지 그곳에 있었다. 차가 지나갈 때마다 부르르 떨면서 덤불 속으로 숨던 그는 더 이상 한 걸음도 뗄 수 없게 되자 외따로 서 있던 회색 집 아래의 좁은 공간으로 들어가 악취를 풍기는 물속에 쪼그리고 앉았다. 그리고 벌레들의 한 끼 식사가 되었다. 그는 너무 긁어서 살갗이 까지지 않게 조심하면서 물린 자리를 어루만졌다. 그 집의 주인 가족들이 돌아왔다. 어머니와 아버지, 그리고 십대 딸이었는데 그가 볼 수 있는 것은 그들의 발과 무릎뿐이었다. 곧 딸이 임신했다는 말이 들려오고 집 안이 뒤집어졌다. 아니, 이렇게 폭풍이 휘몰아치는 것이 원래 항상 이 집의 분위기일 수도 있었다. 식구들이 싸움을 그치고 잠들었을 때 그는 슬그머니 빠져나왔다.

길은 어둡고 무서웠다. 클레이턴은 자기가 지금 어느 방향으로 가고 있는지 전혀 알 수 없었지만 신경 쓰지 않았다. 사냥개들이 쫓아오는 소리만 들리지 않으면 다 괜찮았다. 사실 사냥개들은 그때 다른 곳에 배치되어 피드몬트에서 탈옥한 죄수 세 명을 뒤쫓고 있었고, 프레디 리치는 자기가 클레이턴에게 저지른 짓이 발각될까 봐 덫에 걸린 쥐처럼 겁에 질려서 24시간 동안 그가 사라졌다는 사실을 보고하지 않았다. 이미 여러 직장에서 해고된 경험이 있는 프레디 리치는 쉽게 욕심을 채울 수 있는 지금 직장을 좋아했다.

클레이턴이 이렇게 혼자였던 적이 있었을까? 탬파의 막다른 길에 있던 그 집에는 항상 형들과 누나들이 있었다. 금방 쓰러질 것 같은 그 방 세 개짜리 집이 비좁을 정도였다. 니클에서는 함께 굴욕을 겪는 아이들이 있었다. 두개골 안에서 오만 가지 생각이 주사위처럼 덜걱거리는 데에는 익숙하지 않았다. 가족들과 다시 만나는 것 외에 다른 미래는 생각해본 적이 없었으니까. 탈주 3일째에 그는 마침내 시나리오를 하나 만들어냈다. 2년쯤 요리사로 일하면서 돈을 모아 내 식당을 차리자.

클레이턴이 오렌지 과수원에서 일하기 시작한 직후 쳇의 드라이브인이 끊어진 도로 옆에 문을 열었다. 클레이턴은 일하러 가는 길에 트럭의 판자 틈새로 밖을 내다보면서 빨갛고 하얗고 파란 식당 전면 장식과 강철 차양이 갑자기 쑥 나타나기를 기다렸다. 처음에는 플래카드들이 걸렸고, 길을 따라 솟아난 팻말들은 사람들의 관심을 자극했다. 그러다 마침내 쳇의 드라이브인이 문을 열었다. 젊은 백인 남녀 종업원들은 초록색과 하얀색 줄무늬가 있는 말쑥한 점프수트 차림으로 방긋방긋 웃으며 버거와 셰이크를 주차장으로 날랐다. 그 매끈한 점프수트는 근면함과 자립이라는 미덕을 상징했다. 화려한 자동차들과 음식을 받으려고 뻗어 나오는 손. 새로운 의욕을 불러일으키는 광경이었다.

클레이턴이 한 번도 식당에서 식사를 한 적이 없기 때문에 그 식당에서 지나친 감명을 받은 것은 사실이었다. 어쩌면 굶주림이 식당 주인이 되겠다는 생각의 양분이 되었을 수도 있다. 식당의 주인이 되어 손님들 사이를 걸으며 음식이 맛있는지 물어보고 영화에서 본 것처럼 자기 사무실에서 하루의 매출을 확인하는 상상이 도망치는 동안 그와 보조를 같이했다.

탈주 나흘째에 그는 이제 니클에서 충분히 멀어졌을 것이라는 생각에 차를 얻어 타기로 결정했다. 그가 입은 니클 작업복은 볼 만한 몰골이었다. 그는 낡은 픽업트럭이 커다란 흰색 농가에서 멀어져가는 모습을 본 뒤, 빨랫줄에서 작업복을 훔쳤다. 우선 그 집을 한 바퀴 조사해보고 나서 안전하다는 판단이 들었을 때 위아래가 붙은 작업복과 셔츠를 슬쩍했다. 그런데 2층에서 어떤 할머니가 숲에서 천천히 뛰어나와 옷을 훔쳐 가는 그를 지켜보고 있었다. 그 작업복은 원래 죽은 남편의 것이었는데, 손자가 다시 고쳐서 입고 있었다. 그런 옷이 사라지는 것을 보니 그녀는 오히려 반가웠다. 남편이 아닌 다른 사람, 특히 동물들에게 잔인하고 욕설을 일삼는 손자가 그 옷을 입는다는 사실이 고통스러웠기 때문이다.

클레이턴은 차가 어느 방향으로 가는지 신경 쓰지 않았다. 두어 시간쯤 자신을 태워줄 수만 있다면 상관없었다. 배가 고파 죽을 지경이었다. 이렇게 오랫동안 굶은 적이 없어서 어떻게 해야 할지 알 수 없었지만 지금은 거리를 벌리는 것이 무엇보다 중요했다. 지나가는 차가 많지 않았다. 차에 탄 백인들의 얼굴도 무서웠다. 아스팔트로 나설 용기를 내는 것과는 별개의 문제였다. 검둥이 운전수는 없었다. 이 지역에는 차를 소유한 검둥이들이 없는 것 같았다. 가장자리에 검푸른 테가 둘러진 흰색 패커드가 커브를 돌아 나오는 것이 보였을 때 그는 결국 애써 용기를 내서 엄지손가락을 내밀었다. 운전석에 앉은 사람을 보지는 못했지만, 그가 가장 먼저 이름을 외운 자동차가 패커드였기 때문에 나름대로 애정을 갖고 있었다.

그 차의 운전자는 크림색 양복을 입은 백인 중년 남자였다. 백인일 수밖에 없었다. 그 차에 다른 사람이 탔을 리가 없지 않은가. 가르마를 타서 넘긴 남자의 금발은 관자놀이 부위에서 은색을 띠고 있었다. 햇빛의 각도에 따라 철 테 안경 뒤의 눈동자가 파란색에서 얼음 같은 흰색으로 바뀌었다.

남자는 클레이턴을 위아래로 훑어보더니 차에 타라고 손짓했다. "어디로 가니?"

클레이턴은 가장 먼저 떠오른 이름을 말했다. "리처즈요." 그가 어렸을 때부터 살던 거리 이름이었다.

"나는 모르는 곳인데." 백인 남자는 이렇게 말하고 나서 클레이턴이 처음 듣는 도시 이름을 대며 자기가 가는 곳까지 그를 태워주겠다고 말했다.

클레이턴이 패커드에 탄 것은 이번이 처음이었다. 그는 남자의 시선이 닿지 않는 오른쪽 허벅지 옆의 천을 손으로 문질렀다. 천이 잔물결 모양으로 손가락에 밀렸다. 보닛 아래에 미로처럼 얽혀 있을 피스톤과 밸브 등이 궁금했다. 공장에서 열심히 일하는 사람들이 이 차를 어떻게 조립했는지 볼 수 있다면 근사할 텐데.

"네가 사는 곳이 거기냐?" 남자가 물었다. "리처즈 말이야." 많이 배운 사람 같았다.

"네. 엄마랑 아빠랑 같이요."

"그렇구나. 네 이름은 뭐냐?"

"해리예요." 클레이턴이 말했다.

"나는 시먼스 씨라고 불러라." 그는 둘의 의견이 일치했다는 듯 고개를 끄덕였다.

차가 한동안 달렸다. 클레이턴은 상대가 말을 걸지 않는 이상 먼저 말할 생각이 없었다. 그는 혹시 멍청한 말이 불쑥 튀어나올까 싶어서 계속 입을 꾹 다물고 있었다. 둔한 두 발로 움직이지 않다 보니 불안한 마음이 들어서 그는 혹시 경찰차가 지나가지 않는지 길을 훑어보았다. 사람들의 눈을 피해 더 오래 숨어 있을 걸 그랬다는 자책이 들었다. 프레디 리치가 손전등을 들고 수색대의 선두에 서 있는 모습을 상상해보았다. 클레이턴이 너무나 잘 아는 그 커다란 허리띠 죔쇠에 햇빛이 반사되는 모습. 그 죔쇠의 생김새, 그것이 콘크리트 바닥에 시끄럽게 떨어지는 소리가 그에게는 익숙했다. 집들 사이의 간격이 점점 좁아지더니 자동차가 짤막한 대로를 미끄러지듯 지나갔다. 클레이턴은 좌석에 앉은 채 남자가 눈치채지 못하게 자꾸만 몸을 웅크렸다. 곧 다시 조용한 길이 나왔다.

"나이는 몇 살이냐?" 시먼스 씨가 물었다. 문을 닫은 에소 주유소를 막 지나친 참이었다. 주유기가 녹이 슬어 허수아비 같았다. 그다음에는 작은 묘지와 하얀 교회가 나타났다. 흙이 내려앉아서 묘비들이 비스듬히 기울어져 있는 탓에 묘비 전체가 썩은 이빨들만 가득한 입 같았다.

"열다섯이에요." 클레이턴이 말했다. 그제야 그는 이 남자가 누구와 닮았는지 깨달았다. 옛날 집주인이었던 루이스 씨. 매달 1일에 집세를 내지 않으면 그다음 날 바로 사람들을 길바닥으로 쫓아내는 사람이었다. 그는 불안해져서 주먹을 쥐었다. 만약 이 남자가 그의 다리에 손을 올리거나 그의 그곳을 만지려고 하면 자신이 어떤 행동을 할지는 분명했다. 그는 프레디 리치의 얼굴을 주먹으로 때려주겠다고 몇 번이나 맹세를 하고서도 막상 그때가 되면 몸이 굳어서 가만히 서 있기만 했다. 하지만 오늘은 실제로 행동할 수 있을 것 같았다. 자유세계에서 힘을 얻을 수 있으니까.

"학교에 다니고 있니?"

"네." 화요일이었다. 그의 계산으로는 거의 확실했다. 그는 날짜를 헤아려보았다. 프레디 리치는 주로 토요일에 그를 불러냈다. '10센트짜

리 댄스 걸보다 싸고, 같은 돈으로 더 즐길 수 있잖아.'

"교육은 중요하지." 시먼스 씨가 말했다. "새로운 문을 열어주니까. 특히 너희 같은 사람들한테는." 긴장이 풀렸다. 클레이턴은 의자 커버 위에서 야구공을 쥐듯이 손가락을 벌렸다.

게인즈빌까지 며칠이 걸릴까? 그는 벨이 '미스 메리의 집'이라는 곳에 산다는 건 알고 있었지만, 그 집을 찾아가려면 여기저기 물어봐야 할 터였다. 게인즈빌은 어떤 도시일까? 그가 계획을 실행하기 전에 먼저 알아내야 할 것이 많았다. 벨은 자기만 아는 비밀 신호와 만남의 장소를 고안해내곤 했다. 그런 면에서는 머리가 좋았다. 누나가 다시 그에게 이불을 덮어주며 안심이 되는 말을 속삭여줄 때까지 앞으로 많은 시간이 흘러야 할 것이다. 하지만 누나가 옆에서 "쉬, 괜찮아, 클레이턴……"이라고 속삭여주기만 한다면 얼마든지 기다릴 수 있었다.

그가 이런 생각을 하고 있을 때 패커드가 니클 진입로의 첫 번째 돌기둥을 지나갔다. 시먼스 씨는 엘리너의 시장을 지내다가 얼마 전 은퇴했으나, 여전히 니클의 이사였기 때문에 이곳의 사정을 알고 있었다. 금속 공방으로 가던 백인 학생 세 명이 차에서 내리는 클레이턴을 봤지만, 그가 도망친 아이인 줄은 몰랐다. 그날 한밤중에 그 산업용 환풍기가 반쯤 잠든 아이들에게 커다랗게 소식을 알렸지만, 그걸로는 아이스크림을 당하는 아이가 누구인지 알 수 없었다. 그리고 당시만 해도 아이들은 한밤중에 자동차들이 학교 쓰레기장으로 향하는 건 곧 비밀 묘지에 주민이 하나 더 추가된다는 뜻이라는 사실을 몰랐다. 프레디 리치가 새로 사냥감이 된 소년에게 교훈이랍시고 클레이턴 스미스의 이야기를 들려준 뒤에야 학생들은 그 일을 알게 되었다.

도망칠 수 있다고 희망을 품을 수는 있다. 실제로 성공하는 사람도 있다. 하지만 대부분은 그렇지 않다.

　니클을 벗어나는 다섯 번째 방법도 있었다. 엘우드에 따르면. 그는 할머니가 면회를 온 뒤 이 방법을 생각해냈다. 따뜻한 2월의 오후였는데, 면회를 온 가족들이 식당 앞의 야외 테이블에 모여 앉아 있었다. 인근 지역 출신 아이들의 경우 부모가 주말마다 먹을 것, 새 양말, 동네 사람들 소식을 잔뜩 짊어지고 찾아왔다. 그러나 이곳에는 펜서콜라에서부터 키스에 이르기까지 플로리다 전역에서 온 아이들이 모여 있었으므로, 말썽꾸러기 아들을 보고 싶어도 너무 멀어서 오지 못하는 가족이 많았다. 갑갑한 버스에서 덜컹거리며 밀랍 종이로 싼 샌드위치와 미지근한 주스로 끼니를 때우고 오랜 여행을 견뎌야 했다. 다음 날 일도 있었으므로 너무 멀면 가족이 만나러 오기가 불가능했다. 가족이 아예 신경을 끊기로 한 것을 이해하는 아이들도 있었다. 면회 날 예배가 끝나면 면회 오는 사람이 있는지 여부를 관리인들이 아이들에게 알려주었다. 면회 온 사람이 없는 아이들은 일부러 운동장에 나가 놀거나, 목공실 작업대나 수영장(오전에는 백인 아이들, 오후에는 흑인 아이들)에서 시간을 보냈다. 가족들이 만나는 광경에서는 애써 시선을 돌렸다.

　해리엇은 한 달에 두 번씩 엘리너로 왔지만, 지난번 면회 날에는 몸이 아파서 오지 못했다. 할머니는 편지를 통해 기침감기를 앓았다고 설명하면서, 엘우드가 좋아할 만한 신문 기사 몇 개를 함께 보냈다. 마틴 루서 킹이 뉴저지주 뉴어크에서 연설했다는 소식, 우주 경쟁과 관련된 커다란 컬러 사진이었다. 그를 향해 천천히 걸어오는 할머니가 몇 살은 더 늙어 보였다. 그렇지 않아도 가냘프던 몸이 병 때문에 더 말라서, 초록색 원피스 위로 쇄골이 훤히 보였다. 할머니는 엘우드를 발견하자 걸음을 멈추고 그가 다가와 안아줄 때까지 기다렸다. 그렇게 조금 쉰 뒤에야 그녀는 그가 맡아둔 야외 테이블까지 남은 몇 걸음을 걸어갈 수 있었다.

엘우드는 할머니의 어깨에 코를 묻고 평소보다 더 오래 그녀를 안고 있었다. 그러다 다른 아이들도 주위에 있다는 사실을 기억해내고 뒤로 물러났다. 자신을 너무 많이 드러내지 않는 편이 최선이었다. 한참 기다린 끝에 만난 할머니였다. 할머니가 다음에 올 때 탤러해시의 좋은 소식을 알려주겠다고 약속했기 때문만은 아니었다.

니클에서 그는 이제 얌전히 살아가고 있었다. 해가 바뀐 뒤에는 이렇다 할 일이 없는 나날이 이어졌다. 엘리너로 몇 번 배달을 나가 단골들의 집을 순회하면서 엘우드는 집집마다 어떤 상황이 펼쳐질지 이미 뻔히 알고 있었다. 심지어 이번 수요일에는 톱숍과 식당을 들를 차례라고 하퍼에게 일깨워준 적도 한두 번이 아니었다. 옛날 담배 가게에서 마르코니 씨의 일을 도울 때와 비슷했다. 기숙사들은 가을보다 조용했다. 주먹다짐이나 드잡이질이 드물어졌고, 화이트하우스로 누가 끌려가는 일도 없었다. 얼이 죽지는 않을 것 같다는 사실이 분명해지자 엘우드와 터너와 데즈먼드는 제이미를 용서했다. 오후가 되면 그들은 대개 모노폴리 게임을 했다. 게임 안에서만 적용되는 규칙들, 불분명한 서약, 복수로 이루어진 음모의 게임이었다. 그들은 잃어버린 말 대신 단추를 사용했다.

낮의 일상이 한결같이 흘러갈수록 밤이 더 제멋대로 날뛰었다. 그는 기숙사 전체가 죽은 듯 잠잠해지는 자정 이후에 존재하지도 않는 상상 속의 소리 때문에 화들짝 놀라서 깨어났다. 문턱에서 들리는 발소리, 천장을 후려치는 가죽 채찍 소리. 그는 눈을 가늘게 뜨고 어둠 속을 바라보았지만 아무것도 없었다. 그렇게 한 번 깨어나면 몇 시간씩 잠을 이루지 못하고 위태로운 생각을 하며 불안해하거나 기운이 빠져서 약해졌다. 그를 망가뜨린 것은 스펜서가 아니었다. 2호실에서 잠들어 있는 새로운 적이나 감독관도 아니었다. 그가 싸움을 그만두었다는 점이 문제였다. 소등 시간까지 무사히 하루를 보내기 위해 고개를 수그리고 조심스레 행동하면서 그는 자신이 이겼다고 스스로를 속였다. 자신이 문제에 휘말리지 않고 잘 지내고 있으니, 니클에 한 방 먹인 셈이라고. 하지만 사실 그는 이미 망가진 상태였다. 킹 목사가 옥중 편지에서 말한 검둥이들처럼 변해버렸다. 오랫동안 억압당한 끝에 그냥 현실에 안주하며 멍해져서 그 현실을 자신에게 주어진 유일한 침대로 여기고 잠드는 법을 터득한 검둥이.

마음이 좋지 않을 때는 해리엇도 그런 검둥이로 치부해버렸다. 그런데 이번에 실제로 만난 할머니는 엘우드 자신처럼 쪼그라들어서 정말로 그런 검둥이처럼 보였다. 한때 거세게 몰아친 적이 있으나 지금은 누그러진 바람 같았다.

"우리가 여기 앉아도 될까?"

클리블랜드의 뺑아리인 버트가 엘우드의 야외 탁자에 함께 앉아도 되겠느냐고 물었다. 버트의 어머니가 고맙다며 미소를 지었다. 아마도 스물다섯 살이나 되었을까. 젊어 보이는 버트의 어머니는 둥근 얼굴에 솔직한 표정을 짓고 있었다. 아직 아기인 버트의 여동생을 어르는 그녀는 고달픈 기색이 역력한데도 우아했다. 아기는 엄마의 무릎에 앉아 벌레를 향해 우우 소리를 질러댔다. 엘우드는 그들에게 정신이 팔려 할머니의 말을 잘 듣지 못했다. 그들은 시끄럽고 행복했다. 그 옆에 앉아 있는 엘우드와 할머니는 교회처럼 조용했다. 버트는 제멋대로 구는 아이였지만, 엘우드가 보기에 마음씨는 착한 것 같았다. 버트와 잘 아는 사이가 아니라서 그에게 무슨 문제가 있는지도 알 수 없었지만, 여기서 나간 뒤에는 올바른 사람이 되어서 날아오를 것 같았다. 자유세계에서 그의 어머니가 기다리고 있다는 사실이 엄청난 의미를 지니고 있었다. 대부분의 아이들에게는 허락되지 않은 일이었다.

엘우드가 여기서 나갔을 때 할머니가 살아 있을지는 알 수 없었다. 전에는 이런 생각을 한 번도 해본 적이 없었다. 할머니는 앓아눕는 일이 거의 없었고, 아플 때도 쉬는 것을 거부했다. 할머니는 세상에 맞서 살아남을 수 있는 사람이었지만, 세상이 할머니를 야금야금 갉아먹는 중이었다. 할머니의 남편은 일찍 세상을 떠났고, 딸은 서부로 사라져버렸다. 그리고 유일한 손자는 법정에서 선고를 받고 여기에 와 있었다. 그녀는 세상이 안겨준 불행을 꿀꺽 삼키고, 브레바드 거리에서 혼자 삶을 이어갔다. 식구들을 한 명씩 차례로 잃어버린 채로. 그러니 그가 나갔을 때는 할머니가 거기에 없을 수도 있었다.

엘우드는 할머니가 나쁜 소식을 가져왔음을 알아챘다. 프렌치타운이 요즘 어떻게 돌아가는지 이야기하며 평소보다 더 시간을 끄는 것이 그 증거였다. 클래리스 젱킨스의 딸이 스펠먼 대학에 들어갔다. 타이론 제임스가 침대에서 담배를 피우다가 집을 홀랑 태워먹었다. 머콤에 새 모자 가게가 문을 열었다. 할머니는 운동에 대해서도 인심 쓰듯 소식을 알려주었다. "린든 존슨이 케네디 대통령의 시민권 법안을 맡아서 추진하고 있어. 의회에 올렸지. 그 영감이 제대로 해낸다면 세상이 좀 바뀔 거다. 네가 집에 올 때쯤이면 완전히 달라져 있을 거야, 엘우드."

"네 엄지손가락이 더럽잖아." 버트가 말했다. "입으로 빨지 마. 대신 내 걸 빨아." 그가 여동생에게 손가락을 쑥 내밀자 아기는 인상을 찌푸렸다가 까르르 웃음을 터뜨렸다.

엘우드는 탁자 위로 손을 뻗어 해리엇의 손을 잡았다. 이렇게 아이를 안심시키듯이 할머니의 손을 잡은 것은 처음이었다. "할머니, 무슨 일이에요?"

대부분의 방문객들은 면회 중에 울음을 터뜨렸다. 니클로 향하는 분기점이 길에 나타났을 때, 아들을 두고 니클을 떠날 때. 버트의 어머니가 해리엇에게 손수건을 건넸다. 할머니는 고개를 돌리고 눈물을 훔쳤다.

해리엇의 손가락이 파르르 떨렸다. 엘우드는 그 손을 잡아주었다.

할머니는 변호사가 사라졌다고 말했다. 엘우드의 항소 결과에 대해 몹시 낙관적이던 그 친절한 백인 변호사 앤드루스 씨가 한마디 말도 없이 애틀랜타로 이사해버렸다고. 할머니가 그에게 준 200달러도 함께 사라졌다. 마르코니 씨가 그를 만난 뒤 100달러를 더 내놓았는데. 그건 확실히 마르코니 씨답지 않은 행동이었지만, 앤드루스 씨가 워낙 열심히 그를 설득한 덕분이었다. 이제 그들은 전형적인 오심 사례인 이 사건을 어찌할 수 없었다. 해리엇은 그를 만나려고 버스를 타고 시내까지 갔지만 변호사 사무실이 비어 있었다고 말했다. 건물 주인이 사무실을 구하러 다니는 치과의사에게 그 사무실을 보여주고 있었다. 두 사람 모두 하찮은 것을 보듯이 그녀를 바라보았다.

"내가 미안하다, 엘." 할머니가 말했다.

"난 괜찮아요. 얼마 전에 탐험가가 됐어요." 그가 계속 고개를 숙인 보상이었다. 이런 것이 바로 그들이 원하는 그림이었다.

여기서 나가는 방법은 네 가지였다. 그날 한밤중에 또 잠을 이루지 못하고 괴로워하면서 엘우드는 방법이 하나 더 있다는 결론을 내렸다.

니클을 없애는 것.

13장

그는 마라톤 구경을 놓치는 법이 없었다. 누가 우승하는지는 상관없었다. 그들은 세계기록을 사냥하기 위해 뉴욕의 아스팔트 바닥을 탁탁 박차면서 다리를 건너고 유난히 넓은 대로를 달리는 슈퍼맨들이었다. 촬영 팀이 차를 타고 그들 뒤를 쫓아가며 아래로 떨어지는 땀 한 방울이나 목에서 펄떡이는 핏줄을 클로즈업했다. 정신 나간 구경꾼이 뛰쳐나와 선수들을 방해하지 않게 오토바이를 타고 순찰하는 백인 경관들도 카메라에 크게 잡혔다. 그런 슈퍼맨들은 이미 박수갈채를 많이 받고 있으니 그까지 나설 필요는 없지 않은가. 작년 우승자는 케냐에서 온 아프리카인이었다. 올해 우승자는 영국에서 온 백인이었다. 피부색은 차치하고 두 사람의 몸은 기본적으로 똑같았다. 그들의 다리만 봐도 곧 신문에 실릴 사람들임을 알 수 있을 것이다. 1년 내내 훈련하며 비행기를 타고 전 세계의 경기에 참가하는 프로들이었다. 그런 승자들을 응원하는 것은 쉬운 일이었다.

하지만 그는 비틀거리는 사람들을 좋아했다. 약 23마일(37km) 지점에서 반쯤 걷다시피 하며 레트리버처럼 혀를 내밀고 헉헉거리는 사람들. 나이키를 신은 발이 피투성이 고깃덩어리처럼 변했는데도 기를 쓰고 구르듯이 결승선을 통과하는 사람들. 뒤에 처져서 절뚝거리는 사람들은 코스를 제대로 달리지 못했지만 자신의 내면을 향해 깊은 곳까지 달려갔다가 거기서 발견한 것을 쥐고 다시 밝은 곳으로 돌아왔다. 그들이 콜럼버스 서클에 도착할 때쯤이면 텔레비전 촬영 팀은 이미 흩어져 보이지 않고, 앞서 간 선수들이 먹고 버린 물잔과 게토레이 잔이 풀밭의 데이지처럼 길에 어지럽게 떨어져 있었다. 우주복 같은 은색 담요는 바람에 비틀려 펄럭거렸다. 결승선에서 그들을 기다리는 사람이 있는지는 알 수 없지만, 누군들 그런 사람을 축하해주지 않겠는가.

승자들은 맨 앞에서 홀로 달렸다. 그 뒤에는 무리를 지어 코스를 가득 메운 채 달리는 사람들이 있었다. 평범한 사람들이었다. 그는 맨 뒤에서 달리는 사람들과 길에 모여 있는 군중을 보려고 나왔다. 뉴욕의 그 군중은 워낙 별스럽고 사랑스러워서 그는 동지 의식이라고 부를 수밖에 없는 힘에 끌려 맨해튼 북쪽의 아파트에서 밖으로 나왔다. 매년 11월 마라톤이 열릴 때마다 그는 많은 인간들이 어울리지 않는 친척들처럼 이 더러운 도시에 모여 살고 있다는 사실과 인간에 대한 회의 사이에서 갈등했다.

구경꾼들은 까치발로 서서 경찰이 쳐놓은 파란색 차단선에 뱃살을 비벼댔다. 경찰이 경주가 열릴 때, 폭동이 일어날 때, 대통령이 올 때 꺼내서 치는 이 차단선 뒤에서 사람들은 시야를 확보하려고 서로를 밀쳐댔다. 아빠나 애인의 어깨 위에 올라앉은 사람들도 있었다. 나팔 소리, 휘파람 소리, 옛날 칼립소 노래가 쾅쾅 울려 나오는 휴대용 라디오 소리로 온통 소란한 가운데 사람들은 외쳐댔다. "가자!" "할 수 있어!" "그렇지!" 어떤 바람이 부는가에 따라 사브렛 핫도그 노점 냄새가 풍길 때도 있고, 옆에 있는 탱크톱 차림 아가씨의 겨드랑이 털 냄새가 날 때도 있었다. 들리는 것이라고는 훌쩍이는 소리와 벌레 소리밖에 없던 니클의 밤을 생각하면, 60명의 아이들과 한방에서 비좁게 자면서 이 세상에 자신이 혼자라는 사실을 어떻게 이해할 수 있었던가 싶다. 주위에 많은 사람이 있는데도 아무도 없었다. 여기서는 무슨 기적이 일어난 건지, 주위에 있는 많은 사람들의 목을 꺾어버리고 싶다는 생각 대신 그들을 끌어안고 싶다는 생각이 들었다. 가난한 사람이든 고급 주택가 사람이든, 흑인이든 백인이든 푸에르토리코인이든 온 도시 사람들이 길가에 나와 팻말이나 국기를 들고 선수들을 응원했다. 그들은 모두 어제까지만 해도 슈퍼마켓 계산대 앞에서 싸운 상대거나, 지하철에서 딱 하나 남은 자리를 차지해버린 사람이거나, 길에서 해마처럼 느릿느릿 걷던 사람이었을 것이다. 아파트와 학교에서, 또는 숨 쉬는 공기 그 자체를 놓고 경쟁하던 사람들이었을 것이다. 그러나 힘들게 얻어서 소중히 간직하던 그 적의와 원한은 많은 사람이 한자리에 모여 자기들 대신 고통을 참으며 인내하는 선수들에게 환호하는 이 몇 시간 동안 모두 사라져버렸다. '당신은 할 수 있어.'

내일이면 다시 대결이 시작되겠지만, 오늘 오후만은 마지막 주자가 마지막 환호를 받을 때까지 휴전이 유지되었다.

해가 졌다. 11월은 자신의 왕국이 어떤 곳인지 사람들에게 일깨워주려는 듯이 돌풍을 일으켰다. 그는 66번가에서 공원을 벗어나 기마 경관 두 명 사이를 재빨리 뛰어서 통과했다. 경관들이 쓴 선글라스에 그의 모습이 검은 피라미처럼 비쳤다. 그가 센트럴파크 웨스트를 벗어났을 때는 구경꾼들이 이미 상당히 흩어진 뒤였다.

"어이, 거기! 이봐, 거기 서!"

많은 뉴욕 시민들이 그렇듯이 그도 약쟁이 경보를 느끼고 마음을 단단히 먹으며 돌아섰다.

남자가 씩 웃었다. "너 나 알지. 치키! 치키 피트!"

그래, 클리블랜드 기숙사의 치키 피트. 이제 어른이 되어 있었다.

옛날에 알던 사람과 우연히 마주치는 것은 자주 있는 일이 아니었다. 그것이 여기 북쪽에 사는 것의 좋은 점이었다. 그는 어느 날 가든에서 열린 레슬링 경기에서 맥스웰을 보았다. 거대한 박쥐처럼 허공을 날아 적을 덮치는 지미 '슈퍼플라이' 스누카의 경기였다. 맥스웰은 매점 앞에 줄을 서고 있었는데, 그의 이마에서 눈을 뛰어넘어 턱까지 고랑처럼 이어진 6인치(약 15cm) 길이의 흉터가 보일 만한 거리였다. 한번은 그리스테데스 슈퍼마켓 앞에서 발끝이 항상 안쪽을 향하는 증세가 있던 버디를 본 것 같았다. 곱슬거리는 금발은 예전과 똑같았지만, 그 남자는 모르는 사람을 대하듯이 그에게 시선을 주지 않았다. 변장을 한 채 위조 서류를 들고 국경을 건너는 사람 같았다.

"그래, 어떻게 지내시나?" 예전 니클 시절의 동료는 제츠 팀의 초록색 운동복 셔츠와 빨간색 운동복 바지 차림이었다. 남의 것을 빌렸는지 옷이 한 사이즈는 커 보였다.

"그럭저럭 지내지. 넌 잘 지내나 보네." 그가 긴장한 것이 정답이었다. 치키는 약쟁이는 아니었지만, 감옥이나 치료소에 막 다녀온 약쟁이 같은 모습을 있는 그대로 드러내면서 이 동네를 몇 번 돌아다닌 적이 있었다. 지금도 그가 하이 파이브를 하고, 그의 어깨를 잡고, 엄청나게 큰 소리로 떠들어대면서 아주 사교적인 사람 행세를 하는 것을 보니 움찔거리며 꽁무니를 빼고 싶었다.

"내 형제!"

"치키 피트."

"어디 가는 길이야?" 치키 피트가 맥주를 한잔 사겠다고 제안했다. 그는 어떻게든 빠져나가려고 했지만, 치키 피트는 들은 척도 하지 않았다. 마라톤이 끝난 다음에는 동료를 위해 선의를 베푸는 시험이라도 치러야 하는 모양이었다. 설사 그가 어두운 시절의 동료라 하더라도.

칩스는 그가 북쪽으로 이사하기 전, 82번가에서 살던 때부터 알던 집이었다. 그가 처음 이 도시에 왔을 때 콜럼버스는 졸음에 겨운 동네였다. 모든 곳이 아무리 늦어도 8시에는 문을 닫았다. 그러다가 대로변에 독신 남녀가 주로 드나드는 술집이나 식당 등 예약이 가능한 가게들이 문을 열었다. 시내의 모든 곳과 마찬가지로, 처음에는 초라했지만 금방 유행을 탔다. 칩스는 제대로 된 살롱이었다. 바텐더들이 흔히 볼 수 있는 그럴 듯한 버거를 내놓고, 손님이 대화를 원하는 것 같으면 대화 상대가 되어주었다. 그렇지 않은 손님에게는 고갯짓 인사만 건넸다. 그가 기억하기로 이 집에서 인종문제와 관련된 일이 벌어진 것은 한 번뿐이었다. 레드삭스 팀의 모자를 쓴 백인 놈이 깜둥이가 어쩌고 저쩌고 떠들어대다가 순식간에 쫓겨난 사건이었다.

호라이즌의 동료들은 월요일과 목요일 애니의 근무시간에 즐겨 이곳을 찾았다. 애니의 캐시백 서비스와 젖가슴이 모두 넉넉하다는 것이 그들의 이유였다. 그는 에이스가 어느 정도 돌아가기 시작한 뒤, 가끔 직원들을 데리고 이 집에 들렀다. 하지만 그가 직원들과 함께 술을 마시면 직원들이 너무 격의 없이 군다는 사실을 알고 그만두었다. 근무시간에 지각하거나, 형편없는 핑계를 대며 아예 나오지 않는 식이었다. 꾀죄죄한 제복을 그대로 입고 나오는 사람도 있었다. 그는 제복을 만드는 데 상당한 돈을 들였다. 로고는 자신이 직접 고안했다.

어쨌든 게임은 시작되었다. 그와 치키가 바에 자리를 잡고 앉자, 바텐더가 스마일스 광고가 실린 받침 위에 잔을 놓아주었다. 스마일스는 옛날에 여기서 몇 블록 떨어진 곳에 있던 술집으로, 여러 가지 식물이 실내에 드리워져 있었다. 바텐더는 처음 보는 백인 남자였다. 머리는 빨간색이고 행동은 촌스러웠다. 근육 운동을 좋아하는지 티셔츠 소매가 터질 것 같았다. 손님이 많은 토요일 밤에 고용하는 고릴라 같은 타입이었다.

치키가 술을 사겠다고 말했는데도 그는 20달러 지폐를 꺼냈다. "너옛날에 트럼펫을 불었지." 그가 말했다. 유색인종 밴드에서 활동하던 치키는 신년 장기 자랑에서 '그린슬리브스'를 재즈로 편곡해 연주해서 대성공을 거뒀다. 그가 기억하기로 비밥에 가까운 편곡이었다.

치키는 빙긋 웃었다. "그건 옛날 얘기야, 형제." 그는 게 다리처럼 곱아든 손가락 두 개를 들어 보여주었다. 그리고 지난 30일 동안 금주했다고 말했다.

그 상황에서 지금 우리가 술집에 앉아 있다고 말하는 것은 무례한 짓 같았다.

하지만 치키는 항상 자신의 결점을 잘 받아들이는 사람이었다. 처음 니클에 왔을 때 갈대처럼 마른 꼬마였던 그는 1년 동안 몹쓸 짓을 당하다가 결국 싸우는 법을 배웠다. 그다음부터는 자신이 사냥꾼이 되어 자기보다 작은 아이들을 어디 벽장이나 비품실로 끌고 들어갔다. 사람은 자기가 배운 대로 가르치는 법이다. 그것과 트럼펫이 니클 시절 그에 대해 기억하는 전부였다. 졸업 후 치키의 인생은 친숙한 옛 노래처럼 흘러갔다. 니클 녀석들이 아니라, 비슷한 곳에서 시간을 보낸 녀석들과 같은 인생. 군대에 있는 동안 정해진 일과와 규율은 그의 마음에 들었다. "소년원에서 군대로 간 놈들이 많았지. 그게 아주 자연스러운 선택인 것 같았어. 특히 돌아갈 집이 없는 녀석들한테는. 집에 돌아가기 싫은 녀석들도 그렇고." 치키는 12년 동안 군대에 있다가 신경쇠약에 걸려 전역당했다. 결혼은 두 번쯤 했고, 일도 닥치는 대로 했다. 볼티모어에서 스테레오를 팔 때가 가장 좋았다. 그는 하이파이 스테레오에 대해 한없이 떠들어댈 수 있었다.

"항상 술을 마셨어." 치키가 말했다. "그러다 보니 내가 자리를 잡으려고 애쓸수록 밤마다 엉망진창이 되는 것 같더라고."

지난 5월에 그는 술집에서 어떤 녀석을 흠씬 두들겨 팼다. 판사는 감옥에 가든지 교정 프로그램에 들어가는 길밖에 없다고 말했다. 선택의 여지가 없었다. 그는 지금 할렘에 사는 누이를 만나러 온 길이었다. "내가 이제부터 어떻게 할지 고민하는 동안 누이가 날 받아주기로 했어. 난 항상 여기 윗동네가 좋더라."

치키는 그에게 무슨 일을 하느냐고 물었다. 엘우드는 자기 회사에 대해 말하는 것이 내키지 않아서 회사의 트럭과 직원 수를 반으로 줄여서 말했다. 레녹스에 있는 새 사무실 이야기도 하지 않았다. 그는 그 사무실을 아주 자랑스럽게 생각하고 있었다. 10년 임대계약은 그가 지금까지 맺은 최장기 계약이었다. 그런데도 전혀 신경이 쓰이지 않는다는 사실이 이상했다.

"형제." 치키가 말했다. "잘 살고 있네! 여자는 있어?"

"누굴 꾸준히 만난 적은 없는 것 같은데. 회사 형편이 그렇게 나쁘지 않을 때 데이트하는 정도지, 뭐."

"그래, 그래."

높은 건물들 때문에 저녁이 더 일찍 찾아와 가로등 불빛이 그림자를 드리웠다. 그것은 일요일 밤에 사람들에게 곧 다시 일터로 돌아가야 한다고 알려주는 신호였다. 그것에 영향을 받은 사람이 그뿐만이 아니었는지, 술집에 사람들이 몰려들어 왔다. 그 근육질 바텐더는 금발 여대생을 먼저 접대했다. 십중팔구 미성년자일 그들은 콜롬비아 대학의 학생들이 자주 드나드는 곳보다 남쪽에서 술을 마셔도 걸리지 않는지 시험하고 있는 것 같았다. 치키가 맥주를 한 잔 더 주문했다. 그보다 빠른 속도였다.

그들은 옛날이야기를 시작했다. 이야기 분위기가 금방 어두워져서 최악의 관리인과 감독관이 입에 올랐다. 스펜서의 이름은 말하지 않았다. 그랬다가는 그가 딱따구리 유령처럼 여기에 나타날지도 모른다고 생각하는 것처럼. 어린 시절의 두려움이 지금도 그렇게 생생했다. 치키는 지난 세월 동안 마주친 니클 아이들의 이름을 언급했다. 새미, 넬슨. 로니. 이놈은 사기꾼이고, 저놈은 베트남에서 팔 하나를 잃었고, 또 한 놈은 약쟁이가 됐다고 했다. 치키는 아주 오랫동안 생각한 적이 없던 이름들을 입에 담았다. 마치 치키 자신을 중심으로 낙오자 열두 명을 모아 놓은 최후의 만찬 그림 같았다. 그 학교가 아이들을 그렇게 만들어놓았다. 학교를 나와도 벗어날 수 없었다. 거기서 사람을 온갖 방법으로 구부려놓기 때문에 똑바로 인생을 살아갈 수 없게 돼. 거길 나올 때쯤에는 사람이 아주 뒤틀려버린다고.

그래서 그는 지금 어떻게 되었나? 그는 얼마나 구부러졌을까?

"네가 64년에 나왔나?" 치키가 물었다.

"너 기억 안 나?"

"뭐?"

"아냐. 기한을 채웠으니 놈들이 날 쫓아냈지." 그가 실수로 감화원 얘기를 꺼냈을 때 몇 번이나 되풀이한 거짓말이었다. "애틀랜타로 갔다가 거기서 계속 북쪽으로 올라왔어. 그렇지, 뭐. 여기에는 68년에 왔으니 20년이 됐네." 그동안 내내 그는 자신의 탈출이 니클에서 당연히 전설이 되었을 것이라고 생각했다. 아이들 사이에 영웅담처럼 그의 이야기가 퍼졌을 거라고. 자신이 십대들의 세상에 맞게 조정된 스태거리(20세기 초에 나온 미국의 포크송 제목이자 노래 속 주인공. 도덕적이지는 않지만 백인의 권위를 부정하는 흑인 남성을 상징한다) 같은 인물이 되어 있을 줄 알았다. 하지만 그렇지 않았다. 치키 피트는 그가 어떻게 그곳을 벗어났는지 아예 기억하지 못했다. 만약 그가 기억에 남는 인물이 되고 싶었다면, 다른 아이들처럼 예배당 신도석에 자기 이름을 새기는 편이 나았을 것이다. 그는 새 담배에 불을 붙였다.

치키 피트가 눈을 가늘게 떴다. "이봐, 이봐, 너랑 항상 같이 다니던 그 녀석은 어떻게 됐어?"

"어떤 녀석?"

"그 녀석 있잖아. 기억이 잘 안 나네."

"흠."

"나중에 생각나겠지." 그는 이렇게 말하고 나서 화장실로 달려갔다. 가는 길에 생일을 축하하는 여자들에게 뭐라고 말을 건네기도 했다. 여자들은 그가 화장실에 들어간 뒤 그를 비웃었다.

치키 피트와 트럼펫. 어쩌면 그가 직업적인 연주자가 될 수도 있었을 것이다. 펑크 밴드의 세션 맨이나 오케스트라 단원 같은 것. 일이 지금과 다르게 풀렸다면 안 될 것도 없었겠지. 그곳에서 그렇게 망가지지 않았다면 그 아이들이 모두 다른 인생을 살 수도 있었을 것이다. 병을 치료하거나 뇌수술을 하는 의사가 됐을 수도 있고, 사람들의 목숨을 구하는 물건을 발명하거나 대통령에 출마했을지도 모른다. 어쩌면 천재였을지도 모르는 그들의 재능. 물론 그들 모두가 천재는 아니었다. 예를 들어 치키 피트가 특수 상대성 이론 문제를 풀지는 않을 테니까. 하지만 그들은 평범한 삶이라는 소박한 즐거움조차 누릴 기회가 없었다. 경주가 시작되기도 전에 이미 불구가 되어 절룩거리며, 정상이 되는 방법을 끝내 알아내지 못했다.

그가 지난번 이 집에 다녀간 뒤로 테이블보를 바꾼 모양이었다. 빨간색과 하얀색 격자무늬가 있는 비닐 테이블보. 옛날에 데니즈는 여기 테이블들이 끈적거린다고 불평하곤 했다. 데니즈. 그녀도 그가 엉망으로 만들어버린 것 중 하나였다. 주위의 사람들은 치즈버거를 먹고 술을 마시며 자유세계를 즐겼다. 밖에서 구급차 한 대가 급히 지나가고, 술병 진열대 뒤의 어두운 거울에는 밝은 빨간색 선으로 윤곽이 표시된 그의 모습이 비쳤다. 은은히 빛나는 그 선은 그가 아웃사이더라는 표지였다. 모두 그것을 알아보았다. 치키의 이야기를 그가 두 가지 의미로 알아들은 것과 똑같았다. 어떤 방법으로 그 학교를 벗어났든 그들은 항상 도주자 신세였다.

그의 곁에 오래 머무르는 사람은 없었다.

치키 피트가 화장실에서 돌아와 그의 등을 찰싹 쳤다. 그는 갑자기 화가 치솟았다. 치키 같은 멍청이들이 아직 이렇게 숨을 쉬고 있는데 자신의 친구는 그렇지 못하다는 생각 때문이었다. 그는 자리에서 일어났다. "난 그만 가야 돼."

"아냐, 아냐, 그래, 나도 가야지." 치키가 말했다. 딱 백수 같은 말투였다. "나도 이런 말을 하고 싶지는 않은데……." 치키가 말했다.

그러면 그렇지.

"만약 네가 사람이 필요하다면 나한테도 괜찮겠다 싶어서. 난 요새 소파에서 자."

"그래."

"명함 있어?"

그는 지갑에서 '에이스 이사 사장 엘우드 커티스'라고 적힌 명함을 꺼내려고 손을 움직이다가 곧 생각을 바꿨다. "지금은 없는데."

"난 할 수 있어. 내가 하고 싶은 말이 그거야." 치키는 술집의 빨간색 냅킨에 자기 누이의 전화번호를 적어주었다. "전화해. 옛날 얘기나 하게."

"그래."

치키 피트가 완전히 사라진 것을 확인한 뒤에야 그는 브로드웨이로 향했다. 평소답지 않게 버스를 타고 싶다는 충동이 들었다. 브로드웨이를 따라 북쪽으로 올라가는 104번 버스. 풍경 좋은 노선을 달리며 도시의 생기를 느끼고 싶었지만 그만두었다. 마라톤이 끝났으니 쾌활한 기분도 사라졌다. 브루클린과 퀸스와 브롱크스와 맨해튼에서 자동차들이 봉쇄되었던 도로를 다시 차지했다. 마라톤 경로였던 길이 차츰 사라져 갔다. 아스팔트에 그려진 파란색 선이 마라톤 경로 표시였다. 그 선은 매년 사람들이 알아차리기도 전에 조각조각 갈라져 사라졌다. 길에는 하얀 비닐봉지들이 흩어져 있고 쓰레기통에 쓰레기가 흘러넘치는 풍경이 되돌아왔다. 맥도날드 포장지와 빨간 뚜껑이 달린 유리병들이 발밑에서 바스라졌다. 그는 택시를 잡아타고 저녁 식사에 대해 생각했다.

자신의 위대한 탈주 이야기가 학교에 쫙 퍼졌을 줄 알고 그동안 무척 좋아하던 것을 생각하니 우스웠다. 아이들이 그 이야기를 하는 것을 듣고 직원들이 파르르 화를 내는 모습도 상상했었다. 그는 자신을 아는 사람이 전혀 없다는 점에서 이 도시가 자신에게 좋은 곳이라고 생각했다. 또한 자신을 잘 아는 단 한 곳이 바로 자신이 가고 싶지 않은 곳이라는 모순도 마음에 들었다. 이 때문에 그는 고향이나 아니면 그보다 더 지독한 곳에서 도망쳐 뉴욕으로 오는 모든 사람에게 유대감을 느꼈다. 그런데 니클조차 그의 이야기를 이미 잊은 뒤였다니.

그는 텅 빈 아파트로 돌아가면서 치키를 멍청이라고 욕했다.

치키 피트가 준 빨간색 냅킨을 찢어 차창 밖으로 버렸다. '길에 쓰레기를 버리는 사람은 누구도 좋아하지 않아요'라는 말이 퍼뜩 떠올랐다. 이 도시에서 새로 진행하는 삶의 질 캠페인 덕분이었다. 이 말이 그의 머릿속에 남아 있는 것을 보니 캠페인은 성공이었다. "그럼 나한테 딱지를 끊든가." 그가 말했다.

14장

하디 교장은 주 정부 감사를 준비하기 위해 이틀 동안 수업을 중단시켰다. 기습 감사였지만, 텔러해시에서 아동복지 관련 일을 하고 있는 친구가 전화로 미리 알려주었다. 학생들이 항상 노동을 하는데도 오랫동안 서 있던 장식품들 중에 손을 볼 것이 많았다. 햇볕에 갈라진 농구장 바닥을 말끔히 정리하고 골대도 새로 달아야 했다. 농장에서는 녹슨 트랙터와 써레가 문제였다. 인쇄소 채광창에 몇 세대 동안 쌓인 때를 아이들이 닦아내자 낯선 빛이 비쳐 들어왔다. 병동에서부터 교사와 차고에 이르기까지 많은 건물들 역시 새로 페인트칠을 해야 했다. 기숙사들, 특히 유색인종 기숙사의 상태가 가장 심했다. 크고 작은 학생들이 모두 나와서 턱에 페인트를 묻힌 채 똑같은 목적을 위해 분주히 움직이는 모습은 정말 볼 만한 광경이었다. 뺑아리들은 페인트 통을 들고 휘청휘청 캠퍼스 이리저리로 날랐다.

클리블랜드에서는 관리인 카터가 옛날 건설 공사장에서 일했던 경험을 살려 니클의 훌륭한 벽돌들 사이에 난 틈을 줄눈으로 메우는 방법을 시범해 보였다. 학생들은 썩은 마룻널을 쇠지레로 뜯어내고 새로 판자를 잘라 끼워 넣었다. 전문적인 일은 하디가 불러온 외부인들이 맡았다. 2년 전에 배달된 새 보일러가 이제야 비로소 설치되었다. 2층의 부서진 소변기 두 개도 배관공들이 새 것으로 바꿨고, 지붕의 페인트가 부풀거나 구멍이 난 부분도 기술자들이 손봤다. 이제 2호실 아이들이 이른 아침부터 지붕에서 샌 물 때문에 깨어나는 일은 없을 것이다.

화이트하우스에도 새로 페인트칠을 했다. 누가 했는지는 아무도 보지 못했다. 음침하던 건물이 어느새 눈이 아플 정도로 햇빛을 쨍쨍 반사하고 있었다.

캠퍼스를 돌아다니며 점검하는 하디의 표정을 보니 감사관들에게 좋은 인상을 주기 위한 작업이 제대로 진행되고 있는 모양이었다. 몇십 년마다 한 번씩 학교에서 발생한 횡령 사건이나 학대 사건이 신문에 실려 주 정부가 조사에 나서곤 했다. 그러고 나면 어두운 감방이나 징벌 상자의 사용, 체벌 등을 금지하는 조치가 내려왔다. 자꾸 흔적 없이 사라지는 학교 보급품의 관리도 더 엄격해지고, 역시 자주 사라지는 교내 사업체의 이익금 관리에 대해서도 비슷한 조치가 내려졌다. 인근 가정이나 사업체에 학생들을 보내는 일종의 가석방 제도도 없어지고 의료 인력이 증원되었다. 정부는 오랫동안 일하던 치과의사를 해고하고 이를 뽑을 때마다 돈을 물리지 않는 새 치과의사를 고용했다.

니클이 이런 혐의를 받은 것은 벌써 오래전 일이었다. 이번에 학교가 감사 대상이 된 것은 순전히 조사할 때가 된 수많은 정부 기관 목록에 이름이 올라 있기 때문이었다.

농장, 인쇄소, 벽돌 공장 등에 나가 일하는 것은 중단되지 않았다. 그런 노동을 통해 책임감을 기르고 품성을 함양한다는 등의 이유와 더불어 그 사업체들이 중요한 수입원이었기 때문이다. 감사 이틀 전 하퍼는 엘우드와 터너를 에드워드 차일즈 씨의 집 앞에 내려주었다. 그는 니클 소년 아카데미의 오랜 후원자이자 전직 카운티 감독관이었다. 차일즈 일가와 학교는 오래된 관계였다. 에드워드 차일즈와 키워니스 클럽은 5년 전 학교 미식축구팀 유니폼 사업에 50대 50으로 참여했다. 이번에도 인센티브가 제공된다면 그가 똑같이 호의를 보여줄 것이라는 기대가 있었다.

차일즈 씨의 아버지인 버트럼은 예전에 지방정부에 근무했으며 학교 이사로 활동한 적도 있었다. 그는 과거 노역 제도가 허용되었을 때 이 제도를 열렬히 지지했으며, 가석방 학생을 자주 빌려갔다. 옛날 그의 집에 마구간이 있던 시절에 학생들은 그의 말들을 돌봤다. 닭장도 그들에게 맡겨졌다. 엘우드와 터너가 그날 오후에 청소한 지하실은 여기서 노역하는 아이들이 자던 곳이었다. 보름달이 뜨는 날이면 아이들은 침상 위에 서서 단 하나뿐인 깨진 창문을 통해 우윳빛 달을 물끄러미 바라보았다.

엘우드와 터너는 지하실의 이런 과거를 알지 못했다. 그날 두 사람은 이 지하실을 휴게실로 개조하기 위해 60년 동안 쌓인 쓰레기를 치우는 일을 맡았다. 주인은 이곳에 격자무늬 타일을 깔고 벽에 나무 패널을 붙일 예정이었다. 차일즈의 십대 자녀들이 조른 일이기도 하지만, 에드워드 차일즈 또한 이 공간에 대해 나름의 생각을 갖고 있었다. 마침 매년 8월이면 아내와 아이들이 2주 동안 아내의 친정에 다니러

가기 때문에 차일즈는 혼자 마음대로 일을 처리할 수 있었다. 잡지에서 본 것처럼 한쪽에 술을 먹을 수 있는 바와 현대적인 조명을 설치하자는 것이 그의 아이디어였다. 하지만 그 꿈을 실현하기 전에 낡은 자전거, 그 옛날 증기기관차 시절의 트렁크, 부서진 물레 등 먼지를 뒤집어 쓴 과거의 유물들에 최후의 판정을 내려야 했다. 엘우드와 터너는 무거운 지하실 문을 열고 작업을 시작했다. 하퍼는 승합차 안에서 담배를 피우며 야구 중계를 들었다.

"고물 장수가 엄청 좋아하겠다." 터너가 말했다.

엘우드는 먼지 쌓인 〈새터데이 이브닝 포스트〉 더미를 들고 계단을 올라와 길가의 〈임페리얼 나이트호크스〉 더미 옆에 내려놓았다. 〈임페리얼 나이트호크스〉는 KKK의 신문이었다. 맨 위에 놓인 신문에는 검은 로브를 입은 KKK 단원이 불타는 십자가를 들고 가는 사진이 실려 있었다. 만약 엘우드가 신문 더미를 묶은 끈을 끊고 안을 들춰보았다면, 이런 사진이 실린 신문이 아주 많다는 사실을 알게 되었을 것이다. 그가 이 사진을 감추려고 신문 더미를 뒤집자 클레멘타인 면도 크림 광고가 나왔다.

터너가 혼자 작은 소리로 농담을 던지고 마사 앤 더 밴덜라스의 노래를 휘파람으로 부는 동안 엘우드는 다른 생각을 하고 있었다. 여러 나라의 서로 다른 신문들. 옛날 〈디펜더〉에서 킹 목사의 연설을 읽은 뒤 백과사전에서 '아가페'라는 단어를 찾아본 기억이 났다. 그 신문에는 킹 목사가 코넬 칼리지에 다녀간 뒤 연설문 전문이 실렸다. 엘우드가 그 전에 이런저런 책을 훑어보다가 그 단어와 마주친 적이 있는지는 몰라도, 머리에 남아 있지는 않았다. 그런데 킹 목사는 '아가페'를 사람의 마음속에서 움직이는 신성한 사랑이라고 묘사했다. 이타적인 사랑, 눈부신 사랑, 가장 고결한 사랑. 그는 검은 청중들에게 억압자들을 향해 그 순수한 사랑을 품어보라면서, 그러면 이 투쟁의 다음 단계로 넘어갈 수 있을지 모른다고 말했다.

이제는 그 단어가 엘우드의 머릿속을 떠도는 추상적인 개념이 아니었으므로, 그는 이것을 이해해보려고 노력했다. 이 단어는 이제 현실이었다.

'우리를 감옥에 가둬도 우리는 여전히 당신들을 사랑할 겁니다. 우리 집에 폭탄을 던지고 우리 아이들을 위협해도, 조금 힘들기는 하겠지만, 우리는 여전히 당신들을 사랑할 겁니다. 두건을 쓰고 폭력을 저지르는 자들을 한밤중에 우리 동네로 보내 우리를 길가로 끌어내서 때려 반죽음으로 만들게 해도 우리는 여전히 당신들을 사랑할 겁니다. 그러나 이것은 분명히 알아두십시오. 우리는 고통을 견디는 능력으로 당신들을 지치게 해서 언젠가 자유를 얻어낼 겁니다.'

고통을 견디는 능력. 엘우드를 포함해서 니클의 아이들은 모두 이 능력과 함께 살아갔다. 이 능력 속에서 숨을 쉬고, 음식을 먹고, 꿈을 꾸었다. 그것이 지금 그들의 삶이었다. 그렇지 않았다면 지금쯤 그들은 스러졌을 것이다. 구타, 강간, 그들 사이에서 가차 없이 벌어지는 적자생존. 그들은 견뎠다. 하지만 그들을 망가뜨린 자들을 사랑하라고? 그게 가능할까? '우리는 당신들의 물리력에 영혼의 힘으로 맞설 겁니다. 당신들이 우리에게 무슨 짓을 해도 우리는 여전히 당신들을 사랑할 겁니다.'

엘우드는 고개를 저었다. 사람이 어떻게 이럴 수 있나. 불가능한 일이었다.

"내 말 들었어?" 터너가 물었다. 엘우드의 멍한 얼굴 앞에서 그의 손가락이 꼬물거리고 있었다.

"뭐?"

터너는 안에서 자신을 좀 도와달라고 말했다. 터너가 평소처럼 시간을 끄는 수법을 발휘했는데도 이미 작업이 상당히 진척돼 있었다. 두 사람은 계단 밑에 감춰져 있던 옛날 증기기관차 시절의 트렁크들을 찾아내 지하실 한가운데로 끌고 나왔다. 좀 벌레와 지네 무리가 죽어라 도망쳤다. 꾀죄죄한 검은색 캔버스 천 표면을 장식한 우표들은 더블린, 나이아가라 폭포, 샌프란시스코 등 멀리까지 여러 곳을 여행하며 가져온 기념품이었다. 지나간 시절에 이 두 소년은 평생 가보지 못할 곳들을 다녀온 이국적인 여행의 이야기가 거기 있었다.

터너가 콧김을 뿜어내며 말했다. "이 안에 뭐가 있을까?"

"내가 전부 적어뒀어." 엘우드가 말했다.

"적다니, 뭘?"

"우리가 배달한 것. 우리가 작업한 것. 모든 사람의 이름과 날짜. 우리가 지역봉사부에서 한 모든 일."

"야, 이 자식아, 그런 짓을 왜 해?" 물론 그도 답을 이미 알고 있었지만, 친구가 과연 그것을 어떻게 표현할지 궁금했다.

"네가 그랬잖아. 여기서 날 꺼내줄 수 있는 사람은 나밖에 없다고."

"세상에 내 말을 듣는 사람이 어디 있다고…… 왜 그랬어?"

"나도 처음에는 이유를 몰랐어. 하퍼랑 나간 첫날 눈에 보이는 걸 그냥 적었지. 그 뒤로도 계속. 학교에서 나눠준 공책에. 그러니까 기분이 좋아지더라. 언젠가 누군가한테 말하기 위해서였던 것 같아. 이젠 정말로 그렇게 할 생각이야. 감사관들이 오면 그 사람들한테 줄 거야."

"그 사람들이 뭘 어쩔 것 같은데? 〈타임〉지 표지에 네 사진을 실어주기라도 할까?"

"이런 일들을 막기 위해서야."

"여기 바보가 또 있네." 머리 위에서 쿵쿵 발소리가 들렸다. 그날 하루 종일 두 사람은 차일즈 일가를 한 번도 직접 보지 못했지만, 터너는 발소리를 듣고 마치 그들이 X선으로 지하실을 투시하기라도 하는 것처럼 열심히 일하는 시늉을 했다. "너 요새는 잘 지내고 있잖아. 그때 한 번 빼고는 문제를 일으킨 적도 없고. 놈들이 널 저 뒤로 끌고 가서 파묻어버릴 거야. 그다음에는 나도 저 뒤로 끌고 가겠지. 너 도대체 왜 그래?"

"네가 틀렸어, 터너." 엘우드는 낡은 갈색 트렁크의 손잡이를 잡아당겼다. 트렁크가 반쪽으로 갈라졌다. "이건 장애물 경주가 아니야. 장애물을 피해서 돌아갈 수가 없다고. 반드시 장애물을 통과해서 가야 돼. 놈들이 나한테 무슨 짓을 하든 고개를 꼿꼿이 들고 걸어가야 돼."

"내가 널 이 자리에 추천했어." 터너가 바지에 양손을 닦으며 말했다. "넌 화가 나서 분풀이를 하고 싶은 것뿐이야. 멋지네." 대화가 끝났다는 뜻이었다.

두 사람은 트렁크들을 모두 끌어낸 뒤 수술을 시작했다. 이 집에서 썩은 부분을 잘라내 길가에 내놓은 통에 턱턱 쌓는 작업이었다. 터너는 하퍼를 깨우기 위해 승합차 문을 쾅쾅 두드렸다. 라디오에서는 지직거리는 소음만 흘러나왔다.

"저 녀석 왜 저래?" 하퍼가 엘우드에게 물었다. 터너가 평소와 확연히 다르게 입을 다물고 있기 때문이었다.

엘우드는 고개를 젓고 차창 밖을 바라보았다.

자정이 지난 뒤에도 그의 생각은 방황을 거듭했다. 그렇지 않아도 고민이 많은데 터너가 성난 목소리로 던진 질문이 거기에 더해졌다. 중요한 것은 그 백인들이 어떤 조치를 취할 것인지에 대한 그의 예상이 아니었다. 그들이 조치를 취해줄 것이라고 그가 믿는지가 문제였다.

이 시위는 그 혼자만의 것이었다. 그는 〈시카고 디펜더〉에 두 번이나 편지를 보냈지만 답장을 받지 못했다. 그가 옛날에 다른 이름으로 써 보낸 논설을 언급했는데도 소용이 없었다. 그것이 2주 전이었다. 니클의 상황에 대해 신문사가 아무 관심이 없다는 생각보다 더 괴로운 것은 그런 편지들이 워낙 많이 쏟아져서 기자들이 일일이 반응할 수 없을지도 모른다는 짐작이었다. 이 나라는 아주 크고, 편견과 약탈을 좋아하는 사람은 한없이 많았다. 그러니 크든 작든 헤아릴 수 없이 많은 부당한 일에 그들이 어떻게 보조를 맞출 수 있을까. 니클은 그 많은 곳들 중 한 곳에 불과했다. 뉴올리언스의 간이식당, 흑인 아이들이 발을 담그게 하느니 차라리 콘크리트로 풀을 메워버린 볼티모어의 공영 수영장. 여기에 니클 같은 곳이 있다는 사실은 곧 전국에 수백, 수천 곳의 니클과 화이트하우스가 흩어져 있다는 뜻이었다.

만약 그가 편지가 제대로 전달됐는지 불안해하는 것이 싫어서 할머니에게 편지를 대신 보내달라고 부탁했다면, 할머니는 곧장 편지를 열어보고 쓰레기통에 버렸을 것이다. 그에게 무슨 일이 생길까 무서워서. 하지만 할머니는 그가 지금까지 이곳에서 무슨 일을 당했는지 전혀 몰랐다. 결국 그는 낯선 사람들이 옳은 일을 해줄 것이라고 믿을 수밖에 없었다. 그건 불가능한 일이었다. 날 망가뜨리려는 사람을 사랑하는 것처럼. 하지만 그것이 바로 그 운동의 메시지였다. 모든 사람의 가슴속에 살아 있는 궁극의 선의를 믿으라.

이것 아니면 이것. 부당한 일을 자행해 그를 얌전하게 만들어버린 세상인가, 아니면 그가 따라잡기를 기다리고 있는 참된 세상인가.

감사관들이 오기로 되어 있던 날 아침 식사 때 블레이클리를 포함해서 북쪽 캠퍼스의 사감들은 아이들에게 분명히 경고했다. "너희들 조금이라도 잘못하면 아주 혼날 줄 알아." 블레이클리, 링컨 기숙사의 테런스 크로, 루스벨트에서 아이들을 돌보는 프레디 리치. 그는 매일 똑같은 허리띠 쬠쇠를 차고 다녔다. 불룩 나온 배와 사타구니 사이에서 쬠쇠는 두 언덕 사이를 천천히 지나가는 짐승 같았다.

블레이클리가 아이들에게 감사 일정을 알려주었다. 잠들기 전에 한 잔씩 하는 버릇을 어젯밤에는 건너뛰었기 때문에 아주 빠릿빠릿했다. 그는 감사관들이 오후에야 흑인 아이들을 볼 것이라고 말했다. 감사는 백인 캠퍼스의 교사와 기숙사에서부터 병동과 체육관처럼 규모가 큰 시설 순서로 진행되었다. 하디가 운동장과 새 농구장을 자랑하고 싶어 했기 때문에, 탤러해시에서 온 감사관들은 그것까지 본 뒤에야 언덕을 넘어가 농장과 인쇄소, 그리고 유명한 니클 벽돌 공장을 둘러볼 예정이었다. 흑인 캠퍼스는 마지막 순서였다. "너희들 옷차림이 단정치 못하거나 사물함의 지저분한 서랍을 제대로 닫지 않았다가 걸리면 스펜서 학생주임한테 불려갈 줄 알아." 블레이클리가 말했다. "주임님이 너희를 상냥하게 대접하지는 않겠지?"

세 명의 사감들은 배식판 앞에 서 있었다. 평소 학생들이 이런 음식을 먹는다고 보여주기 위해 그날은 배식판에 음식이 가득했다. 스크램블드에그, 햄, 신선한 주스, 배.

"감사관님들이 언제 와요?" 뼁아리 한 명이 테런스에게 물었다. 테런스는 수염이 텁수룩하고 눈에는 물기가 고여 있는 건장한 남자였다. 니클에서 일한 지 20년이 넘었으니 아주 다양한 형태의 비열한 행위들을 많이 보았을 터였다. 엘우드가 보기에는 바로 그 때문에 그 역시 죄가 중한 공범 중 한 명이었다.

"금방." 테런스가 말했다.

아이들은 사감들이 자리에 앉은 뒤에야 식사를 시작할 수 있었다.

데즈먼드가 식판에서 시선을 들었다. "이렇게 잘 먹어본 게 얼마 만인지……." 기억이 가물가물한 모양이었다. "감사관들이 매일 오면 좋겠네."

"모두 입 다물고 먹기나 해." 제이미가 말했다.

아이들은 식판을 박박 긁어가며 행복하게 음식을 먹었다. 사감들의 엄격한 경고를 들었는데도 좋은 음식은 톡톡한 효과를 냈다. 아이들은 모두 기분이 좋았다. 좋은 음식, 새 옷, 페인트칠을 다시 한 식당. 끝동이나 무릎이 너덜너덜하던 옷 대신 새 바지가 지급되었다. 신발에서는 반짝반짝 윤이 났다. 어제까지는 이발소 앞에 건물을 두 번 휘감을 만큼 길게 줄이 늘어서 있었다. 그 덕분에 아이들은 모두 말쑥해 보였다. 심지어 피부병에 걸린 아이들까지도.

엘우드는 터너를 찾아보았다. 그는 처음 여기에 왔을 때 같은 방에 있었던 루스벨트 기숙사 아이들과 함께 앉아 있었다. 가짜로 웃는 표정을 지은 것을 보니 엘우드가 자신을 보고 있다는 사실을 아는 모양이었다. 지하실에서 그런 대화를 나눈 뒤로 터너는 엘우드와 거의 말을 하려 하지 않았다. 제이미나 데즈먼드와는 계속 어울리면서도 엘우드가 나타나면 슬쩍 사라져버렸다. 휴게실에도 잘 나타나지 않았다. 엘우드는 그가 다락방에서 시간을 보내는 모양이라고 짐작했다. 터너는 마음에 들지 않을 때 입을 다물어버리는 기술이 해리엇과 거의 맞먹었다. 할머니가 그 기술을 갈고 닦을 시간이 더 많았다는 점을 생각하면 대단했다. 그 침묵의 교훈? 입을 다물고 살라는 것이었다.

평소 수요일은 지역봉사부 일을 하는 날이었지만, 이날은 당연히 엘우드와 터너에게 새로운 일이 떨어졌다. 아침 식사가 끝난 뒤 하퍼가 둘을 데리고 가서 관중석 팀에 합류하라고 말했다. 미식축구장 관중석은 여기저기 쪼개지고 휘청거리고 난리도 아니었다. 하디는 이곳의 수리를 감사 당일로 미뤄두었다. 이렇게 엄청난 작업이 이 학교에서는 흔한 일이라는 듯이. 아이들 열 명이 운동장 한쪽에서 관중석 바닥 널을 사포로 문지르고, 새로 끼우고, 페인트칠하는 일을 맡았다. 반대편 관중석에서도 다른 아이들 열 명이 같은 일을 했다. 감사관들이 백인 캠퍼스를 다 둘러보았을 무렵이면 이곳의 작업도 상당한 성과를 보이고 있을 것이다. 엘우드와 터너는 서로 다른 팀에 속해 있었다.

엘우드는 낡거나 썩은 널을 찾아내는 일을 맡았다. 아주 작은 회색 벌레들이 바글바글 몰려나왔다가 슬금슬금 햇빛을 피해 움직였다. 그가 한창 속도를 내서 일하고 있을 때 신호가 올라왔다. 감사관들이 체육관에서 나와 미식축구장으로 향하고 있다는 신호였다. 그는 터너가 그들에게 어떤 별명을 지어주었을지 짐작해보았다. 저 풍채 좋은 사람은 영화배우 재키 글리슨과 꼭 닮았다. 머리를 짧게 깎은 사람은 메이베리에서 도망친 것 같았고, 키가 큰 사람은 JFK와 비슷했다. 각진 앵글로색슨 백인의 얼굴, 눈부시게 하얀 치아가 모두 이미 세상을 떠난 케네디 대통령과 똑같은데, 닮은 점을 더 강조하고 싶었는지 머리모양도 비슷했다. 햇빛 속으로 나온 감사관들은 양복 재킷을 벗었다. 후텁지근한 하루가 될 것 같았다. 반팔 와이셔츠에 끝을 평평하게 자른 검은 넥타이를 맨 모습을 보며 엘우드는 머리로 말도 안 되는 궤도 계산을 해내는 케이프커내버럴의 똑똑한 사람들을 떠올렸다.

니클에서 지급한 옷의 주머니에 그가 준비한 쪽지가 모루처럼 무겁게 들어 있었다. 킹 목사는 이렇게 말했다. '어둠은 어둠을 몰아낼 수 없다. 어둠을 몰아낼 수 있는 것은 빛뿐이다. 증오는 증오를 몰아낼 수 없다. 증오를 몰아낼 수 있는 것은 사랑뿐이다.' 그는 4개월 동안 어떤 물건을 누구에게 배달했는지 작성한 목록을 쪽지에 베꼈다. 이름과 날짜와 품목이 모두 적혀 있었다. 쌀과 복숭아 통조림, 쇠고기와 크리스마스용 햄. 거기에 그는 화이트하우스와 블랙 뷰티에 관한 내용을 세 줄 덧붙였다. 그리프라는 학생이 권투 경기 이후 사라졌다는 이야기도 썼다. 최대한 깔끔하게 정성을 들여 쓴 글이었다. 자신의 이름을 적지는 않았다. 이 쪽지의 작성자를 놈들이 모를 거라고 자신을 속이고 싶어서. 놈들은 당연히 그가 밀고자라는 사실을 알아내겠지만, 그때쯤이면 감옥에 가 있을 터였다.

그때 그의 기분이 이랬을까? 사람들과 팔짱을 끼고 인간 사슬을 만들어 거리 한복판을 걸을 때. 저 모퉁이를 돌면 백인 폭도들이 야구방망이와 소방 호스를 들고 서서 욕설을 퍼부을 것을 알고 있을 때. 하지만 지금은 터너가 옛날에 병동에서 말했듯이 엘우드 혼자뿐이었다.

아이들은 백인이 말을 걸기 전에 먼저 말을 하면 안 된다고 배웠다. 아주 어렸을 때부터 학교에서, 거리에서, 흙먼지가 풀풀 이는 고향에서 그렇게 훈련받았다. 그리고 니클은 '백인의 세계에서 살아가는 흑인 소년'이라는 의식을 더욱 강화시켰다. 그는 쪽지를 건넬 장소로 여러 곳을 생각해보았다. 교사, 식당 앞, 행정동 옆의 주차장. 아무리 생각해봐도 해방을 위한 자신의 이 연극을 방해 없이 끝낼 수가 없었다. 하디와 스펜서가 필연적으로 뛰어나와 극을 망가뜨렸다. 그 두 사람이 감사관들을 안내하며 돌아다닐 테니까. 하지만 그의 생각과 달리 감사관들 옆에는 안내인이 없었다. 그들은 콘크리트 보도를 따라 이리저리 돌아다니며 여기저기를 손가락으로 가리키고 서로 의견을 나눴다. 그러다 우연히 마주친 사람들을 불러 세워 잠시 이야기를 나누기도 했다. 도서관으로 달려가던 백인 소년, 베이커 선생, 또 다른 여선생 등.

어쩌면 가능할 것 같다는 생각이 들었다.

JFK, 재키 글리슨, 메이베리는 새로 정비한 농구장 옆에서 빈둥거리다가(이건 하디의 교활한 수작이었다) 미식축구 경기장으로 다가왔다. 하퍼가 중얼거렸다. "너희 바쁜 척해." 그러고 나서 그는 감사관들에게 손을 흔들어주고, 자신이 여기 일에 전혀 간섭하지 않는 것처럼 보이기 위해 50야드 라인을 걸어 반대편 관중석으로 향했다. 엘우드는 발판에 송판을 서투르게 끼워 넣고 있는 로니와 블랙 마이크의 옆을 돌아 관중석을 내려갔다. 감사관 앞에 끼어들기 딱 좋은 각도였다. 재빨리 쪽지를 건넬 수 있는 각도. 만약 하퍼가 그것을 보고 봉투 안에 뭐가 있느냐고 묻는다면, 그는 시민권 덕분에 젊은 세대 유색인종들의 상황이 어떻게 바뀌었는지를 적은 글이라고 답할 작정이었다. 자신이 몇 주 전부터 준비한 글이라고. 터너라면 딱 엘우드가 할 만한 진부한 소리라고 생각할 것이다.

엘우드와 백인 감사관들 사이의 거리는 약 2야드(2m) 정도였다. 그의 심장이 멈췄다. 그의 모루가 더 이상 움직이지 않았다. 그는 목재 더미 쪽으로 방향을 바꿔서 무릎을 양손으로 짚었다.

감사관들은 언덕을 계속 올라갔다. 재키 글리슨이 뭐라고 농담을 하자 다른 두 명이 웃어댔다. 그들은 화이트하우스를 거들떠보지도 않고 그대로 지나쳤다.

다른 학생들은 주방에서 내놓은 점심을 보고 시끌벅적 난리를 피웠다. 햄버거와 으깬 감자, 그리고 이번만은 피셔스 잡화점에 배달되지 않을 아이스크림. 블레이클리가 아이들에게 조용히 하라고 말했다. "저분들한테 여기가 무슨 서커스장처럼 보이면 좋겠어?" 엘우드의 위장은 음식을 거부했다. 자신이 계획을 망쳐버렸다. 그는 클리블랜드에서 다시 시도해보기로 했다. 휴게실 앞 복도에서 재빨리 "저기요, 선생님"이라고 말하면 될 것이다. 사방이 탁 트인 풀밭 대신 그곳에서. 거기서는 몸을 숨길 수 있다. JFK에게 쪽지를 줘야지. 하지만 그가 쪽지를 그 자리에서 열어보면 어쩌지? 언덕을 내려가는 길에 읽어본다면? 하디와 스펜서가 감사를 마치고 떠나는 그들을 배웅하려고 나올 텐데.

엘우드는 이미 매질을 당한 적이 있었다. 하지만 그러고도 죽지는 않았다. 어차피 백인이 흑인에게 저지르는 짓은 뻔했다. 지금 이 순간에도 백주 대낮에 몽고메리나 배턴루지 같은 도시 한복판에서 그런 짓을 저지르고 있을 터였다. 보는 사람이 아무도 없고 이름도 없는 어디

시골길도 마찬가지였다. 그들은 그에게 채찍을 들어 아주 심하게 때릴 것이다. 하지만 그를 죽일 수는 없었다. 이곳에서 일어나는 일을 정부가 알게 되기만 한다면. 그는 잠시 다른 생각을 하면서 주방위군이 암녹색 승합차 여러 대에 나눠 타고 니클의 정문을 통과하는 상상을 했다. 군인들이 곧 차에서 뛰어내려 대형을 갖췄다. 어쩌면 그들은 명령을 달가워하지 않을지도 모른다. 옳은 일보다 과거의 질서에 공감하는 사람이라면. 그래도 그들은 이 나라의 법을 지킬 수밖에 없을 것이다. 리틀록에서도 그들은 흑인 어린이 아홉 명이 센트럴 고등학교에 들어갈 수 있게 인간 벽이 되어 성난 백인들을 막아주었다. 그들은 과거와 미래를 가르는 벽이었다. 포버스 주지사도 손을 쓰지 못했다. 낙후되고 사악한 아칸소만의 일이 아니라 미국 전체의 일이었기 때문에. 이렇게 정의의 메커니즘이 움직이게 된 것은 버스에서 앉으면 안 되는 자리에 앉은 여자, 금지된 식당에 들어가 호밀빵에 햄을 얹은 샌드위치를 주문한 남자 덕분이었다. 이번에는 증거를 담은 편지가 그런 역할을 할 수도 있었다.

'우리는 반드시 우리의 영혼을 믿어야 합니다. 우리는 중요한 사람입니다. 우리는 의미 있는 사람입니다. 우리는 가치 있는 사람입니다. 이런 긍지와 자부심을 갖고 매일 삶의 길을 걸어가야 합니다.' 그에게 이런 긍지가 없다면 있는 것이 무엇인가? 이번에는 망설이지 않을 것이다.

관중석 팀은 점심 식사를 마치고 다시 관중석으로 향했다. 하퍼가 엘우드의 팔을 잡았다. "잠깐만, 엘우드."

다른 아이들은 비탈길을 내려갔다. "무슨 일이에요, 하퍼 선생님?"

"농장으로 가서 글래드웰 선생을 찾아." 하퍼가 말했다. 글래드웰은 조수 두 명과 함께 니클의 농사를 모두 감독하고 있었다. 엘우드는 그와 이야기를 해본 적이 없지만, 농부답게 그을린 얼굴에 밀짚모자를 쓰고 다니는 그를 모르는 사람이 없었다. 그런 외모 때문에 글래드웰은 마치 리우그란데강을 헤엄쳐 멕시코에서 이곳으로 넘어온 사람 같았다. "정부에서 나온 저 사람들이 오늘은 그쪽으로 안 갈 거야." 하퍼가 말했다. "농장을 감사할 사람으로 특별한 전문가를 보낸대. 그러니까 가서 글래드웰 선생한테 오늘은 마음을 놓아도 된다고 말해."

엘우드는 하퍼가 가리킨 방향을 바라보았다. 감사관 세 명이 대로 저편에서 클리블랜드로 이어진 계단을 오르고 있었다. 그들은 기숙사 안으로 들어갔다. 글래드웰이 저쪽 어디에 있을지는 아무도 몰랐다. 라임밭이든 감자밭이든 몇 에이커나 되는 넓은 땅이었다. 그가 거기에 갔다가 돌아올 때쯤이면 감사관들은 이미 가버린 뒤일 것이다.

"저는 페인트칠이 좋은데요, 하퍼. 어린애들을 보내면 안 될까요?"

"하퍼 선생님." 캠퍼스에서는 반드시 규칙을 지켜야 했다.

"선생님. 저는 관중석 일을 계속하고 싶어요."

하퍼가 미간을 찌푸렸다. "오늘은 다들 이상하게 구네. 그냥 내가 시킨 대로 해. 금요일이면 다시 평소대로 돌아갈 거야." 하퍼는 식당 앞 계단에 서 있는 엘우드를 두고 다른 곳으로 가버렸다. 지난 크리스마스 때 데즈먼드가 그와 터너에게 얼의 배탈에 대해 이야기해준 바로 그 자리였다.

"내가 할게."

터너였다.

"뭐?"

"네 주머니에 있는 그 편지. 내가 그 사람들한테 줄게, 젠장. 네 꼴 좀 봐. 어디 아픈 애 같잖아."

엘우드는 터너를 살펴보았다. 하지만 터너는 세계 최고의 사기꾼들과도 맞먹는 녀석이었다. 사기꾼들은 결코 속내를 드러내는 법이 없었다.

"내가 한다니까. 내가 할게. 누구 다른 사람이 있어?"

엘우드는 쪽지를 그에게 건넨 뒤 아무 말 없이 북쪽으로 뛰어갔다.

엘우드는 한 시간 동안 헤맨 뒤에야 글래드웰을 찾아냈다. 그는 고구마밭 옆에서 커다란 라탄 의자에 앉아 있다가 일어서서 눈을 가늘게 뜨고 엘우드를 바라보았다.

"이번엔 또 뭐야? 담배를 피워도 된다는 건가?" 그는 이렇게 말하고 나서 시가에 다시 불을 붙였다. 그리고 엘우드가 나타난 것을 보고 일손을 느릿느릿 놀리던 학생들에게 고함을 질렀다. "누가 일을 그만하라고 했어? 얼른 움직여!"

엘우드는 부트 힐을 빙 도는 먼 길을 택해 돌아왔다. 마구간과 세탁실을 지나는 길이었다. 그의 발걸음이 느렸다. 터너가 제지당했는지, 엘우드의 계획을 고자질했는지, 아니면 자신의 쪽지를 다락방으로 가져가 태워버렸는지 확인하고 싶지 않았다. 그러나 그가 아무리 늦게 돌아가더라도 그곳에서 기다리는 일을 피할 수는 없었기 때문에 그는 어렸을 때 배운 블루스 곡을 휘파람으로 불었다. 가사는 생각나지 않았다. 이 노래를 부른 사람이 아버지였는지 어머니였는지도 기억나지 않았다. 그래도 이 노래가 슬금슬금 생각날 때면 기분이 좋았다. 갑자기 나타나 그늘을 드리우는 구름처럼 시원했다. 커다란 뭔가에서 떨어져 나와 제 갈 길을 가던 중에 잠시 내 것이 된 어떤 것.

터너는 저녁 식사 전에 그를 자신의 창고로 데려갔다. 그는 마음대로 돌아다닐 수 있었지만 엘우드는 아니었다. 그는 파도처럼 밀려오는 두려움을 떨쳐냈다. 이미 그 편지도 쓴 마당에, 허락 없이 그 창고에 들어갈 정도의 용기는 있어야 했다. 터너의 다락방은 그가 상상하던 것보다 작았다. 니클이라는 동굴 안에 터너가 상자들로 벽을 쌓아 만들어낸 좁은 공간이었다. 바닥에는 더러운 군용 담요가 깔렸고, 휴게실에서 가져온 쿠션도 하나 있었다. 기민한 공작원의 은신처라기보다 꽉 조이는 목줄을 찬 채 도망치다가 비를 피해 들어온 사람이 만든 빈약한 피난처에 가까웠다.

터너가 윤활유 상자에 등을 기대고 앉아 자신의 무릎을 끌어안았다. "내가 했어. 〈게이터〉 안에 그걸 넣었어. 옛날 볼링장에서 가필드 씨가 더러운 경찰들한테 돈을 슬쩍 찔러줄 때처럼 신문에 넣었다고. 그러고는 그 사람 차까지 뛰어가서 '신문이 필요하실 것 같아서요'라고 말했어."

"누구한테 줬어?"

"JFK지 누구겠어?" 한심하다는 어투였다. "내가 그 〈신혼여행〉(재키 글리슨이 출연한 시트콤)에 나온 멍청이한테 줬겠어?"

"고맙다."

"난 아무것도 안 했어, 엘. 편지를 배달했을 뿐이야." 그가 손을 내밀자 엘우드는 그 손을 맞잡고 흔들었다.

그날 밤 주방 직원들이 또 아이스크림을 내놓았다. 사감들이 감사가 잘 되었다고 만족한 모양이었다. 하디도 그런 것 같았다. 다음 날 학교에서, 그리고 금요일에 지역봉사부 일을 하면서 엘우드는 감사관들의 반응을 기다렸다. 옛날 링컨 고등학교 시절 과학 수업에서 화산 모형이 부글부글 끓어오르며 연기를 내뿜기를 기다리던 심정과 비슷했다. 주방위군의 자동차들이 주차장으로 달려들어 오는 일은 없었다. 스펜서가 차가운 손으로 그의 목을 잡고 "어이, 문제가 생겼다"고 말하는 일도 없었다. 그런 식이 아니었다.

언제나와 똑같았다. 밤중에 기숙사 안에서 손전등 불빛들이 그의 얼굴 위로 기어 오더니 그들이 그를 화이트하우스로 데려갔다.

15장

그녀는 그 식당에 대한 기사를 〈데일리 뉴스〉에서 읽고 오려내서 그가 반드시 볼 수 있게 침대 위 그의 옆에 놓아두었다. 두 사람이 밤에 밖에서 데이트를 즐긴 지도 꽤 되었다. 그의 비서인 이베트가 3개월째 어머니를 돌보기 위해 일찍 퇴근하는 바람에 그는 매일 저녁에 못다 한 일을 마무리해야 했다. 이베트의 어머니는 노망이 났는데, 요즘은 그것을 치매라고 불렀다. 한편 3월이 금방이라 그의 아내 밀리는 이미 광기에 휩쓸려 있었다. 그에게는 이것이 연례행사였다. 4월 15일이 점점 다가오면서 모두들 허둥지둥 움직였다. "다들 미친 사람처럼 현실을 부정하고 있어." 밀리가 말했다. 그녀는 대개 11시 뉴스가 방영될 때쯤 집에 돌아왔다. 그가 밤의 데이트 약속을 취소한 것이 벌써 두 번이나 됐다. '밤의 데이트'는 원래 여성잡지에서 쓰던 말인데, 지금은 그가 일상적으로 사용하는 어휘들 중에 파편처럼 박혀 있었다. 어쨌든 그래서 밀리는 이번에도 그가 약속을 어긴다면 가만히 있지 않을 작정이었다. "도러시는 두 번 해봤는데 대단하대." 밀리가 말했다.

도러시가 대단하다고 생각하는 일은 아주 많았다. 가스펠을 감상하며 즐기는 브런치, 〈아메리칸 아이돌〉, 새로 모스크가 생기는 것에 반대하는 청원 운동 조직하기 등. 그는 하고 싶은 말을 참았다.

그는 이베트가 회사를 위해 어디선가 새로 찾아낸 건강보험 상품을 암호처럼 해독하다가 7시에 사무실을 나섰다. 그 보험상품의 보험료는 기존의 것보다 더 쌌지만, 장기적으로는 그가 바가지를 쓰는 형국이었다. 그놈의 개인 부담 어쩌고 하는 헛소리 때문이었다. 이런 종류의 서류 작업은 항상 혼란스럽고 짜증스러웠다. 내일 이베트가 출근하면 다시 설명해보라고 할 생각이었다.

그는 브로드웨이의 시티 칼리지 역에서 내려 비탈길을 올라갔다. 3월 날씨치고는 따뜻했지만, 맨해튼에서 4월에 눈보라를 본 적이 한두 번이 아니었으므로 아직은 봄이 왔다고 생각하고 싶지 않았다. "꼭 겨울 외투를 정리해서 넣고 나면 그런다니까." 그가 말했다. 밀리는 그에게 동굴에 사는 미친 은둔자 같은 소리를 한다고 말했다.

카밀스는 141번가와 암스테르담 거리가 만나는 모퉁이에 있었다. 7층짜리 임대 건물로 사람을 끌어들이는 미끼 역할을 하는 가게였다. 〈데일리 뉴스〉의 기사는 이곳을 새로운 남부 식당으로 평가하면서 "반전이 있는 남부 요리"라고 묘사했다. 반전이라니 무슨 뜻일까? 백인들이 만든 영혼의 음식이라는 뜻? 아니면 연한색의 절임 같은 것을 맨 위에 올린 돼지 곱창? 론스타 맥주를 광고하는 네온사인이 창문에서 깜박거리고, 낡은 앨라배마 자동차 번호판들이 입구 옆의 메뉴판을 후광처럼 에워싸고 있었다. 그는 눈을 가늘게 떴다. 시력이 예전 같지 않았다. 왠지 남부 촌뜨기 주의보가 들리는 것 같았지만, 음식은 괜찮을 것 같았다. 사람들이 지나치게 호들갑을 떠는 것 같지도 않았다. 그가 안내 데스크로 다가가 안을 살펴보니 주로 인근에 사는 동네 사람들이 손님으로 와 있었다. 이 지역에서 십중팔구 대학과 관련된 일을 하고 있을 라틴계 흑인들. 고지식한 사람들이지만 그들의 존재가 곧 보증서였다.

주인은 연한 파란색 히피 원피스를 입은 백인 여자였다. 탄탄한 양팔을 따라 문신으로 새겨 넣은 중국 글자들이 위로 쭉 올라가며 이어졌다. 그 뜻이 뭔지는 아무도 모를 일이지만. 그녀가 그를 못 본 척해서 그는 또 '인종차별인가 형편없는 서비스인가'를 되뇌기 시작했다. 하지만 얼마 되지 않아 여자가 기다리게 해서 미안하다고 사과했다. 그녀는 자기 앞에서 회색으로 빛나는 화면을 향해 미간을 찌푸린 채 새 시스템이 먹통이 됐다고 말했다. "지금 자리로 안내해드릴까요? 아니면 일행이 오신 뒤에 안내해드릴까요?"

오랜 습관 때문에 그는 밖에서 기다리겠다고 말했으나, 밖으로 나간 뒤 너무나 익숙한 실망감이 그를 찾아왔다. 아, 밀리 때문에 그걸 끊었지. 그는 니코틴 껌의 은박지 포장을 벗겼다.

따뜻한 늦겨울 저녁 같았다. 전에 이 동네에 와본 적이 있는 것 같지는 않았다. 142번가에 옛날 그가 일하러 다니던 건물이 보였다. 그가 아직 트럭을 타던 시절이었다. 지금도 가끔 그 시절이 허리로 느껴졌다. 허리가 쑤시거나 움찔거리는 식으로. 지금 이곳의 이름은 해밀턴 하이츠였다. 회사의 배차원이 그에게 해밀턴 하이츠가 어디냐고 처음 물었을 때 그는 이렇게 말했다. "할렘으로 가면 된다고 말해줘." 하지만 해밀턴 하이츠라는 이름이 결국 고집스럽게 살아남았다. 부동산 중개인들이 옛날부터 있던 동네에 새 이름을 지어주거나, 오래된 동네의 옛 이름을 되살려내는 건 곧 그 동네가 새로 단장되고 있다는 뜻이었다. 젊은 사람들, 백인들이 되돌아오고 있다는 뜻이었다. 그 덕분에 그는 사무실 임대료와 직원들 임금을 감당할 수 있다. 해밀턴 하이츠든 로어 후빌이든 하여튼 새로운 이름이 붙은 동네로 이사하는 사람들은 기꺼이 이사 비용을 치른다. 그에게도 최소한 세 시간은 걸리는 일 거리가 반갑다.

백인들의 이탈 추세가 뒤집혔다. 오래전 이 맨해튼섬에서 도망친 사람들, 폭동과 파산한 시 정부와 낙서를 피해 도망친 사람들의 자녀와 손주 세대였다. 당시의 낙서들은 실제로 쓰인 글자가 무엇이든 '뒈져버려'로 읽혔다. 그가 처음 왔을 때 이 도시가 워낙 쓰레기 같았기 때문에 도망치는 사람들을 나무랄 수 없었다. 그들의 인종차별주의와 두려움과 실망감이 지금 그의 새로운 삶을 위한 수입원이 되었다. 롱아일랜드 로즐린으로 이사하신다고요? 호라이즌이 기꺼이 도와드리겠습니다. 당시 시급을 지불하는 입장이 아니라 받는 입장이던 그는 베츠 씨가 장부에 기록하지 않고 현금으로 제때에 돈을 주는 것이 고마웠다. 그의 이름이 무엇인지, 그가 어디서 왔는지는 중요하지 않았다.

길모퉁이 쓰레기통에서 〈웨스트 사이드 스피릿〉이 불쑥 튀어나와 있었다. 그는 밀리에게 인터뷰를 하지 않겠다는 뜻을 밝혀야 한다는 점을 되새겼다. 이따가 잠자리에 들 때나 아니면 내일. 이 저녁의 분위기를 망치면 안 되니까. 같은 독서 클럽에 있는 여자가 이 신문사의 광고 영업 사원이었는데, 지역 사업체들을 조명하는 특집기사에 그의 이름을 넣어주겠다고 밀리에게 말했다. '진취적인 기업가들'이 그 기사 제목이었다. 그는 여기에 딱 맞았다. 이삿짐 업체를 경영하면서 지역 사람들을 고용하고 정신적인 스승 역할도 하는 흑인 남자였으니까.

"난 정신적 스승 같은 것 아닌데." 그가 밀리에게 말했다. 부엌에서 쓰레기 봉지의 매듭을 묶던 중이었다.

"그건 대단한 명예야."

"난 사람들의 시선을 바라지 않아."

간단했다. 짧은 인터뷰를 마친 뒤, 신문사에서 사진기자를 보내 125번가에 있는 그의 새 사무실 사진을 몇 장 찍겠다고 했다. 어쩌면 그가 트럭들 앞에 서 있는 모습을 사진으로 찍을 수도 있었다. 전체적인 규모를 가늠할 수 있게 거물 사장님 같은 모습으로. 생각해볼 것도 없었다. 그걸 보고 기분이 좋아져서 광고를 한두 번 싣고 나면 그것으로 끝이었다.

약속 시간에서 5분이 지났다. 밀리답지 않았다.

그것이 거슬렸다. 그는 한 걸음 물러났다가 몇 걸음 더 물러났다. 그 건물을 제대로 보기 위해서였다. 그제야 자신이 여기에 와본 적이 있음을 깨달았다. 1970년대에. 당시 이 식당은 지역센터 비슷한 곳이었다. 법률구제 사무실 같은 곳. 모두 생김새가 비슷하다는 것을 보여주기 위해 책상들이 훤히 볼 수 있게 배치되어 있었다. 식비 지원 등 정부의 저소득층 프로그램 신청서 작성을 도와주고, 사람의 기를 꺾어놓는 관청 용어들을 해석해주었다. 과거의 블랙 팬서(미국의 흑인 과격파)들이 운영하는 곳일 가능성이 높았다. 그가 아직 호라이즌에서 일할 때니까 틀림없이 1970년대였다. 꼭대기 층, 한여름, 고장 난 엘리베이터. 등에 짐을 지고 흑백의 육각형 타일 위를 걸었다. 수많은 사람의 발길에 닳은 계단들이 마치 미소를 짓고 있는 것 같았다. 층마다 미소가 열두 개였다.

그래. 노부인이 죽었다고 했다. 그래서 아들은 호라이즌에 의뢰해서 이곳의 모든 물건을 챙겨 롱아일랜드의 자기 집으로 옮기게 했다. 그 집에 도착한 뒤에는 지하실로 내려가 한 번도 손댄 적이 없는 낚싯대와 보일러 사이에 얌전히 정리해두었다. 아들이 세상을 떠난 뒤 그의 자녀들은 그 물건을 어떻게 처리해야 할지 몰라서 또 같은 과정을 되풀이할 것이다. 가족들은 노부인의 물건을 절반쯤 챙긴 뒤 나머지는 포기해버렸다. 일을 하다 보면 사람들이 너무 엄청난 일을 벌였다는 생각에 압도당하는 순간을 알아볼 수 있다. 그날 오후의 광경들이 그의 기억 속에 아직 많이 남아 있었다. 그 임대아파트의 꼭대기 층까지 오르락내리락. 호라이즌 티셔츠가 땀으로 흠뻑 젖었다. 도무지 열리지 않는 창문 때문에 고립과 죽음의 퀴퀴한 냄새가 안에 갇혀 있었다. 수납장은 텅 비었다. 노부인이 죽은 침대는 커버가 벗겨져서 파란색과 하얀색 줄무늬가 있는 매트리스가 드러나 있었다. 거기에 노부인이 남긴 얼룩도.

"매트리스도 가져갈까요?"

"매트리스는 안 가져갑니다."

당시 그가 그런 죽음을 두려워했다는 것은 하느님이 아신다. 악취 때문에 이웃들이 놀라고 관리인이 짜증을 내며 경찰을 부를 때까지 아무도 알지 못하는 죽음. 관리인은 시체를 본 뒤에야 그가 어떤 사람이었는지 떠올릴 것이다. 우편물을 제때 가져가지 않고 방치했던 것, 옆

집의 착한 여자에게 욕을 했던 것, 그녀의 고양이에게 독을 먹이겠다고 다짐했던 것. 혼자 죽어가면서 그가 마지막으로 생각하는 것은 무엇일까. 니클. 마지막 순간까지 니클이 그를 뒤쫓는다는 생각. 그의 뇌혈관이 터지거나 심장이 주저앉을 때까지. 아니, 그 너머의 저승까지도. 어쩌면 니클이야말로 그를 기다리는 내세인지도 모른다. 언덕 아래에 화이트하우스가 있고, 언제나 오트밀을 먹는 망가진 소년들이 영원히 형제애를 다지는 곳. 그가 그런 식의 죽음을 생각하지 않은 지도 이미 몇 년이 되었다. 그는 그 생각을 상자에 싸서 지하실의 방치된 낚싯대와 보일러 사이에 놓아두었다. 옛날 그때의 다른 물건들과 함께. 그가 그 환상을 더 이상 윤색하지 않게 된 지도 오래되었다. 인생을 함께 할 사람이 생겼기 때문은 아니었다. 그 사람이 밀리이기 때문이었다. 그녀가 나쁜 부분들을 쳐냈다. 그는 자신도 그렇게 할 수 있기를 바랐다.

그녀에게 꽃을 사주고 싶었다. 처음 사귀기 시작했을 때처럼. 헤일 하우스 기금 모금 모임에서 처음 그녀를 본 것이 8년 전이었다. 그때 그녀는 그 꼼꼼한 글씨로 제비뽑기 카드를 작성하고 있었다. 아무 이유 없이 꽃을 사주는 게 평범한 남편의 행동인가? 그 학교를 나온 뒤 이렇게나 많은 세월이 흘렀는데도 그는 여전히 평범한 사람들의 관습을 암호처럼 해석하는 데 하루 중 일부를 바쳤다. 행복한 가정에서 하루에 세 끼를 꼬박꼬박 먹고 밤에는 잘 자라는 키스를 받은 사람들, 화이트하우스나 강제 데이트나 지옥행 선고를 내린 백인 판사 같은 것은 알지도 못하는 사람들.

밀리가 늦었다. 서두른다면 브로드웨이로 가서 한국인이 운영하는 델리에서 싸구려 꽃다발을 산 뒤 그녀가 오기 전에 돌아올 수 있을 것이다.

"이건 뭐야?" 그녀는 이렇게 물을 것이다.

내게 자유세계 그 자체가 되어줘서 주는 거야.

꽃다발 생각을 더 일찍 할 것을. 사무실 앞의 델리를 지날 때나 지하철에서 내렸을 때. 왜냐하면 그 생각을 한 순간 그녀의 목소리가 들렸기 때문이다. "저기 내 잘생긴 남편이 있네." 밤의 데이트가 시작되었다.

16장

노예를 다루는 방법은 아버지에게서 배웠다. 이 잔혹한 재산을 물려받을 때. 놈을 가족과 떨어뜨려놓고 채찍질을 해라. 놈이 오로지 채찍만 기억하게 될 때까지. 놈을 사슬로 묶어두어라. 오로지 사슬만이 놈의 세상이 되게. 쇠로 된 징벌 상자에 한동안 집어넣어 햇빛에 뇌가 푹푹 익게 만드는 것도 놈의 기를 꺾어버리는 방법 중 하나였다. 어둠 속에 둥둥 떠서 시간마저 초월한 느낌을 주는 어두운 감방도 마찬가지였다.

남북전쟁 이후 짐 크로 법을 어기면(유랑, 허락 없이 주인을 바꾸는 것, '오만불손한 접촉' 등) 5달러의 벌금을 물게 되었을 때, 남녀를 막론하고 흑인들이 그 돈을 내지 못해 대신 노역에 시달리게 되자 백인 아들들은 아버지의 가르침을 다시 떠올렸다. 구덩이를 파고, 쇠막대를 휘두르고, 햇빛을 보지 못하게 하라. 플로리다 소년 산업학교는 문을 연 지 6개월도 안 돼서 3층의 비품 수납장을 독방으로 만들었다. 일꾼 한 명이 기숙사마다 돌아다니면서 그 방의 나사를 조였다. 1921년 화재 때 이곳에 갇혀 있던 아이 두 명이 목숨을 잃은 뒤에도 이 감방들은 계속 사용되었다. 백인의 아들들은 옛날의 가르침을 가까이 두고 새겼다.

나라에서는 2차 세계대전 이후 청소년 시설에서 어두운 감방과 징벌 상자를 사용하는 것을 불법화했다. 사방에서 고결한 개혁이 이루어지던 시기였다. 심지어 니클에서도 마찬가지였다. 그러나 그 감방들은 텅 빈 채로 조용히 숨 막히게 기다렸다. 품행 교정이 필요한 버릇없는 녀석들이 나타나기를. 그들은 지금도 계속 기다린다. 백인의 아들들이, 그리고 그들의 아들들이 대를 이어 기억하는 한.

엘우드가 두 번째로 화이트하우스에 끌려가 당한 매질은 첫 번째만큼 지독하지 않았다. 스펜서는 엘우드의 쪽지가 어떤 피해를 일으켰는지 알지 못했다. 그 쪽지를 누가 또 읽었는지, 누가 관심을 보였는지, 의회에서 어떤 반향이 일고 있는지 알지 못했다. "똑똑한 놈이야." 그가 말했다. "이렇게 똑똑한 깜둥이가 어디서 나왔는지 모르겠어." 그는 평소처럼 유쾌한 모습이 아니었다. 그는 엘우드에게 스무 대를 때린 뒤 정신이 다른 데 팔린 사람처럼 블랙 뷰티를 헤너핀에게 넘겼다. 처음 있는 일이었다. 헤너핀은 스펜서가 얼의 후임으로 고용한 사람인데, 자신이 얼마나 완벽한 사람을 선택했는지 스펜서 본인도 모르고 있었다. 하지만 원래 끼리끼리 모이는 법이다. 헤너핀은 대개 멍청한 악당 같은 표정을 유지한 채 무겁게 쿵쿵 걸어 다녔지만, 잔인한 짓을 할 기회가 생기면 얼굴이 반짝 환해져서 곁눈질을 하며 이를 드러내고 웃었다. 이가 빠진 빈 자리도 함께 드러났다. 헤너핀이 몇 번 엘우드를 때린 뒤 스펜서가 그의 손을 잡았다. 탤러해시에서 무슨 일이 벌어지고 있는지 알 길이 없었다. 그들은 엘우드를 어두운 감방으로 데려갔다.

블레이클리의 방은 계단 꼭대기에서 오른쪽에 있었다. 맞은편 문을 열면 짧은 복도와 방 세 개가 나왔다. 감사를 대비해서 새로 페인트칠을 한 그 방 안에는 침구와 여분의 매트리스가 쌓여 있었다. 페인트칠 덕분에 과거 이 방에 들어왔던 아이들이 어둠 속에서 손톱으로 긁어 새겨놓은 이니셜들이 감춰졌다. 이니셜, 이름, 그리고 다양한 욕설과 애원. 소년들은 문이 열린 뒤에야 비로소 자신이 새긴 글자를 볼 수 있었다. 자신이 기억하는 내용과는 전혀 다른 상형문자 같았다. 모두 악마의 작품 같았다.

스펜서와 헤너핀은 침구와 매트리스를 양편의 방으로 옮겼다. 그렇게 비운 방에 엘우드를 밀어 넣었다. 다음 날 오후 근무 중이던 관리인이 화장실 대용으로 쓰라며 양동이 하나를 주었다. 그뿐이었다. 문 위쪽에 그물눈처럼 뚫려 있는 구멍을 통해 빛이 들어왔다. 그의 눈이 그 회색빛에 점차 익숙해졌다. 그들은 다른 아이들이 아침 식사를 하러 갈 때 그에게도 먹을 것을 주었다. 하루에 한 끼였다.

이 방에 갇혔던 아이들 중 마지막 세 명은 불행한 결말을 맞았다. 이 방은 불운에 더한 불운이 겹쳐진 저주의 방이었다. 리치 백스터는 백인 감독관에게 맞섰다는 이유로 어두운 감방행을 선고받았다. 자신의 귀를 때린 백인 감독관에게 주먹을 휘둘러 치아 세 대를 날린 죄였다. 그는 오른 주먹이 강했다. 리치는 밖에 나간 뒤 백인 세상에 화려한 주먹질을 안겨주는 생각을 하며 이 방에서 한 달을 보냈다. 무차별 폭행과 살인과 폭력. 손마디의 핏자국은 바지에 닦았다. 하지만 상상을 실현하는 대신 그는 군대에 들어가 전사했다. 한국전쟁이 끝나기 이틀

전이었다. 그의 관은 닫혀 있었다. 5년 뒤 클로드 셰퍼드가 복숭아를 훔친 죄로 이 방에 갇혔다. 어둠 속에서 몇 주를 보내고 나온 그는 예전의 그가 아니었다. 들어갈 때는 소년이었으나 나올 때는 절룩거리는 어른이었다. 그는 버릇없는 행동을 그만두고, 쓸모 있는 사람이 되려고 노력했다. 어수룩한 구도자 같았다. 3년 뒤 클로드는 시카고의 싸구려 여인숙에서 헤로인 과용으로 쓰러졌다. 지금은 무연고자 공동묘지에 묻혀 있다.

엘우드 커티스 바로 전에 이 방에 갇혔던 잭 코커는 테리 보니라는 학생과 동성애 행위를 하다가 발각되었다. 잭은 클리블랜드에서, 테리는 루스벨트의 3층에서 이 어두운 시기를 보냈다. 차가운 우주에 뜬 쌍성이었다. 잭은 감방에서 나오자마자 의자로 테리의 얼굴을 후려쳤다. 아니, 나오자마자는 아니었다. 저녁 식사 때까지 기다려야 했으니까. 테리는 자신의 파멸을 언뜻 보여주는 거울 같은 존재였다. 잭은 엘우드가 니클에 들어오기 한 달 전 어느 싸구려 술집에서 죽었다. 처음 보는 사람의 말을 잘못 듣고 주먹을 내지른 탓이었다. 그 사람은 칼을 갖고 있었다.

일주일 하고 절반이 지난 뒤 스펜서는 마음을 졸이며 겁을 내는 것에 진력이 나서 엘우드를 찾아왔다. 사실 그는 겁을 낼 때가 아주 많았지만, 여기 흑인 아이가 그 공포의 진원지라는 사실이 낯설었다. 주 의회가 점차 조용해지고 있어서 하디의 고민도 줄어들었다. 최악의 상황은 지나갔다. 정부가 너무 힘이 세서 함부로 개입하지 못한다는 점이 대략적인 문제였다. 그가 보기에는 그랬다. 해가 갈수록 상황이 나빠졌다. 스펜서의 아버지는 남쪽 캠퍼스의 감독관이었지만 그곳 학생 한 명이 숨이 막혀서 죽은 뒤 강등되었다. 누구도 손을 쓸 수 없는 난장판이 벌어진 뒤 그가 희생양이 된 것이다. 전에도 자금 사정이 빡빡했는데, 지금은 더 빡빡했다. 스펜서는 지금도 그때를 기억하고 있었다. 콘비프 통조림을 넣고 끓인 수프 냄새가 자그마한 부엌에 가득 차면, 형제자매들과 함께 깨진 그릇을 들고 줄 서 있던 기억. 그의 할아버지는 아칸소의 스파드라에 있는 T. M. 매디슨 석탄 회사에서 흑인 죄수들을 관리하는 일을 했다. 지방정부에서도 본사에서도 감히 그의 일에 간섭하지 못했다. 그는 명인이었으며, 그 덕분에 존중받는 것을 즐겼다. 그런데 스펜서가 맡은 아이 한 명이 쪽지에서 그에 대해 이야기하다니 굴욕적이었다.

스펜서는 헤너핀을 데리고 3층으로 올라갔다. 기숙사 사람들은 모두 아침 식사 중이었다. "우리가 널 언제까지 여기에 둘지 궁금하겠지." 그가 말했다. 헤너핀과 함께 한동안 엘우드에게 발길질을 하고 난 뒤 스펜서는 기분이 좋아졌다. 가슴속의 근심 거품이 펑 하고 터져 사라진 것 같았다.

엘우드에게는 매일이 인생 최악의 날이었다. 눈을 뜰 때마다 그 감방이었으니까. 이 어둠 속의 나날에 대해 누구에게도 이야기하고 싶지 않았다. 누가 그를 구해주러 올까? 그는 자신이 고아라고 생각한 적이 한 번도 없었다. 그가 뒤에 남은 것은 어머니와 아버지가 캘리포니아에서 꼭 찾아야 할 것이 있기 때문이었다. 그것 때문에 슬퍼해봤자 소용이 없었다. 어떤 결과를 내기 위해서는 반드시 필요한 과정이 있기 때문이었다. 그는 언젠가 아버지에게 자신의 쪽지에 대해 말하는 상상을 했다. 아버지가 유색인종 병사들의 처우에 관해 지휘관에게 건넨 편지와 같은 내용이라고. 아버지는 그 편지 덕분에 전쟁 때 상을 받았다. 하지만 그는 니클의 많은 아이들처럼 사실 고아나 마찬가지였다. 누구도 그를 위해 와주지 않았다.

그는 마틴 루서 킹 목사가 버밍햄의 감옥에서 쓴 편지를 한참 동안 생각했다. 그 편지에는 킹 목사의 내면에서 우러나온 강력한 호소력이 있었다. 한 가지 일이 또 다른 일로 이어진다. 킹 목사가 그때 감옥에 갇히지 않았다면, 행동하라는 웅대한 외침도 없었을 것이다. 엘우드에게는 종이도 펜도 없었다. 감방의 벽뿐이었다. 게다가 훌륭한 생각도 없었다. 지혜나 말솜씨는 말할 것도 없었다. 세상은 평생 동안 그의 귀에 세상의 규칙을 속삭였지만, 그는 그 소리를 거부하고 대신 더 고결한 명령에 귀를 기울였다. 세상은 계속 그를 가르치려 들었다. 사랑하지 마라, 그들이 사라질 테니. 믿지 마라, 배신당할 테니. 일어서지 마라, 얻어맞고 무릎 꿇게 될 테니. 그래도 그의 귀에는 고결한 명령이 계속 들려왔다. 사랑하면 사랑의 보답이 있을 것이다. 올바른 길을 믿으면 그 길이 너를 해방으로 이끌 것이다. 싸우면 세상이 달라질 것이다. 그는 눈앞에 뻔히 드러나 있는 것에 결코 눈길을 주지 않았다. 그래서 이제 그 세상으로부터 완전히 뽑혀 나오고 말았다. 들려오는 소리는 아래층에 있는 아이들의 목소리뿐이었다. 고함 소리, 웃음소리, 두려워서 외치는 소리. 마치 그가 가혹한 하늘에 둥둥 떠 있는 것 같았다.

감옥 안의 감옥. 그 길고 긴 시간 동안 그는 킹 목사의 말을 떠올리며 고민했다. '우리를 감옥에 가둬도 우리는 여전히 당신들을 사랑할 겁니다…… 그러나 이것은 분명히 알아두십시오. 우리는 고통을 견디는 능력으로 당신들을 지치게 해서 언젠가 자유를 얻어낼 겁니다. 자유만 얻어내는 데서 그치지 않고, 여러분의 마음과 양심에 호소해서 여러분의 마음도 얻어낼 겁니다. 그렇게 해서 우리의 승리에 또 하나의 승리를 더할 겁니다.' 하지만 그는 도저히 사랑을 품을 수 없었다. 킹 목사가 그런 주장을 하게 된 이유도, 그 주장을 실행하려는 의지도 이해할 수 없었다.

어렸을 때 그는 리치먼드 호텔의 식당을 지켜보았다. 그의 종족에게는 금지된 장소였지만 언젠가 그 문이 열릴 것이라는 믿음을 안고, 그는 기다리고 또 기다렸다. 어두운 감방에서 그는 자신의 기다림을 다시 생각해보았다. 그는 어두운 피부색을 초월해서 인정받기를 원했다. 자신과 비슷하게 생긴 사람, 동지라고 부를 수 있는 사람을 원했다. 그를 동지로 불러줄 사람. 똑같은 미래가 다가오고 있음을 아는 사람. 비록 속도는 느릴지라도 뒷골목과 신산한 나날로 점철된 그 미래 앞에서 손으로 쓴 항의의 팻말과 연설에 장단을 맞추는 사람. 커다란 레버에 체중을 실어 세상을 움직일 준비가 된 사람. 그런 사람은 나타나지 않았다. 그때 그 식당에서도 다른 곳에서도.

계단으로 통하는 문이 바닥을 긁으며 열렸다. 어두운 감방 밖에서 발소리가 들렸다. 엘우드는 또 맞을 각오를 했다. 3주가 지난 뒤에야 비로소 그들은 그를 어떻게 처리할지 결정했다. 그가 아직 쇠고리가 있는 저 뒤로 끌려가 사라져버리지 않은 것은 순전히 그 이유 때문일 것이다. 아직 확실치 않다는 이유. 하지만 이제 상황이 잠잠해졌으므로, 니클은 세대를 거치며 내려온 관습과 규율을 다시 꺼내 들었다.

빗장이 밀렸다. 문간에 호리호리한 실루엣이 하나 서 있었다. 터너가 조용히 하라는 시늉을 하더니 엘우드를 부축해서 일으켜 세웠다.

"놈들이 내일 널 저 뒤로 데려갈 거야." 터너가 속삭였다.

"그래." 엘우드가 말했다. 마치 남의 이야기를 하는 것 같았다. 머리가 어지러웠다.

"같이 가야 돼."

엘우드는 '같이'라는 말이 이해가 가지 않았다. "블레이클리는."

"그 놈은 뺐어. 쉿!" 터너가 엘우드에게 안경과 옷과 신발을 건넸다. 엘우드의 사물함에서 가져온 물건이었다. 그가 이 학교에 온 첫날 몸에 걸치고 있던 것들. 터너도 제복이 아니라 검은 바지와 검푸른 셔츠를 입고 있었다. '같이.'

클리블랜드의 아이들이 감사에 대비해서 삐걱거리는 바닥 널을 갈아 끼웠지만, 빠뜨린 곳이 몇 군데 있었다. 엘우드는 고개를 갸우뚱하게 기울이고, 블레이클리의 숙소에서 소리가 나지 않는지 귀를 기울였다. 소파는 문 근처에 있었다. 조례 시간에 내내 이 소파에 누워 잠을 자는 그를 깨우려고 그동안 계단을 오르내린 아이들이 아주 많았다. 블레이클리는 꼼짝도 하지 않았다. 그동안 갇혀서 두 번 구타를 당한 탓에 엘우드는 몸이 뻣뻣했다. 터너가 그를 부축해주었다. 등에는 불룩한 배낭을 메고 있었다.

1호실 아이든 2호실 아이든 하여튼 오줌을 싸러 나가는 녀석과 우연히 마주칠 가능성이 있었다. 두 사람은 최대한 소리를 내지 않고 서둘러 움직여 계단을 내려갔다. "똑바로 걸어서 지나갈 거야." 터너가 말했다. 휴게실을 지나 클리블랜드의 뒷문으로 갈 것이라는 뜻이었다. 엘우드도 알아들었다. 1층에는 밤새 불이 켜져 있었다. 엘우드는 지금이 몇 시인지 알 수 없었다. 새벽 1시인가? 2시? 어쨌든 야간 당직을 맡은 감독관이 규정을 어기고 세상모르게 곯아떨어져 있을 시간이었다.

"오늘 밤에는 저기 수송부에서 포커를 친다고 했어." 터너가 말했다. "두고 보면 알겠지."

창문으로 들어오는 빛을 벗어난 뒤, 두 사람은 절룩거리며 중앙 도로를 향해 전속력으로 뛰었다. 마침내 빠져나왔다.

엘우드는 어디로 가느냐고 묻지 않았다. 대신 터너에게 이렇게 물었다. "왜?"

"시팔, 놈들이 지난 이틀 동안 벌레 새끼처럼 막 돌아다녔어. 그 망할 새끼들이 전부. 스펜서, 하디. 그러다 프레디가 하는 말이, 레스터가 놈들의 말을 듣고 샘한테 해준 말을 나한테 다시 해주는 거라면서, 놈들이 널 저 뒤로 데려가겠다고 했다잖아." 레스터는 감독관 사무실의 청소를 맡은 클리블랜드 아이로, 학교에서 일어나는 굵직굵직한 일들을 모두 알고 있었다. 진짜 월터 크롱카이트 같은 놈이었다. "그래서야. 오늘 밤이 아니면 끝이야." 터너가 말했다.

"근데 너는 왜 같이 가는 거야?" 그가 엘우드에게 방향만 가리켜주고 행운을 빈다며 돌아설 수도 있었을 것이다.

"네 놈이 멍청하니까 금방 잡힐 것 같아서 그런다, 왜."

"아무도 데려가지 말라며. 도망칠 때는."

"너는 멍청하고, 나는 바보니까."

터너는 길을 따라 달리며 그를 시내 쪽으로 데려가고 있었다. 길에 차가 나타나면 두 사람은 길옆으로 몸을 던졌다. 집들이 점점 많아지자 두 사람은 몸을 웅크리고 천천히 움직였다. 엘우드에게도 좋은 일이었다. 등이 아팠다. 스펜서와 헤너핀이 블랙 뷰티로 후려친 다리도 아팠다. 하지만 도망치는 일이 워낙 급박해서 고통이 제대로 느껴지지 않았다. 누군가의 집 앞을 지나갈 때 망할 놈의 개들이 시끄럽게 짖어댄 적이 세 번이나 되었다. 두 사람은 그때마다 전속력으로 달렸다. 눈으로 직접 그 개들을 보지는 못했지만, 그 소리만으로도 가슴이 벌렁거렸다.

"한 달 내내 애틀랜타에 가 있을 거야." 터너가 말했다. 지금 가고 있는 집의 주인인 찰스 그레이슨 씨에 대한 이야기였다. 그는 권투 경기가 있던 그날 밤에 학생들이 생일 축하 노래를 불러준 은행가였다. 지역봉사부 일을 나갔을 때 두 사람은 그의 차고를 치우고 페인트칠을 했다. 큰 집이었다. 외로운 집이기도 했다. 그의 쌍둥이 아들은 멀리서 대학에 다니고 있었다. 엘우드와 터너는 차고를 치우면서 그 아이들이 어렸을 때 쓰던 장난감들을 많이 내다 버렸다. 쌍둥이들이 똑같이 생긴 빨간색 자전거를 갖고 있던 것을 엘우드는 기억했다. 자전거는 두 사람이 내다 버린 자리, 그러니까 원예 도구들 옆에 아직도 그대로 있었다. 달빛만으로도 그 자전거들을 충분히 알아볼 수 있었다.

터너가 타이어에 바람을 넣었다. 펌프를 애써 찾을 필요는 없었다. 언제부터 계획을 짠 거지? 터너는 나름의 기록을 갖고 있었다. 이 집에서는 뭘 구할 수 있고, 저 집에서는 또 뭘 구할 수 있는지 적어놓은 기록. 엘우드가 자기만의 기록을 갖고 있었던 것과 마찬가지였다.

일단 쫓기기 시작하면 개들을 어찌할 도리가 없다고 터너가 말했다. "기껏해야 최대한 거리를 벌리는 방법뿐이야. 몇 마일쯤 떨어져야 돼." 그는 엄지와 검지로 타이어를 눌러보았다. "탤러해시가 좋을 것 같아." 그가 말했다. "큰 데잖아. 북쪽으로 가고 싶지만 내가 잘 모르는 곳이

라. 탤러해시에서 누군가의 차를 얻어 타고 다른 데로 가면 돼. 그러면 그 개들이 날개라도 돋지 않는 이상 우리를 못 잡을 거야."

"놈들은 날 죽여서 거기에 묻을 생각이었어." 엘우드가 말했다.

"당연하지."

"네가 날 꺼내줬고."

"응." 터너는 뭐라고 말을 이으려다가 그만두고 이렇게만 말했다. "자전거 탈 수 있어?"

"탈 수 있어."

탤러해시까지는 자동차로 한 시간 반이 걸렸다. 그럼 자전거로는? 이리저리 길을 돌아가면서 해가 뜨기 전까지 얼마나 갈 수 있을지는 알 수 없는 노릇이었다. 뒤에서 처음 자동차가 나타났을 때는 방향을 틀기에 이미 늦은 때라 두 사람은 무표정한 얼굴로 계속 페달만 밟았다. 빨간색 픽업트럭은 아무 일 없이 두 사람을 앞질러 갔다. 그 뒤로 두 사람은 엘우드가 낼 수 있는 최대 속도로 가능한 한 많이 달리기 위해 계속 도로를 벗어나지 않았다.

해가 떴다. 엘우드는 집으로 향하고 있었다. 그곳에 머무를 수 없다는 것은 알지만, 이 백인 동네를 떠나 고향에 돌아간 것만으로 마음이 가라앉을 것 같았다. 그는 어디든 터너가 가라는 곳으로 갈 것이다. 그리고 안전해지면, 자신이 겪은 일을 모두 다시 종이에 적을 것이다. 〈디펜더〉에 다시 보내봐야지. 〈뉴욕 타임스〉에도. 그들은 대형 신문사였으므로 체제를 지키는 일을 하고 있었지만, 권리투쟁에 관한 보도에는 그동안 큰 진전이 있었다. 힐 선생님에게 다시 연락해볼 수도 있을 것이다. 엘우드는 니클에 온 뒤 힐 선생님에게 연락한 적이 없었다. 변호사가 그의 연락처를 알아보겠다고 했지만 그뿐이었다. 하지만 어쨌든 힐 선생님은 아는 사람이 많았다. SNCC(학생비폭력위원회. 1960년대 미국에서 민권운동에 참여한 학생단체) 사람들과, 킹 목사 주변의 사람들. 엘우드는 이미 실패를 맛보았지만, 다시 도전해보는 수밖에 없었다. 변화를 위해 당당히 일어서는 것 외에 또 무슨 일을 할 수 있겠는가?

한편 터너는 기차를 타고 북쪽으로 갈 생각을 하고 있었다. 북쪽은 여기 남쪽만큼 심하지 않아서 흑인도 스스로 자리를 잡을 수 있었다. 자신의 의지로 살아갈 수 있었다. 기차가 없다면 네 발로 기어서라도 갈 것이다.

아침이 되자 차량이 많아졌다. 터너는 이 도로와 다른 시골길을 놓고 고민하다가 이 도로를 택했다. 지도상으로는 이쪽 도로가 거리는 같으면서 주변에 사람이 적었다. 차량 운전자들이 틀림없이 두 사람을 살펴보고 있을 것이라는 생각이 들었다. 똑바로 앞만 보고 가는 것이 최선이었다. 엘우드가 잘 따라오는 것이 놀라웠다. 둥글게 휘어진 부분을 지나자 도로가 오르막길이 되었다. 만약 터너가 엘우드처럼 며칠 동안 갇혀서 얻어맞았다면 아무리 짧은 길이라 해도 이 오르막길을 오르다가 뻗어버렸을 것이다. 하지만 엘우드는 굳건했다.

터너는 손으로 무릎을 잡고 아래로 밀었다. 이제는 뒤에서 자동차 소리가 들려도 돌아보지 않았지만, 왠지 느낌이 이상해서 고개를 돌렸다. 니클의 승합차였다. 앞쪽 펜더에 녹슨 자국이 꽃처럼 번져 있는 것이 곧 눈에 들어왔다. 지역봉사부 승합차였다.

한쪽 길가는 이랑이 있는 농지였고, 반대편은 탁 트인 목초지였다. 아무리 둘러봐도 숲 같은 것은 눈에 보이지 않았다. 하얀 나무 울타리에 둘러싸인 목초지가 더 가까웠다. 터너는 엘우드에게 소리쳤다. 도망쳐야 한다고.

두 사람은 울퉁불퉁한 길가로 방향을 꺾어 자전거에서 뛰어내렸다. 엘우드가 터너보다 먼저 울타리를 넘었다. 등의 찢어진 상처에서 셔츠까지 배어 나온 피가 이미 말라 있었다. 터너가 곧 그를 따라잡아 나란히 달렸다. 두 사람은 높게 자라서 이리저리 흔들리는 풀과 잡초 사이를 달렸다. 승합차 문이 열리더니 하퍼와 헤너핀이 울타리를 넘어왔다. 아주 빨랐다. 두 사람 모두 엽총을 들고 있었다.

터너가 한 번 뒤를 돌아보았다. "더 빨리!"

비탈길 아래에 울타리가 또 있고, 그다음은 숲이었다.

"됐어!" 터너가 말했다.

엘우드는 입을 벌리고 가쁘게 숨을 몰아쉬었다.

첫 번째 총탄은 빗나갔다. 터너는 다시 뒤를 돌아보았다. 헤너핀의 총이었다. 이번에는 하퍼가 멈춰 섰다. 그는 어렸을 때 아버지가 가르쳐준 대로 총을 들었다. 아버지는 집을 자주 비웠지만, 이것만은 가르쳐주었다.

터너는 좌우로 마구 방향을 바꾸며 고개를 숙였다. 그렇게 하면 총탄을 피할 수 있다는 듯이. '놈들은 날 못 잡아. 난 쿠키 영웅이니까.' 그가 다시 뒤를 돌아보는 순간 하퍼가 방아쇠를 당겼다. 엘우드의 양팔이 크게 벌어졌다. 손을 쭉 뻗은 채로. 마치 긴 복도의 양쪽 벽이 얼마나 단단한지 시험해보려는 것 같았다. 그는 아주 오랫동안 그 복도를 달렸지만 끝이 어디인지 눈에 보이지 않았다. 그는 휘청거리며 두 걸음을 더 나아간 뒤 풀 속으로 쓰러졌다. 터너는 계속 뛰었다. 그는 엘우드가 소리를 질렀는지 아니, 애당초 소리를 내기는 했는지 나중에 생각해보았지만 도무지 기억이 나지 않았다. 그는 계속 달리는 중이었고, 그의 머릿속에는 정신없이 피가 도는 느낌뿐이었다.

에필로그

자동 수속 기계들은 그를 좋아하지 않았다. 그가 화면을 향해 아무리 주먹질을 하고 투덜거려도 소용이 없었다. 그는 카운터에서 체크인을 했다. 카운터에는 이십 대 중반의 흑인 여자가 완전히 사무적인 태도로 앉아 있었다. 밀리의 조카들 같은 신세대였다. 남들이 서투르게 구는 꼴을 그냥 참아 넘기지 못하고 면전에서 전부 말해버리는 아이들.

"텔러해시행입니다. 성은 커티스." 터너가 말했다.

"신분증 좀 주시겠어요?"

면허증을 새로 신청할 필요가 있었다. 요즘은 이틀에 한 번씩 머리를 박박 밀고 있기 때문에. 면허증 사진과는 닮은 구석이 전혀 없었다. 사진 속에는 옛날의 그가 있었다. 어차피 텔러해시에 가면 이 면허증이 필요하지도 않을 것이다. 이건 이제 과거지사였다.

니클에서 나온 지 2주가 되었을 때 간이식당 주인이 그의 이름을 묻자 그는 "엘우드 커티스"라고 대답했다. 그게 머리에 가장 먼저 떠오른 이름이었다. 그게 맞는 것 같았다. 그때부터 그는 누가 물을 때마다 그 이름을 댔다. 친구를 기리기 위해서.

그를 대신해 살기 위해서.

엘우드의 죽음은 신문에 실렸다. 인근에 살던 소년인데, 무슨 수를 써도 법망을 피할 수 없다는 식의 쓰레기 같은 소리였다. 터너의 이름도 엘우드의 이름과 함께 신문에 실렸다. '검둥이 청소년'이라고. 설명은 그것이 전부였다. 흑인 아이가 또 사고를 쳤구나. 사람들에게 필요한 사실은 그것뿐이었다. 터너는 제이미가 옛날에 죽치고 있던 곳, 그러니까 올세인츠의 철도 조차장에 숨었다. 그러다 어느 날 밤 위험을 무릅쓰고 북쪽으로 가는 화물열차에 올라탔다. 해안을 따라 올라가며 이런저런 일자리를 전전했다. 식당, 날품팔이, 노가다. 그렇게 마침내 뉴욕까지 와서 정착했다.

1970년에 그는 그때 이후 처음으로 플로리다에 가서 엘우드의 출생증명서 발급을 요청했다. 건설 현장과 지저분한 싸구려 식당에서 과거가 불분명한 사람들과 함께 일하는 것이 좋은 일은 아니었지만, 그런 사람들은 수상쩍은 일들을 잘 알고 있었다. 예를 들어, 죽은 사람의 출생증명서를 손에 넣는 방법 같은 것. 죽은 소년의 출생증명서. 생년월일, 부모의 이름, 태어난 도시. 그때는 쉬웠다. 플로리다주가 정신을 차리고 갖가지 보호조치를 시행하기 전이었기 때문에. 2년 뒤 그가 신분증 발급을 요청하자, 정부에서는 우편으로 그것을 보내주었다. A&P 슈퍼마켓의 전단지와 함께.

항공사 체크인 카운터의 프린터가 조잘거리며 돌아갔다. "즐거운 비행을 하십시오, 손님." 직원은 이렇게 말하고 나서 미소를 지었다. "더 필요하신 건요?"

그는 퍼뜩 정신을 차렸다. "아뇨, 감사합니다." 잠시 옛날 생각에 빠져 있었다. 그가 플로리다를 찾는 것은 43년 만에 처음이었다. 그곳이 텔레비전 화면을 통해 그에게 곧장 손을 뻗어 확 잡아당긴 탓이었다.

어젯밤 밀리가 퇴근해 돌아왔을 때 그는 니클과 묘지에 대한 기사 두 건을 프린트해서 보여주었다. "끔찍하네." 그녀가 말했다. "이런 사람들은 무슨 짓을 저지르든 그냥 빠져나간다니까." 두 기사 중 하나에 따르면, 스펜서는 이미 몇 년 전에 죽었지만 얼은 여전히 잘 살아 있었다. 아흔다섯 살. 모두 비열한 놈들이었다. 그는 은퇴한 뒤 "엘리너에서 몹시 존경받는 시민"으로서 2009년에 시 정부가 수여하는 '올해의 훌륭한 시민상'을 받았다. 신문에 실린 사진 속에서 이제 노인이 된 얼은 자기 집 포치에서 노쇠한 몸을 지팡이에 의지하고 있었지만, 차가운 강철 같은 눈빛은 여전해서 터너는 부르르 몸을 떨었다.

"끈으로 아이들을 30~40대씩 때린 적이 있습니까?" 기자가 물었다.

"그런 말은 전부 거짓입니다. 내 자식들의 목숨을 걸고 맹세해요. 그냥 조금 기강을 잡았을 뿐입니다." 얼이 말했다.

밀리가 그에게 기사들을 돌려주었다. "저 늙은이는 아이들을 때려놓고 거짓말을. 기강을 조금 잡았을 뿐입니다?"

그녀는 이해하지 못했다. 평생 자유세계에서 살아왔으니 당연했다. "나도 거기서 살았어." 터너가 말했다.

그의 어조. "엘우드?" 밀리의 목소리는 얼음이 자신의 몸무게를 지탱할 수 있을지 시험하듯 조심스러웠다.

"나도 니클에 있었어. 이게 거기 이름이야. 내가 소년원에 있었다는 말은 했지만, 거기 이름은 말하지 않았잖아."

"엘우드. 이리 와." 그녀가 말했다. 그는 소파에 앉았다. 자신이 형기를 다 마치지 않고 도망쳤다는 얘기는 이미 오래전에 그녀에게 했다. 이제 그는 친구의 이야기를 포함해서 모든 것을 그녀에게 말해주었다. "그 녀석 이름이 엘우드였어." 터너가 말했다.

두 사람은 두 시간 동안 소파에 있었다. 중간쯤에 그녀가 문을 닫은 침실에 들어가 있던 15분은 제외한 시간이었다. "잠깐 갔다 올게. 미안해." 그녀는 자꾸 문질러서 빨개진 눈으로 돌아왔다. 그리고 하던 일을 계속했다.

어떤 의미에서 터너는 엘우드가 죽은 뒤로 계속 그의 이야기를 하고 있었다. 오랜 세월 동안 내용을 다듬어서 올바르게 만들었다. 그러면서 그는 도둑고양이 같은 소년이 아니라 엘우드가 봐도 자랑스러워할 만한 남자가 되었다. 살아남는 것만으로는 충분하지 않았다. 사는 것처럼 살아야 했다. 햇빛을 받으며 브로드웨이를 걸을 때, 힘든 밤 근무를 끝내고 열심히 책을 읽고 있을 때 엘우드의 목소리가 들리는 것 같았다. 터너는 니클에 들어갈 때 나름의 전략과 힘들게 터득한 술수와 곤란한 일을 피하는 요령을 갖고 있었다. 그가 목초지의 그 울타리를 뛰어넘어 숲으로 들어갔을 때 두 소년이 모두 사라져버렸다. 그는 엘우드의 이름으로 다른 길을 찾아보려고 애썼다. 그 결과가 지금이었다. 그 길의 끝에서 그가 도달한 곳은 어디일까?

밀리가 말했다. "당신이 톰이랑 사이가 틀어진 것도." 19년 동안 있었던 일들이 점차 선명해졌다. 세세한 부분에 초점을 맞추는 편이 더 쉬웠다. 그녀는 작은 일들에 붙들려서 전체적인 그림을 보지 못했다.

그는 톰과 싸웠다. 톰은 그가 처음 취직한 이삿짐센터의 동료로, 오랫동안 그의 친구였다. 포트 제퍼슨에 있는 톰의 집에서 바비큐를 해먹던 독립기념일. 탈세 혐의로 징역을 살고 나온 어느 래퍼 이야기를 하다가 톰이 말했다. "죄를 짓지 마. 징역 살기 싫으면." 옛날 경찰 드라마가 시작할 때 흘러나오던 주제가 같았다.

"그러니까 죄를 지은 사람들이 벌을 안 받고 넘어가는 거야." 그가 톰에게 말했다. "너 같은 사람들이 저런 놈들은 벌을 받아도 싸다고 생각하니까." 왜 그가 저런 허랑방탕한 놈을 변호하는 걸까? 가만, 그녀가 결혼한 이 남자는 누구지? 엘우드? 터너? 어쨌든 그는 불같이 화를 내면서 많은 사람들 앞에서 톰에게 고함을 질러댔다. 웃기지도 않는 앞치마를 입고 버거를 뒤집는 톰에게. 차를 몰고 맨해튼으로 돌아오는 동안 내내 그들은 한 마디도 하지 않았다. 또 생각나는 다른 장면들. 그가 지루하다는 말 한마디만 남기고 영화관에서 나가버리던 모습. 무기력하게 폭력에 휘둘리는 장면이 그를 니클로 다시 데려갔기 때문이었다. 그는 항상 차분한 성격이었지만, 어느새 어둠이 그를 잠식했다. 경찰과 사법체계와 폭력적인 약탈자들에게 퍼붓던 폭언. 누구나 경찰을 싫어했지만 그의 경우는 조금 달랐다. 그래서 그녀는 그가 날뛰기 시작하면 화가 풀릴 때까지 가만히 내버려두는 법을 배웠다. 그럴 때는 그의 표정이 흉포해지고 말도 독해지기 때문이었다. 그를 괴롭히는 악몽들. 그가 기억이 나지 않는다고 말하던 그 꿈들. 그의 감화원 시절이 힘들었다는 건 그녀도 알고 있었지만, 여기가 그 감화원인 줄은 몰랐다. 그는 울고 있는 그의 머리를 자기 무릎에 눕히고, 길고양이처럼 귀에 난 그 흉터를 엄지로 어루만졌다. 그 흉터가 바로 눈앞에 있는데도 그녀는 이제야 알아차렸다.

이 사람은 누구인가? 그는 그였다. 지금까지 그녀가 알던 바로 그 사람. 그녀는 이해한다고 말했다. 그 첫째 날 밤을 이해하는 만큼. 그는 그였다. 두 사람은 동갑이었다. 그녀도 같은 피부색으로 태어나 같은 나라에서 자랐다. 지금은 2014년이고 그녀는 뉴욕에 살고 있었다. 옛 날에 세상이 얼마나 살기 힘든 곳이었는지 가끔 잘 기억나지 않았다. 버지니아의 친척 집에 가면, 분수도 흑인이 갈 수 있는 곳이 따로 정해 져 있었다. 백인들이 흑인을 짓밟는 데 얼마나 엄청난 노력을 기울였 는지. 가물가물하던 기억이 어느 순간 한꺼번에 되돌아왔다. 아주 작 은 일들이 계기가 되었다. 이를테면 택시를 잡으려고 길에 서 있을 때 같은 것. 일상적으로 당하는 굴욕을 그녀는 5분 뒤면 잊어버렸다. 그러 지 않으면 미쳐버릴 것 같았으니까. 큰 일들도 계기가 되었다. 백인들 이 기울인 그 엄청난 노력 때문에 불빛이 꺼지고 황폐해진 동네를 차 를 몰고 지나가는 일. 아니면 어떤 소년이 또 경찰이 쏜 총에 맞아 죽 었다는 소식. 우리나라에서 우리는 인간 이하의 대우를 받고 있어. 언 제나 그랬다. 어쩌면 앞으로도 계속 그럴지 모른다. 그의 이름은 중요 하지 않았다. 큰 거짓말이었지만 그녀는 이해했다. 세상이 그를 어떻 게 짓밟았는지 생각하면. 그의 이야기를 들을수록 그랬다. 거기서 나 와 혼자 자리를 잡고 살아온 사람. 그는 이렇게 그녀를 사랑할 줄 아는 남자가 되었고, 그녀의 사랑을 받는 남자가 되었다. 그가 살아온 인생 에 비하면 그의 거짓말은 아무것도 아니었다.

"남편을 성으로 부르고 싶진 않아."

"잭이야. 잭 터너." 옛날 그의 어머니와 이모를 빼면 지금껏 누구도 그를 잭이라고 부르지 않았다.

"입에 익혀야겠네." 그녀가 말했다. "잭, 잭, 잭."

그의 귀에 그 소리가 괜찮게 들렸다. 그녀의 입에서 한 번씩 이름이 나올 때마다 더욱 진실이 되었다.

두 사람은 지칠 대로 지친 상태였다. 침대에서 그녀가 말했다. "나한 테 전부 이야기해줘. 하룻밤으로 끝날 일이 아니야."

"알아. 그럴게."

"당신이 감옥에 가게 되면 어쩌지?"

"나도 어떻게 될지 모르겠어."

그녀가 그와 함께 가야 했다. 그녀는 그와 함께 가고 싶었다. 하지만 그가 거부했다. 그가 하려는 일을 마친 뒤 다시 만나 이야기해야 할 것 이다. 저 아래 남쪽에서 어떤 결말에 이르게 되더라도.

그 뒤로 두 사람은 말을 하지 않았다. 잠도 자지 않았다. 그녀는 몸을 둥글게 말아 그의 등에 달라붙었고, 그는 손을 뒤로 뻗어 그녀가 정말 로 존재하는 사람인지 확인하려는 듯 엉덩이를 만졌다.

공항 게이트 앞에서 여성 직원이 그의 탤러해시행 비행기 편명을 불 렀다. 그는 혼자 속으로 말다툼을 벌였다. 몸을 쭉 펴고 잠들었다. 밤 새 잠을 이루지 못한 탓이었다. 깨어난 뒤 그는 배신을 주제로 자신과 의 말다툼을 다시 시작했다. 그의 인생에서 밀리가 모든 것을 바꿔놓 았다. 구부러져 있던 그를 곧게 펴주었다. 그는 그녀를 배신했다. 엘우 드도 배신했다. 그 쪽지를 넘겨주었을 때. 그 쪽지를 태워버리고, 멍청 한 생각은 그만두라고 그를 설득했어야 했다. 그렇게 입을 다물어주지 말고. 그 녀석이 얻은 것은 언제나 침묵뿐이었다. 그가 말했다. "내가 항의할 거야." 하지만 세상은 침묵을 지켰다. 엘우드의 훌륭한 도덕적 책임감, 인간이 더 나은 존재가 될 수 있다는 그 훌륭한 생각. 세상이 스스로 바로 설 수 있다는 생각. 그는 저 뒤의 그 쇠고리에서 엘우드를 구해주었다. 그 비밀 묘지에서 그를 구해주었다. 그 결과 그는 부트 힐에 묻혔다.

그가 그 쪽지를 태워버렸어야 했다.

지난 몇 년 동안 그가 읽은 니클 관련 기사들에 따르면, 그들은 조사를 피하기 위해 죽은 아이들을 재빨리 묻어버렸다. 가족들에게 한마디 알려주지도 않았다. 하기야 그 아이들을 고향으로 데려가 다시 묻어줄 돈이 가족들에게 있었을까? 해리엇도 마찬가지였다. 터너는 탤러해시의 어느 신문을 온라인으로 뒤지다가 그녀의 부고 기사를 보았다. 그녀는 엘우드보다 1년 뒤 세상을 떠났고, 남은 유족으로는 딸 에벌린이 있었다. 그 딸이 장례식에 나타났는지는 알 수 없었다. 이제 터너는 친구를 제대로 묻어줄 돈이 있었지만, 아직 모든 조치가 보류된 상태였다. 밀리에게 자신이 누구인지 알리면서 했던 말처럼, 그는 니클을 다시 찾은 뒤의 일을 도저히 짐작할 수 없었다.

탤러해시 공항에서 택시를 기다리면서 터너는 옆 사람의 담배를 한 개비 빼앗아 피우고 싶었다. 비행기에 갇혀 있다가 나와서 담배에 불을 붙이는 그 사람의 모습이 절박했다. 하지만 밀리의 엄한 얼굴이 생각나서 터너는 담배에서 신경을 돌리려고 '딱히 갈 곳이 없어'를 휘파람으로 불었다. 택시에 올라 래디슨으로 향하면서 그는 〈탬파 베이 타임스〉의 기사를 다시 읽어보았다. 어찌나 많이 읽었는지 프린트한 기사의 글자가 그의 손자국 때문에 뭉개져 있었다. 언제가 될지 모르지만 집에 돌아가면 프린터의 토너인지 뭔지에 대해 이베트에게 한마디 해야 할 것 같았다.

기자회견은 오전 11시였다. 신문 기사에 따르면, 엘리너의 보안관이 매장지 조사에서 새로 밝혀진 사실들을 발표하고 사우스플로리다 대학의 고고학 교수가 죽은 소년들의 시신 감식 결과에 대해 말할 예정이었다. 또한 화이트하우스를 경험한 소년들도 몇 명 나와서 증언하기로 되어 있었다. 그는 지난 2년 동안 웹사이트를 통해 그들의 현황을 알고 있었다. 재회 모임, 그 학교에 있을 때와 그곳을 나온 뒤의 생활, 자신들의 이야기를 알리기 위해 기울인 노력. 그들은 정부의 사과와 기념관을 원했다. 자기들의 목소리를 누가 들어주었으면 했다. 그는 그들이 한심하다고 생각했다. 40년, 50년 전에 일어난 일을 가지고 칭얼거리다니. 하지만 사실은 자신의 처지가 하도 비참해서 반감이 일었음을, 자신이 그곳의 이름과 사진을 보는 것에 몹시 겁을 내고 있었음을 이제야 알 수 있었다. 그가 겉으로 어떤 행세를 하든 소용없었다. 그때도 지금도. 옛날 엘우드와 다른 아이들 앞에서도 그는 허세를 부렸다. 하지만 사실은 계속 겁을 내고 있었다. 지금도 무서웠다. 플로리다주는 3년 전에 그 학교의 간판을 내렸다. 그리고 이제야 모든 사실이 밝혀지고 있었다. 마치 모두가, 그곳에 있었던 모든 소년들이 이 학교의 죽음을 기다리다가 비로소 이야기를 털어놓는 것 같았다. 이제는 누구도 그들을 한밤중에 끌고 가서 잔혹한 짓을 저지를 수 없었다. 다만 옛날 그때의 그 일이 아플 뿐이었다.

웹사이트에 들어온 사람들은 전부 백인이었다. 흑인 소년들을 대변하는 사람은 누구인가? 이제 누군가가 나서야 할 때였다.

밤 뉴스에서 폐가가 된 학교 건물들과 경내를 본 뒤 그는 그곳에 다시 가보지 않고는 견딜 수 없었다. 자신이 어떻게 되더라도 엘우드의 이야기를 해야 했다. 그가 지금 수배 중일까? 터너는 법을 잘 몰랐지만, 체제의 사악함을 한 번도 과소평가한 적이 없었다. 그때도 지금도. 일어날 일은 일어난다. 그는 엘우드의 무덤을 찾아내서, 그가 그 목초지에서 쓰러진 뒤 자신이 어떻게 살아왔는지 친구에게 말할 것이다. 그 순간이 터너의 마음속에서 점점 자라나 그의 인생을 어떻게 바꿔버렸는지. 보안관에게 자신이 누구인지 밝히고, 엘우드의 이야기를 들려줄 것이다. 그들의 범죄를 저지하려고 노력한 엘우드에게 그들이 무슨 짓을 저질렀는지.

화이트하우스 소년들에게 자신도 그런 경험이 있음을, 그리고 그들처럼 자신도 살아남았음을 말할 것이다. 누구든 관심을 보이기만 한다면, 자신도 그곳에서 살았던 적이 있음을 말할 것이다.

래디슨은 먼로 거리의 시내 쪽 모퉁이에 있었다. 원래 오래된 호텔인데, 몇 개 층을 증축한 모양새였다. 증축한 부분의 어두운 현대식 창문들과 갈색 금속 벽널이 아래쪽 세 개 층의 빨간 벽돌과 전혀 어울리지 않았지만, 건물을 아예 부수고 새로 시작하는 것보다는 나았다. 요즘은 그런 일이 너무 많았다. 특히 할렘에서. 많은 일을 목격한 수많은 건물들을 사람들이 무작정 없애버렸다. 호텔의 오래된 부분은 훌륭한 기초 역할을 했다. 그가 어린 시절에 자주 보던 남부 양식의 건물을 본 것은 오랜만이었다. 탁 트인 포치와 테이프처럼 층마다 건물을 감싼 하얀 발코니.

터너는 체크인을 하고 방에 들어갔다. 여행 가방을 정리하다가 배

속이 꼬르륵거려서 다시 내려가 호텔 식당으로 향했다. 어중간한 시간이라 식당에는 사람이 없었다. 대기석 옆에 늘어져 있는 종업원은 머리를 검게 염색한 창백한 십대 소녀였다. 그가 한 번도 들어본 적이 없는 밴드의 이름이 적힌 티셔츠에는 크게 웃고 있는 초록색 해골이 검은색 글자 위에 그려져 있었다. 헤비메탈 밴드인 것 같았다. 종업원은 들고 있던 잡지를 내려놓고 이렇게 말했다. "아무 데나 앉으시면 돼요."

이 식당을 운영하는 체인이 현대적인 호텔 스타일로 인테리어를 꾸며놓았다. 얼룩을 쉽게 닦을 수 있는 초록색 플라스틱을 아주 많이 사용해서. 살짝 기울어진 텔레비전 세 대가 각각 다른 각도에서 똑같은 케이블 뉴스채널을 보여주고 있었다. 그들이 나불거리는 뉴스는 언제나 그렇듯이 나쁜 소식이었다. 눈에 보이지 않는 스피커에서는 1980년대의 팝송이 빽빽 울려 나왔다. 신시사이저 소리가 크게 도드라지는 연주 버전이었다. 그는 메뉴판을 살펴본 뒤 버거를 선택했다. 식당 이름(블론디스!)이 메뉴판 맨 앞에 통통한 황금색 글자로 쏟아지듯 그려져 있고, 그 아래에 이곳의 역사가 짤막하게 적혀 있었다. 과거 리치먼드 호텔이던 이곳은 탤러해시의 상징 중 하나였으며, 웅장한 과거의 분위기를 보존하기 위해 많은 노력을 기울였다는 내용이었다. 프런트 데스크 옆의 가게에서 엽서를 판다는 정보도 있었다.

조금만 덜 피곤했다면 그는 어렸을 때 들은 이야기에 이곳의 이름이 나왔다는 사실을 깨달았을지도 모른다. 이곳 주방에서 모험소설을 즐겨 읽던 소년의 이야기. 하지만 그는 그 사실을 알아차리지 못했다. 그는 배가 고팠고 이 식당은 시간을 가리지 않는다는 것, 그것만으로 충분했다.

작가의 말

이 책은 허구이며, 등장인물은 모두 나의 상상이다. 나는 플로리다 주 마리아나의 도지어 남학교 이야기에서 영감을 얻었다. 2014년 여름에 처음으로 그 학교의 이름을 들은 뒤, 나는 〈탬파 베이 타임스〉에서 벤 몽고메리의 철저한 취재 기사를 찾아 읽었다. 이 신문사의 자료실에서 여러분도 직접 이 기사를 읽을 수 있다. 몽고메리 씨의 기사를 계기로 나는 사우스플로리다 대학 고고학과의 에린 키멀리 교수와 그 제자들의 활약을 찾아보게 되었다. 그곳 매장지를 감식한 그들의 연구 결과는 가치를 헤아릴 수 없을 정도로 귀중한데, 「플로리다주 마리아나 구(舊) 아서 G. 도지어 남학교에서 발생한 죽음과 매장에 관한 조사 보고서」라는 제목으로 정리되어 있다. 이 대학 웹사이트에서 찾아볼 수 있다. 엘우드가 병동에서 학교 소책자를 읽는 장면은 내가 이 보고서 중 이 학교의 일상을 묘사한 부분에서 인용한 것이다.

도지어 남학교의 생존자들이 만든 웹사이트 'theofficialwhitehouse

boys.org'에 가면 옛날에 이 학교를 경험한 학생들이 직접 작성한 경험담을 읽을 수 있다. 나는 4장에서 화이트하우스 소년 잭 타운즐리의 이야기를 인용했다. 스펜서가 기강에 대한 자신의 생각을 설명하는 부분이다. 로저 딘 카이저의 회고록 《화이트하우스 소년들: 미국의 비극》과 로빈 개비 피셔의 《어둠의 소년들: 미국 최남단에서 일어난 배신과 보상의 이야기》(마이클 오매카시, 로버트 W. 스트랠리와 공저)도 그곳에 대한 훌륭한 기록이다.

너새니얼 펜이 〈GQ〉에 쓴 기사 「생매장: 독방 안에서 들려주는 이야기」에는 대니 존슨이라는 수감자와의 인터뷰가 실려 있다. 그는 이렇게 말한다. "독방에 있을 때는 매일 최악의 일이 일어났다. 내가 아침에 눈을 뜰 때." 존슨 씨는 독방에서 27년을 보냈다. 나는 그의 말을 조금 바꿔서 16장에 인용했다. 교도관으로 근무한 경험이 있는 톰 머튼은 조 하이엄스와 함께 쓴 책 《범죄의 공범: 아칸소 교도소 스캔들》에서 아칸소의 교도소 시스템에 대해 썼다. 교도소의 부패상을 현장의 시각으로 들려주는 이 책은 영화 〈도전〉의 바탕이 되었다. 아직 이 영화를 보지 않았다면 꼭 보시기를 권한다. 줄리앤 헤어의 《역사적인 프렌치타운: 탤러해시의 심장과 유산》은 흑인들이 모여 살던 그 지역의 역사를 훌륭하게 기록한 책이다.

나는 마틴 루서 킹 목사의 말을 많이 인용했다. 그의 목소리를 머릿속으로 듣고 있으면 기운이 난다. 엘우드가 인용한 킹 목사의 연설은 '학교 통합을 위한 청년 행진을 앞둔 연설'(1952년), 1962년에 LP로 나온 〈자이언 힐의 마틴 루서 킹〉 중 특히 '펀타운' 부분, '버밍햄 감옥에서 쓴 편지', 1962년에 코넬 칼리지에서 한 연설 등이다. 제임스 볼드원의 말 "흑인들은 미국인이고"는 《토박이 아들의 수기》 중 '사라진 수천'에서 인용했다.

나는 1975년 7월 3일에 텔레비전에서 무엇이 방영되었는지 알아보려고 〈뉴욕 타임스〉 자료실을 뒤진 끝에 그날 밤의 텔레비전 시간표에서 알짜를 건졌다.

이 책은 더블데이에서 출간한 나의 아홉 번째 책이다. 훌륭하고 고상한 편집자 겸 출판인 빌 토마스, 오랜 세월 동안 나를 훌륭하게 지원해주며 열심히 일하고 믿음을 보여준 마이클 골드스미스, 토드 도티, 수잰 허즈, 올리버 먼데이, 마고 시크맨터에게 감사한다. 훌륭한 대리인인 니콜 아라기에게도 감사한다. 니콜이 없었다면 나는 그저 낭인 작가가 되었을 것이다. 그레이스 디체를 비롯한 니콜의 팀원 모두에게도 감사한다. 격려의 말을 해준 북 그룹의 친절한 사람들에게도 감사한다. 그리고 내 가족, 줄리, 매디, 베킷에게 감사와 사랑을 바친다. 이 사람들과 인생을 함께하는 나는 행운아다.

니클의 소년들

1판 1쇄 발행 2020년 12월 11일
1판 7쇄 발행 2022년 1월 10일

지은이 · 콜슨 화이트헤드
옮긴이 · 김승욱
펴낸이 · 주연선

(주)은행나무
04035 서울특별시 마포구 양화로11길 54
전화 · 02)3143-0651~3 ┃ 팩스 · 02)3143-0654
신고번호 · 제 1997—000168호(1997. 12. 12)
www.ehbook.co.kr
ehbook@ehbook.co.kr

ISBN 979-11-91071-23-8 (03840)